O Grau Zero do Escreviver

Coleção Debates
Dirigida por J. Guinsburg

Equipe de Realização – Revisão: Juliana Siani Simionato; Diagramação: Sérgio Kon; Produção: Ricardo W. Neves, Heda Maria Lopes e Maria Amélia Fernandes Ribeiro.

Presidente da República Federativa do Brasil
FERNANDO HENRIQUE CARDOSO

Ministro da Cultura
FRANCISCO WEFFORT

Presidente da Fundação Biblioteca Nacional
EDUARDO PORTELLA

Diretor do Departamento Nacional do Livro
ELMER CORRÊA BARBOSA

josé lino grünewald
O GRAU ZERO DO ESCREVIVER

Seleção e Prefácio
José Guilherme Corrêa

Dados Internacionais de Catalogação na Publicação (CIP)
(Câmara Brasileira do Livro, SP, Brasil)

Grünewald, José Lino, 1931-2000.
O grau zero do escreviver / José Lino Grünewald;
seleção e prefácio de José Guilherme Corrêa. --
São Paulo : Perspectiva ; Rio de Janeiro : Fundação
Biblioteca Nacional, 2002. -- (Debates ; 285)

ISBN 85-273-0306-X

1. Crítica literária 2. Ensaios brasileiros -
Coletâneas I. Corrêa, José Guilherme. II. Título.
III. Série.

02-4561   CDD-801.95

Índices para catálogo sistemático:
1. Crítica literária   801.95

Direitos reservados à
EDITORA PERSPECTIVA S.A.
Av. Brigadeiro Luís Antônio, 3025
01401-000 – São Paulo – SP – Brasil
Telefax: (0--11) 3885-8388
www.editoraperspectiva.com.br
2002

SUMÁRIO

Uma Grünewaldiana da Escrivivência – *José
Guilherme Corrêa* 11

1. O Problema da Prosa 31
   Relato e Ficção 33
   Dumas: A Prosa Pura 35
   Zola e o Método 36
   O Tempo de Gide 40
   A Humanidade Vitoriosa 42
   Balzac de Saias 43
   Breve Odisséia do Espírito 45
   Criação x Burocracia 46
   Faulkner em Novelas Cinematográficas 49
   Rosa da Prosa 52
   O Iconoclasta da Cruz 57
   O Banquete dos Amorais 59
   O Outrora no Agora 60
   A Era do Texto 62
   Criação e Publicidade 67

O Problema da Prosa 69

2. POR QUE LER OS CLÁSSICOS 75
   O Livro de Jó Descerra os Meandros da Tradução 77
   Carpeaux – Literatura Ocidental 79
   A Literatura Alemã 83
   Armas e Barões de Camões 87
   A Magia de Shakespeare, para Além do Tempo ... 89
   O Grande Marvell 92
   As Tramas do Gosto 97
   Blake, do Tigre ao Cordeiro 98
   Baudelaire: Um Século de Morte 101
   Stéphane Mallarmé, o Criador da Verdadeira Poesia
   Moderna 104
   De Mallarmé a Resnais 106
   Jules Laforgue: 70 Anos de Morte 110
   Axel 114
   Os Formalistas Russos 116
   Por que Ler os Clássicos 117
   Por que esse Apego aos Clássicos? 120

3. POESIA AQUI E ALI 121
   Palavras, Palavras 123
   Poesia e História 125
   Textos de Maiakóvski 128
   As Antenas Pagãs 130
   Robert Desnos, Poeta da Palavra 132
   Re-visão de Kilkerry 135
   Lorca: Minipoemas 136
   E. E. Cummings em Português 139
   A Obra de W. H. Auden 140
   A Arte como Tinturaria 143
   Neruda: Lirismo e Luta 144
   Drummond no Processo 146
   Mário de Andrade, Poeta 152
   Mário Faustino 157
   Fé no Verbo 161
   O Poeta Pós-tudo 162
   Poesia Aqui e Ali 163

4. POESIA CONCRETA 165

Uma Nova Estrutura 167
Reto, Direto e Concreto 170
Poesia Concreta – Síntese Teórico-histórica 175
Função das Vanguardas 176

5. BRINCANDO NOS CAMPOS DA FILOSOFIA 181
Escapismo e Participação 183
Mitos Políticos 188
Produção Reprodução Formação Informação 194
Hans Magnus: Poesia Política 198
Importância e Processo Estético............... 201
Dogma e Dialética 205
Hora e Vez do Diabo 207
Fim do Racionalismo 208
Loucura Cronológica 209
A Fome e a Forma 211
Som e Signo 213
A Era Eletrodinâmica....................... 214
Forma e Fonte.............................. 216
O Grau Zero de Barthes 217
Cultura e Progresso 219
Brincando pelos Campos da Filosofia 221

6. PELA LENTE DO HUMOR...................... 225
Pela Lente do Humor 227
Sob as Ordens de Ubu, o Rei de Jarry 229
O Homem-revólver......................... 231
Exército sem Armadura 233
TV/Crítica: O Humor Autêntico............... 234
Ninguém Ri por Último nas Fábulas do Povo 236

7. DEPOIS DELES, A LINGUAGEM É OUTRA 241
Teoria Geral da Informação – Flashes – Fundamentos
de uma Dogmática 243
Wiener ou Cibernética 248
Bréton: Arte e Liberdade 249
Estruturalismo ou Nominalismo............... 254
Hebert Read 257
O "Livro" de McLuhan...................... 259
O Último Anedótico........................ 261
Ensaios de Susanne Langer 262

Contracomunicação: O Ensaio é Poesia 264
O *Panaroma* de Joyce 265
Linguagem e Mito 266
Uma Pedra de Toque da Inteleigência Formulativa ... 268
A Influência da Linguagem sobre o Pensamento e
sobre a Ciência do Simbolismo 269
Depois Dele, a Linguagem é Outra 271
Semiótica e Literatura...................... 272
Do Relato ao Registro 274
Aristocracia do Tédio...................... 276

UMA GRÜNEWALDIANA DA ESCRIVIVÊNCIA

No universo literário, se *vintage* é o fardão, se *fashion* são as listas de *best-sellers*, e se *kitsch* são os beletristas que batem ponto, indefectivelmente, nas tertúlias de plantão, José Lino Grünewald (13.2.1931-26.7.2000), por exclusão, não foi nada disso. Acrescente-se que jamais pertenceu também a qualquer escola chapa-branca. Ao contrário, pode-se dizer que fosse, a um tempo, antivintage, antifashion e antikitsch. Embora militasse formalmente na vanguarda crítica e poética, era nos bares da Zona Sul carioca que preferia trocar idéias, contar piadas e, em suma, praticar a arte moribunda (só na aparência, espera-se) do *wit* rico em *repartees* e em *boutades*.

Só "saía do sério" para denunciar o que lhe pareciam leviandades culturais e polemizar, eventualmente, com pares como Theon Spanudis, Mário Chamie, José Guilherme Merquior, Cassiano Ricardo e Ferreira Gullar, entre outros. Volta e meia, perguntavam-lhe se seria algum dia candidato à ABL. Zé Lino deixava claro que: "– Isso não passa de gozação...

Um cineasta, que entrevistou João Cabral, veio com essa... E o João acabou dizendo que *eu teria* o voto dele!".

Blagues à parte, JLG era tímido o suficiente para não querer arrostar solenidades de tal quilate literato. Não que fosse contra a coisa em princípio. Nem contra o princípio da coisa. Muito pelo contrário, ele dizia: "– Dá status, não é? Em toda parte há esse tipo de coisa".

Mas a sua verdadeira praia era outra. O seu temperamento, diverso. Seu departamento, mais para informal do que hierático. No entanto, chegou até a trabalhar como *ghostwriter* para gente virtualmente inscrita no duvidoso "Quem é Quem" da nossa *res* pública. Enquanto isso, no limbo da vida criativa, dispensando louros, facilitários e quejando, foi criando uma obra, se longe de mananciosa, não exatamente pequena.

Alguns dos poemas, ele levou anos para aprontá-los, da concepção à arte final (já que estamos falando aqui de poesia feita a régua, Letraset, Pagemaker e – o que os detratores insistem em ignorar – talento). Não deixou mais do que uma centena de poemas, entre inovadores e tradicionais, mais algumas centenas de textos críticos ensaísticos. Especialidade? Múltipla. Foi especialista, pode-se dizer, em Carlos Gardel, cine-opereta, corridas de cavalos, redondilha maior e... no paraíso de flores em geral "d'esse viver viçoso e perfumado"[1] que vem a ser, afinal, a poesia de ontem e de hoje.

O pós-moderno JLG amava os clássicos e os modernos. Agarremo-nos a Castilho, esse mal amado e (segundo Zé Lino) esteticamente imprestável metrificador: "Em nenhuma parte a ouvireis cantar combates, viagens, descobrimentos, artes, luxo, amores, ou desejos de melhor vida para além-mundo, que lhe não fugisse um olhar de saudade para o seu paraíso de flores".

A presente coletânea resgata um lastro de artigos e textos criativos que foram publicados, em sua maioria, no veículo por excelência do século passado – o da Segunda Revolução Industrial – o bom e velho jornal. A estrutura-menu da seleta seguiu o receituário e os pratos fortes, de resistência,

---

1. Sintagma encontrado em Antônio Feliciano de Castilho (1800-1875).

do ensaísta. Vale dizer: o método incisivo, poundiano[2], pragmático, que certos formalistas cultivam e que todo *formulista*, aliás, tende a desprezar. No diz[crev]er grünewaldiano: "– [Os acadêmicos,] muitas vezes, atrapalham a crítica. Prefiro, em geral, os autodidatas. Como dizia Noel Rosa, o samba não se aprende no colégio".

Discernir as "essências" e as "medulas" de um crítico é classificar-lhe as idéias em formato sintético e configuração sincrônica. Aqui, a suma do escritor – ou melhor, o "em suma", uma espécie de grünewaldiana sumária e escrevivida – será sua medula essencial ou essência medular, como preferirem. Listemos alguns dos assuntos que Zé Lino aprofundou:

1. A função da vanguarda *versus* a postura participante, querela tão em voga durante os anos ditos rebeldes. JLG foi sempre oponente veemente de todos os dirigismos de inspiração jdanovista[3], tão apregoado então por intelectuais e, naturalmente, semi-intelectuais de carteirinha de esquerda. Na União Soviética estalinista, foi Jdanov que determinou o tipo de literatura que devia ser feito para concretizar a revolução de 1917. Exigia-se dos intelectuais comunistas uma obra voltada para a classe operária, para assim criar no proletariado uma consciência revolucionária sob a responsabilidade indireta dos intelectuais. "Só a literatura soviética, que é unha e carne da edificação socialista", pontificou Jdanov, ao confrontar realismo socialista e modernismo, "pode tornar-se – aliás, já se tornou – uma literatura rica em idéias, progressista e revolucionária". Baseando-se num artigo de Lênin de 1905, os intelectuais adeptos de uma linguagem fechada a interpretações queriam fomentar a consciência revolucionária por meio da censura à liberdade criadora. Eles repudiaram as vanguardas européias que revolucionavam então a arte ocidental, acreditando que o aporte cultural da URSS devia consistir no desvendar da "nova" realidade social. Nascia assim o

---

2. Relativo a Ezra Pound, referência por excelência em qualquer grünewaldiana que se preze e objeto do trabalho mais ambicioso de JLG como tradutor (os "Cantos").

3. Referente a Andrey Jdanov, que em 1934 dirigiu o Congresso de Escritores Soviéticos.

realismo socialista, retrato realista da vida social. Os jornais foram o veículo principal de propaganda daquela "nova" forma de pensamento criativo e, no Brasil, os militantes e simpatizantes comunistas seguiram tais determinações. O autor ou editor que não se enquadrasse nas determinações do PC passava a fazer parte do *Index* inquisitório, transformando o caminho revolucionário em uma trilha cheia de armadilhas para escritores e artistas em geral.

Com um posicionamento lúcido, JLG afinava-se muito mais com o pensamento de um Hans Magnus Enzensberger ou com o do Sartre pré-comunista, que classificava a poesia no mundo da palavra-coisa e não do da palavra-signo[4]. Ou ainda com o surrealista Jean-Louis Bédouin, quanto ao núcleo do problema estar em sacudir a própria civilização cristã e as estruturas do pensamento que a fundamentam. Ou mais perto de Ernst Fischer do que de Lukács quanto a ser o artista criador, antes de se atar à esquerda ou à direita, um humanista.

2. Poesia e história, poesia aqui e ali: acuidade ao estabelecer a linha do processo e analisar o fazer poético.

– "Antes de ser um sofredor ou um fingidor" – aduzia Zé Lino – "o poeta pode ser tudo, mas seu ideal é o Nada... Quanto ao livro, *hélas*, pelo menos existe o inatingível passado, que é mais concreto do que o presente (*riocorrente*) e o futuro (incerto e não sabido). Em suma: o papel do escritor na sociedade é escrever".

Aos olhos dos jdanovistas, um pensamento escapista, talvez. Aos de um liberal, um pensamento humanista. Num de seus ensaios em tempo hábil ("Escapismo & Participação", do início dos anos 60) sobre tal controvérsia, ele argumentava que a revolução de um artista, através de sua obra, é a de um humanista e não a de um político.

3. A estrutura da prosa: assim como o cineasta italiano Pasolini estabelece uma curiosa distinção qualificativa entre "cinema de prosa" e "cinema de poesia", JLG chamava Joyce e Guimarães Rosa de "prosa impura" ou poética, e Dumas Fils, Conan Doyle & cia. de "prosa pura". As divisões resul-

---

4. *Situations, II*. Gallimard, 1948.

tam, em última e etimológica análise, dos fatores que geram a expressão. *Prosa* (do adjetivo latino *prosus, -a, -um*) significa oração *solta*, no sentido contrário de poesia, que é uma operação *presa* ao metro, obrigada ao retorno. Mais remotamente, prosa significa, no dizer latino *pro-versus* (= vertido para frente), ou seja, retilíneo. Daí as abreviações *prorsus* e *pro(r)sus* (= prosa), isso é, sem recorrência de verso metrificado. No contexto latino, prosa significava a linguagem livre em contraposição à linguagem presa ao "verso", *voltada* sobre si própria pela metrificação. Mas essa definição, por ser nominal e meramente descritiva, não atinge a essência mesma, nem da prosa, nem da poesia. Tecnicamente falando, prosa é a palavra nascida da e na literatura, referindo-se, pois, em especial, a uma forma de linguagem. Equivale a dizer que a prosa é uma expressão por representação direta, simplesmente pela conexão mimética estabelecida entre o semelhante e o semelhado. A prosa é poética quando, apesar de conter poesia, o objetivo principal continua sendo seu conteúdo prosaico, entrando a poesia apenas como um suporte. Na prosa poética, a poesia não pode ser o objetivo último. Quando, portanto, o objeto da prosa é mais importante do que o estilo evocativo ou o brilhantismo do discurso, dizemos "prosa prosaica". Ainda se dá um outro fenômeno que é muito comum e vem na contramão da prosa poética: o de uma *poesia prosaica*. Isso ocorre quando a poesia prefere focalizar uma ou mais funções secundárias do elemento prosaico. Mas, quando há somente prosa, como geralmente ocorre nas exposições da ciência e da filosofia, dizemos *prosa pura*. Analogamente, quando interessa apenas a imagem e não o elemento prosaico, temos a *poesia pura*. A linguagem literária, em geral, é a prosa com alguma poesia, portanto prosa poética, ou seja, prosa agregada de certa intervenção evocativa. A prosa pura apresenta alguma aridez, não explorando em profundidade as oportunidades do processo evocativo. Enfim, prosa e poesia são duas modalidades de expressão artística. A primeira funciona bem sem a segunda, mas a recíproca não é verdadeira. Poesia pressupõe, em alguns de seus aspectos mais fundamentais, a prosa. Enquanto esta se atém estruturalmente às três características fundamentais, de liberdade ou desenvoltura linear (que lhe deu o nome de prosa); de logicidade; e de exatidão (ou severidade). Tudo isso remete também para outro ensaio, nesta grünewaldiana, que aborda esses aspectos da "dança das categorias": *Dogma e Dialética*, no qual JLG compara o relativismo e o absolutismo, no dizer. O poeta, para ele, dirige-se em primeira instância à sensibilidade, logo, cria dogmas. Ao passo que, em uma discussão "prosaica", é o jogo do intelecto que conta. Ali, para se navegar no léxico, não valem tanto as metáforas nem os métodos referenciais.

4. Porque ler os clássicos. No romance *Vestígios do Dia*, de Kazuo Ishiguro, quando a governanta de Darlington House, Miss Sally Kenton, invade a privacidade de seu supervisor James Stevens, flagra-o lendo um romance escapista, em sua água furtada, e praticamente o obriga a revelar em que tipo de literatura água-com-açúcar estava embrenhado, Stevens tem por bem explicar à moça que só perdia tempo com tais coisas porque uma de suas prioridades, na profissão de mordomo, era "um domínio crescente do idioma inglês". Se não houvesse hoje em dia tanta pressão para *não* se ler os clássicos, qualquer resposta seria a esmo. Os motivos são muitos. Falta tempo ao homem pós-moderno, a oferta informacional tornou-se verdadeiramente colossal, o livro integrou-se definitivamente à indústria cultural, a propaganda é maciça em torno dos *best-sellers* e, de resto, alguém aí está muito preocupado em dominar eventualmente a boa sintaxe e a riqueza semântica da última flor do Lácio? Mas, seja como for, a palavra *clássico* é usada aqui de um modo pelo menos bivalente, englobando não só o mais antigo mas também a tradição mais viva.

5. Brincando nos campos da filosofia[5]. A filosofia não costuma ser um campo, em geral, propenso à brincadeira. Por outro lado, não se pode negar que, nesta era de tantos mestrandos e doutorandos a granel e corporativismos classistas em ebulição, os amadores acabam adquirindo uma espécie de *status* lúdico. Como gente grande, JLG abordou, investido da saudável aura de ludismo que contrapunha a imprensa –

---

5. Alusão indireta a um romance então em voga, *Brincando nos Campos do Senhor*, de Peter Matthiessen, que o cineasta argentino-brasileiro Hector Babenco verteu para o cinema.

mais aberta – às academias – mais fechadas –, temas que pouco têm de frívolos: cultura, progresso, racionalismo, estruturalismo, nominalismo, escapismo, lingüística, semiótica, neokantismo, estética, dialética etc.

6. Poesia concreta. Em cerca de trinta artigos ao todo, JLG resumiu o legado concretista que, aliás, ele próprio integrou: as conseqüências literárias, culturais, visuais, desenhísticas e até industriais desse movimento literário que completa meio século em 2006. Tecnicamente, poesia concreta é a denominação de uma prática poética que tem como características básicas a abolição do verso, a apresentação verbivocovisual, ou seja, a organização do texto segundo critérios que enfatizem os valores gráficos e fônicos relacionais das palavras, e a eliminação ou rarefação dos laços da sintaxe lógico-discursiva em prol de uma conexão direta entre as palavras, orientada principalmente por associações paronomásticas. Tal prática retomou vanguardas anteriores (futurismo e dadaísmo, em especial) com mais rigor construtivista, pelo menos tal como praticada pelos brasileiros do grupo "noigandres" e por Eugen Gomringer (este, menos interessado na dimensão sonora). Posteriormente, abriu espaço para outras modalidades de poesia visual que passaram a incluir elementos não-verbais (desenhos, fotos, grafismos). A poesia brasileira aventurou-se também por essas sendas. Por exemplo, os poemas "semióticos" de Décio Pignatari, o popcreto "olho por olho" de Augsuto de Campos. Já JLG, diferentemente, se manteve sempre fiel à ortodoxia da fase inicial a que ele costumava aludir usando a locução cinemático-epitética 'l'âge d'or'.

– "Os concretistas" – dizia JLG – "deixaram um aprofundamento e um alongamento do ato de se encarar a poesia como estrutura, como projeção de funções em termos lingüísticos e semióticos. Afinal, arte *é* forma".

Sobre a existência de uma linguagem concretista, JLG dizia que "a linguagem do concretismo é a que inverte os termos saussurianos[6]". Ou seja, o significante torna-se significado & vice-versa. Em outras palavras, o primado é da lingua-

---

6. Referente a Ferdinand de Saussure (1857-1913), filósofo suíço que

gem e não da língua (idiomas, dialetos). O poeta vivencia menos, distancia-se em relação à vivência, a fim de viver mais a própria essência do fazer poético. Ele procura ser um mínimo múltiplo comum da *poiesis* (= fazer) ou, como definiu Décio Pignatari, um *designer* da linguagem. O concretismo continua discutido ainda hoje, combatido, apedrejado, mas o fato é que, desde o lançamento do movimento, em 1956, poemas concretos brasileiros vêm sendo ecleticamente publicados: na Holanda, Suíça, Japão, Alemanha, Estados Unidos, Reino Unido, França, Portugal, Dinamarca, Peru, enfim, por toda a parte, praticamente. No caso pessoal de JLG (que certamente não era dado a muitos contatos internacionais), um único poema concreto ("Vaivém") foi motivo de análises do professor de estética e filosofia Max Bense, de Stuttgart. Outro poema concreto ("Cinco") foi tese de um mestrando da UFRJ.

7. Os versos de Augusto de Campos – "Ah, Mallarmé/ a carne é triste/ e ninguém te lê/ tudo existe/ para acabar em tevê?" – vêm, forçosos, à mente quando nos referimos ao JLG clínico, digo, crítico de cinema e/ou televisão (*Jornal de Letras, Correio da Manhã, Jornal do Brasil, Jornal da Tarde, Última Hora*).

8. A necessidade de ser humorista e entretanto – pelo avesso do repertório – polêmico. Quem conviveu com Zé Lino, e não foram poucos *high brows*, *low brows* e até *lumpen brows*, nos *points* de seu circuito (bares e restaurantes fluminenses do presente e do passado, como Vermelhinho, Parque Recreio, Praia Bar, Allis, Cabral 1500, Monte Carlo, Pomme d'Or, Lucas, Rio Jerez/El Faro, Osmar, Frank's, Gaiety, Álvaro's e D'Angelo), sabe que o exegeta de Pound, Eliot, Valéry e Melo Neto, que o leitor crítico de *Finnegans Wake, Ulisses,*

revolucionou as ciências humanas ao criar a teoria do estruturalismo para a linguagem. O *Curso de Lingüística Geral*, publicado em 1916, é considerado uma obra sua, mas foi na verdade redigido por discípulos depois de sua morte. Se a perenidade do texto é prova mais do que suficiente de sua pertinência, hoje se tende a atribuir isso a uma certa simplificação, uma distorção, quem sabe, uma censura à fala original do lingüista genebrino. A *Belle Époque*, provavelmente, também não foi imune a patrulhas ideológicas.

Em Busca do Tempo Perdido, Grande Sertão: Veredas, Faulkner e Kafka, era também um ás nesta arte tão lúmpen, carioca e irreverente, que é a de contar piadas.

Como disse o chefe do movimento surrealista, André Bréton, "a liberdade é a condição básica da objetividade na arte". JLG procurou projetá-la no que produziu. Não só a liberdade mais simples e existencial, de ler e escrever o que quisesse, quanto quisesse e quando quisesse, mas também a outra, do próprio ser, a liberdade essencial que um criador detém, retém, mantém e contém até quando patrulhado, aprisionado ou amordaçado: a liberdade de um remador de galé agrilhoado ou, como preferia nosso ensaísta, a de Charles Chaplin com a flor na boca no final de um de seus filmes favoritos, *Luzes da Cidade*.

O intelectual aqui proposto é um crítico, e o autocrítico aqui proposto, um ético. A demonstração talvez careça de mais clareza, mas respalda-se, em última análise, em Sartre, que definiu melhor do que a maioria o antídoto permanente contra qualquer modalidade de empáfia[7]: "A falsa coragem aguarda as grandes ocasiões; a verdadeira coragem consiste em enfrentar, dia a dia, os pequenos inimigos". Pensando e sentindo, ou escrevendo, vivendo e escrevivendo, JLG porfiou por uma autocoerência vazada nesse binômio, paz/liberdade. Pois não é por meio de um trabalho de autocoerência e manutenção da liberdade essencial que o escritor, "antena da raça", melhor do que a quase totalidade de seus contemporâneos, anima e reanima a coragem do ser e de ser, no dia-a-dia da vida? JLG formou-se justamente em direito[8], cujas instituições *clássicas* são cunhadas pela inspiração ética. Mas só indiretamente, mesmo, atuou como causídico. Levado por outro poeta-jornalista notável, Mário Faustino, ele começou a escrever no *Jornal do Brasil* em setembro de 1956. Eram artigos para o polêmico e hoje, dizem, lendário SDJB (Suple-

---

7. Em seu ensaio sobre Paul Nizan.
8. Em 1953, pela UnB (atual UFRJ).

mento Dominical[9] do *Jornal do Brasil*), no qual ele também publicou alguns poemas e o conto "Cemitério"[10]. Em 1958, JLG começou a escrever no *Correio da Manhã*, que não mais deixaria, nem mesmo durante as gestões da viúva de Paulo Bittencourt e de sucessivas famílias de políticos que acabaram comprando o jornal e ensejando-lhe um melancólico fim, em 1975. Durante toda essa época, colaborou com muitos jornais e revistas, mas o matutino fundado por Edmundo Bittencourt, enquanto durou, foi sempre uma espécie de base-Bunker: a um tempo, segunda residência e quartel-general. Foi também naquele ano de 1958 que JLG publicou seu primeiro livro de poemas – que chamava de "pequeno, mas pretensioso". Dizia pretensioso porque, no fundo, sempre concordou mais com Mário Quintana, que preferia citar as opiniões alheias sobre si ("Dizem que sou modesto, pelo contrário, sou tão orgulhoso que acho que nunca escrevi algo à minha altura"), do que com Nelson Rodrigues, por exemplo, para quem "todo escritor que não se ache gênio deve parar de escrever e cuidar de secos e molhados".

Certo, não há proposta estética que transcenda de todo um mínimo de catecismo – e o *cate[*steti*]cismo* de JLG consistiu sempre em perseguir a originalidade: propiciar um grau mínimo de novidade e surpresa. Desde logo, identificou-se com as idéias novas que sopravam na segunda metade do século XX: a filosofia da cibernética, a teoria da informação e da comunicação, as artes vistas como linguagens e sistemas de significação. Tal como acontece com todos nós, as leituras de juventude o marcariam para sempre: Cassirer, Langer, Merleau-Ponty, os gestaltistas. Tal como os correligionários de concretismo, formalismo e construtivismo, Zé Lino era um

---

9. Que não era dominical: saía na edição de sábado daquele matutino carioca.

10. Peça inicial de uma pequena obra de prosa de ficção que também abrangeria mais tarde os minicontos diários *dada*-surrealistas, muito loucos, sob o pseudônimo Xerloque da Silva, e um roteiro para curta-metragem cinematográfico escrito especialmente para *Yours Truly*, escriba este que nunca teve, até o momento, a chance de filmá-lo.

estruturalista *avant-la-lettre*. Mas só *avant-la-lettre*. Quando uma determinada escola de europensadores espalhou estruturalismo a granel pelo mundo afora, JLG tirou o corpo-de-obra fora.

A seu ver, a crítica decaíra muito depois do euro-estruturalismo de foco francês. Almoçando entre literatos, certa vez, aproveitou para perguntar a um lexicógrafo presente o que era *intertexto*. Alguém explicou que, de acordo com Michael Rifaterre, o intertexto era "um ou mais textos que um leitor precisa conhecer para poder entender uma obra literária em termos de sua significação total". Para Zé Lino, isso não passava de obviedade em demasia e semântica em somenos. A própria prática estruturalista dera lugar a uma teoria estruturista. Do estruturalismo ao estruturismo, era demais. A guinada rumo à lingüística invadira os jargões – crítico, artístico, psicanalítico etc. – com tanta força que quase tornou sem sentido o "novo movimento teórico" capitaneado por Lévi-Strauss, Louis Althusser, Roland Barthes e Jacques Lacan. Depois desses, ainda viriam o neofuncionalismo, a teoria da estruturação de Giddens, a teoria da ação comunicativa de Habermas, a teoria estruturista da prática de Bourdieu, a tentativa de criar pontes entre as dimensões "micro" e "macro" e, hoje em dia, quem ousaria sequer mencionar a tendência dominante? Para JLG, a melhor fase da crítica ficou sendo mesmo a chamada científica, principalmente a de língua inglesa, objetiva, inteligente. Mais os formalistas russos, Roman Jakobson, Roland Barthes e Merleau-Ponty.

Na existência febril, excitante, estimulante que é – ou, pelo menos, era então – o jornalismo clássico e exuberante, especialmente em jornais como o *Correio da Manhã*, o *Diário Carioca*, o *Diário de Notícias*, JLG participaria inclusive da frente política, em forma de editorialista e articulista: a partir de 1962, passou a integrar o corpo editorial do *Correio*, expressando a opinião do jornal e, mais tarde, em 1966-1967, escrevendo também artigos políticos assinados, colaborando com as sessões de esporte (turfe), 2º Caderno (cultura) e 4º Caderno (suplemento literário).

– "De modo que a tal da poesia foi ficando meio de lado", dizia.

Mas o PC – Partido Concretista – da literatura prosseguia em sua proverbial semiclandestinidade (*vintage*, sim; *fashion*, não tanto quanto o Violão de Rua, a Canção do Subdesenvolvido, a saga do cabra João Boa Morte e tantas outras poesias do facilitário populista que marcava aqueles anos rebeldes de tanta guerra fria, CPC da UME, teatro de caminhão e protestos a granel). Durante esse tempo todo de chapa Jan-Jan[11] dando vez à ditadura militar e à esquerda emergente (na época, dizia-se festiva), JLG participou da antologia *Noigandres 5* de poesia e traduziu, entre outros, A Obra de Arte na Época de Suas Técnicas de Reprodução (*Das Kunstwerk im Zeitalter seiner Iechnischen reproduzierbarkeip*), o ensaio de Walter Benjamin, escrito em 1936, que JLG e seu não menos brilhante colega de *Correio*, Otto Maria Carpeaux, muito admiravam. Benjamin, citado nesta coletânea uma dúzia – quiçá duas dúzias – de vezes, ensejou até crônica no *Correio*. Os intelectuais à volta de Carpeaux gostavam de testar-lhe diariamente a memória (lendária) e o conhecimento bibliográfico (manancioso). Quando JLG, pressupondo Walter Benjamin desconhecidíssimo, perguntou a Carpeaux:

– Conhece? – e o outro disse:
– Muito! Foi meu amigo...
A galera quase veio abaixo...

Não por acaso, Benjamin, o filósofo, projeta o século XX para a modernidade.

Meios de produção e relações de produção artísticas são inerentes à própria arte, configurando-lhe as formas de dentro para fora. Neste sentido, os meios técnicos de produção da arte não são meros aparatos estranhos à criação, mas determinantes dos procedimentos de que se vale o processo criador e das formas artísticas que eles possibilitam,

escreve Benjamin, conferindo às ciências da informação e da comunicação uma espécie de perspectiva humanista. Sua obra,

11. O povo preferiu eleger, ao mesmo tempo, *Jân*io Quadros (PDC/UDN) e João Goulart, *Jan*go (PTB/PSD) já que o regulamento da eleição presidencial de 1960 permitia que se votasse em quaisquer partidos políticos, simultaneamente. Daí o apelido, "chapa Jan-Jan".

que representa um suporte teórico, metodológico, póscassireriano, para uma antropologia cultural-comunicacional, costuma ser inserida na chamada Escola de Frankfurt, juntamente com Marcuse, Adorno, Habermas e Horkheimer. Mas só os estudos de Benjamin trazem uma visão prospectiva. Por exemplo, ao prever que o poeta do futuro seria uma espécie de poeta iconográfico, um criador de ícones visuais. Qualquer semelhança com concretismos & cia. *não* é mera coincidência. Já em 1929 Benjamin profetizava que o livro, na sua forma tradicional, rumava para o fim. O próprio conceito de "aura do objeto único" tem ressonâncias místicas. No ensaio citado, encontramos um marxista curiosamente que, chegado a coisas cabalísticas e afeito à astrologia, percebe nos mais banais acontecimentos uma "aura", uma transcendência. Analisando o objeto utilitário, Benjamin descobre-lhe a face oculta, que extrapola a mera condição de objeto de consumo, e percebe nele uma dimensão encantatória e atemporal. Já o conceito de superestrutura, ao tratar do produto cultural, trai a influência do marxismo ortodoxo. Walter Benjamin percebeu que a modernidade cultural, produto do capitalismo, constrói e/ou destrói o belo, isso é, promove, mas também remove e demove. Ainda no mesmo ensaio, ele descobria o potencial imenso das novas tecnologias: o cinema contribui para a perda da aura do objeto estético, mas representa um *know-how* revolucionário capaz de despertar uma nova percepção no indivíduo e de transformá-lo em espectador ativo.

Diremos, agora, espectador interativo, agregando-lhe os valores tecnológicos ainda mais novos – de televisão, multimídia, microcircuito, realidade virtual. Estamos assim em pleno domínio do funcional – a palavra tão em voga no meio do século passado. O postulado clássico de um arquiteto do século atrasado (o americano Louis Sullivan), "a forma segue a função", já continha o germe de uma estética da utilitariedade. O século XX, ao adotar/aderir a/endeusar a máquina, pôs em xeque o ludismo essencial de toda obra de arte. E o sistema da reprodução substituiu definitivamente o artesanato manual e desenraizou a tal "aura do objeto único" de Benjamin. No processo da comunicação de massas, o auditório – elemento receptor – ganhou uma amplitude inaudita. Ser funcional passou a ser relativo, a levar em conta a relatividade tocante à produção e reprodução de informação. Uma boa síntese está na definição proposta por Barthes para a escrita, a de um elo entre a criação e a sociedade: "A escrita é essencialmente a moral da forma, é a escolha da área social no seio da qual o escritor decide situar a Natureza de sua linguagem. Porém esta área social não é absolutamente a de um consumo efetivo"[12].

O toque de Barthes também é sensível e sobrepõe-se mesmo ao toque de Benjamin, em Zé Lino. Por intermédio do grupo *Tel Quel*, Barthes defendeu uma teoria e uma estética da escrita segundo uma utilização original da palavra, de acordo com a proposta original de seu primeiro livro, *O Grau Zero da Escrita*, de 1953 (objeto, aliás, de um dos ensaios mais representativos desta antologia), que estuda o relacionamento entre a literatura e a história. Apesar do prestígio intelectual que lhe valera, em 1976, a primeira cátedra de semiologia literária no Collège de France, Roland Barthes só conheceria o sucesso junto a um público não especializado ao lançar, em estilo mais acessível, uma espécie de autobiografia chamada *Roland Barthes por Roland Barthes* e também os *Fragmentos de um Discurso Amoroso*, como o título indica, um estudo do discurso do envolvimento afetivo e da paixão. No primeiro, Barthes confessava:

> Quando criança, eu me entediava freqüentemente e de maneira intensa. Esse tédio começou visivelmente muito cedo, continuou durante toda a vida, vinha em ondas (cada vez mais raras, é bem verdade, graças ao trabalho e aos amigos). É um tédio pânico, que vai até a angústia: como o que sinto nos colóquios, nas conferências, nas noites no estrangeiro, nas diversões de grupo: em todo lugar onde o tédio pode se ver. Seria o tédio minha histeria?

JLG, como Barthes, foi também um inovador, ao abordar a comunicação segundo a teoria dos signos. JLG, como Barthes (e como Althusser), não deixa aparentes seguidores.

---

12. *Le degré zéro de l'écriture*, Editions du Seuil, 1953. Formado em filologia e línguas clássicas, Barthes nasceu em 1915 e, a partir de 1943, ocupou vários cargos acadêmicos. Foi crítico, sociólogo e ensinou na École des Hautes Études en Sciences Sociales antes de ocupar a cátedra de semiologia do Collège de France, quatro anos antes de falecer, em 1980.

E, talvez como o Barthes mais confessional, JLG encontrou meios de driblar o tédio existencial subjacente por meio do amor à escrita e do enfoque à comunicológo.

Em tudo isso se fundamentam o seu corpo-de-obra, a sua mundividência e razão de ser. De um modo geral, a melhor produção grünewaldiana exprimiu essa dialética do pensamento e da estética contemporâneos. O esteta concretista foi e é, assim, um escritor-para-escritores, e – se não uma sensibilidade referencial – uma referência sensível e, *en passant*, de raro e apurado gosto.

O desafio mais alto que JLG enfrentou foi traduzir todos os *Cantos* de Ezra Pound, logo após ter lançado uma pequena coletânea de poemas traduzidos e com mini-ensaios a eles acoplados sob o título *Transas Tradições Traduções*. Ele aceitou a odisséia e concluiu o alentado trabalho em vinte meses. Produziria ainda vários volumes, entre antologias, traduções e a sua poesia então quase completa, escrita entre 1950 e 1985, sintomaticamente batizada de *Escreviver*, reunindo a produção em verso, os poemas concretos e os pós-concretos. Um de seus concretos participantes, o "Parlamentarismo" de 1961 ("Parlamentarismo caboclo, elefante branco no escuro"[13]), foi premonitório na história política do país.

O termo-chave que ele próprio escolheu para intitular sua obra poética e exemplificar e qualificar a sua obra em geral e o processo por ela codificado foi, portanto, *escreviver* – ver, viver, escrever[14]. O que é *escreviver*, afinal, senão uma das palavras *portmanteau* que melhor englobam a vida e a arte ao mesmo tempo? O citado viver viçoso de Castilho.

---

13. – "Os militares haviam inventado o parlamentarismo para não dar posse a João Goulart. Um regime que pode ser dos melhores, mas num país como o Brasil? Era impossível vigorar aquilo. Eu bolei um poema em cuja estrutura se cruzavam duas linhas. Em letras miúdas, um poeta participante vociferando contra o sistema. Em letras garrafais, um poeta de torre de marfim. Mas no final os dois se fundem. Participante e alienado. E eis agora o poema novamente atual. Nós sempre achamos que o poema concreto se presta mais à participação política, porque dá impacto. Contra a poesia engajada, que geralmente cai no facilitário, aquilo de ficar repetindo 'o operário, a nova aurora e o jangadeiro' ". (entrevista ao *Jornal do Brasil*).
14. *Correio da Manhã*, 4.2.1968.

Trata-se da concepção do ato da escrita segundo padrões pósmodernos, em função direta do contexto da civilização pósrevoluções industriais e dos novos meios de comunicação. Para tentar resumir em uma frase, o belo é hoje representado pelo funcional e este remete diretamente a sua significação social.

O esteta proposto é, portanto: (1) dialético, (2) agnóstico e (3) apoiado na teoria geral da informação e nos conceitos fundamentais de semiótica, que ajudou a assimilar, aplicar e reinterpretar o neokantismo, a técnica do *close reading*, a "filosofia sob uma nova chave" de Susanne Langer etc. Debruçado eventualmente sobre outras formas simbólicas além da arte e da linguagem, produziu ensaios, por exemplo, sobre os "mitos políticos" de nosso tempo, sobre "o medo de conhecer [objetos voadores não identificados]" e outros temas paralelos que dão prova de versatilidade.

Quanto à idéia de ética que, de acordo com o humanismo, é o vetor do exercício da liberdade, JLG se via como um amoral que, várias vezes, fez questão de repisar as diferenças entre ética e moral. Para ele, o que se chama freqüentemente de moral não reflete mais do que normas variáveis e contraditórias no tempo e/ou no espaço, condicionando a conduta do indivíduo. Já a ética traduz padrões imutáveis do relacionamento humano que datam dos primórdios da civilização e atingem a época atual.

– "Uma traição é uma traição desde os egípcios até agora". – aduziu JLG em seu discurso, ao ser escolhido para o quadro de membros titulares do Pen Club na vaga de Paulo Rónai. – "Já, por exemplo, andar vestido ou despido constitui tão-somente uma convenção moral."

Embora um entrevistador o tenha definido como uma síntese de Pedro Nava com Nelson Rodrigues, uma inequação menos incorreta seria situar o crítico a meio caminho entre a rigorosa bateria metódica de um Haroldo de Campos e o caráter mais pragmático de Pound ou Mário Faustino. Enfocar a obra criativa como linguagem-objeto significa criticar metalingüisticamente, no nível da própria criação. Desde os "formalistas russos", eis a tradição mais válida, a que possibilita perceber estruturas e não apenas captar eventos. Os ensaios aqui reunidos atuam no nível da dissecação descritivo-fenomênica. JLG não renegava a abordagem dita diacrônica, a pesquisa histórico-evolutiva, sob critérios adultos, assimilando e incorporando um elenco de aportes como o já citado Saussure, e ainda Norbert Wiener, a filosofia da cibernética, a teoria da informação, Abraham Moles e outros, mas enfatizava a abordagem sincrônica, ao enquadrar a criação em uma espécie de contexto geral de consumo.

Que esta releitura sirva, sobretudo, de resgate. Um resgate atento, crítico e síncrono, – isso é, reto, direto, concreto – com o marcador da sensibilidade posicionado no grau zero das prevenções e indefectíveis *partis-pris*.

José Guilherme Corrêa

0º

O GRAU	reto
ZERO	direto
DO ESCREVIVER	concreto

1. O PROBLEMA DA PROSA

Relato e Ficção

Contar uma história ou narrar um fato ou legenda mítica. Antes da invenção da imprensa, a escrita era puro artesanato, fazer inscrições possuía ritmo de ritual. Então, em sua grande parte, o conhecimento era remédio contra a ignorância, ministrado por via oral. Victor Hugo, em dado momento de *Notre Dame de Paris*, interrompe a narrativa a fim de fazer um ensaio especulativo e impressionista a respeito das transformações na arquitetura provocadas por Gutenberg.

Se fizesse em torno daquilo que fazia, no ensejo – o romance, ou, até, a prosa em si, veria que as alterações ainda foram, provavelmente, mais avassaladoras. Primeiramente, as duas grandes oposições convencionais – realidade e ficção – não encontravam o seu entrosamento dialético. Os caminhos e o desenvolvimento de ambas as tendências mantinham-se discerníveis com nitidez de claro e escuro. O relato cingia-se ao fato – depois a maior soma de informações permitia o ensaio ou comentário, isso é, o julgamento subjetivo. Com a evolução da imprensa, o caráter documental em que se poderia apoiar o relato ou ensaio, passou a sair paulatinamente da escassez ou precariedade e ganhava maior riqueza e perenidade. Isso viria a atingir um ponto culminante, no início deste século, com a era da reprodução em massa, com os meios eletrônicos superando os mecânicos. De outro lado, a ficção vinculava-se, de imediato, não ao fato, mas à imaginação. Esta última se estendia em fugas ou à procura do fantástico – exigia invenção, contraposta à documentação.

O racionalismo e o século das luzes começaram a abrir uma maior consciência da linguagem. Não só a preocupação com o objeto do relato ou da imaginação, porém o *como* transmitir informações ou efeitos verbais. O avanço documental era grande – livro, jornal, revista, já objetos usuais. A maior precisão do documento convidava ao esforço de limitar a imaginação – a anedota poderia se vincular mais a certos fatos, episódios, de costumes ou ambientais, enquanto o método de escrever se apurava. Era o realismo e, depois, organizar os recursos da prosa como uma sinfonia entre elementos de continente e conteúdo: Flaubert. Mas o desenvolvimento material permanecia incessante, galopante. De um lado a tecnologia e novos meios de expressão, mais envolventes, de outro, o aparecimento de novas ciências (psicologia, sociologia etc.), fez balançar o aparelho dos prosadores. O século XX assistiu ao espocar de experimentações em todos os matizes (Joyce, Kafka, Proust, Faulkner, Dos Passos ou, no Brasil, Oswald e Mário de Andrade, Guimarães Rosa) até que se chegou a aventar a possibilidade de morte do romance ou até da prosa, em si, como veículo de lances estéticos.

A perplexidade não impede que continue a bolsa de *best-sellers*, mas deixa em xeque o crivo da perenidade: escrever para quê, quem, durante quanto tempo viverá a obra? As próprias descobertas científicas, já ao nível extraterreno, materializaram a proximidade do fantástico. A consciência da linguagem puramente especulativa ameaça tornar-se uma ficção [*Correio da Manhã*, 11.11.1970].

Dumas: A Prosa Pura

Nesse ano, em que já se começa a celebrar cem anos da morte de Alexandre Dumas, Pai, não custa reiterar sobre a evidência a fim de voltar a chamar a atenção sobre aquele que é um dos maiores prosadores da literatura. Também evidentemente ele jamais se dirigiu ao pensamento profundo, à intelectualização do verbo, mas vinculou-se – e talvez melhor do que ninguém – ao deleite de narrador na trilha da extensão emocional.

Dentro disso, talvez não haja melhor exemplo do que ele, daquilo que se possa compreender como prosa pura, ou seja, a transparência do texto. Sem, nisso, exigir ilação de qualquer graduação de valor ou mérito, pode-se distinguir a prosa pura da impura (Guimarães Rosa, Joyce, Faulkner etc.) no tocante à maior ou menor proximidade do estado poético. O estado poético consiste na iminência imediata, concreta, da palavra em si – "a poesia não é feita com idéias e, sim, com palavras", disse Mallarmé. Assim, diante do texto poético ou parapoético, o leitor não se condiciona simplesmente à ambiência do índex semântico, mas, precipuamente ao ritmo de efeitos também sonoros e imagéticos das palavras em relação. Já na prosa pura, o que ocorre é exatamente o total predomínio semântico, sem o freio de outros fatores estéticos do mundo verbal, ou seja, o contador aciona incessantemente a imaginação do leitor naquilo que transparece do universo referencial da palavra. São os livros que se "devora".

Dumas foi o rei do folhetim, porém um folhetim mais elaborado, rico, do que aqueles de outros *experts*, como Féval[1], Zevaco[2], Ponson du Terrail[3]. Sabia como poucos enredar a trama de acontecimentos, conferir um dinamismo raro de encanto e fantasia ao romance histórico – o capa-e-espada. Por

1. Paul Féval, contemporâneo de Hugo e Dumas, autor de *O Cavaleiro das Trevas* e *O Rei dos Mendigos*. Lembro-me de que, em *As Mil Faces de Um Herói Canalha*, Marlyse Meyer destacava o interesse pelo folhetim de alguém como... Machado de Assis.
2. Michel Zevaco, outro autor novecentista de folhetins de capa-e-espada.
3. 1829-1871. Criador do personagem Rocambole, também notável pela popularidade que conquistou nos séculos atrasado e passado.

isso mesmo, até hoje, em idiomas e idiomas, são consumidas com prazer as suas obras principais: *Memórias de um Médico*, o mais longo e espetacular de todos, abrangendo a era da decadência da realeza e da Revolução Francesa; *Os Três Mosqueteiros*, à época de Richelieu, Luiz XIII, da revolução de Cromwell e de parte do reinado de Luiz XIV; *O Conde de Monte Cristo*, o menos próximo dos fatos históricos em si mesmos, desenrolado no século XIX, a partir da fase final da carreira de Bonaparte; enfim, a série das lutas religiosas na França, *A Rainha Margot*, *A Dama de Monsoreau* e *Os Quarenta e Cinco*. O próprio cinema encara essas obras como um manancial inesgotável de produções.

Notar também que, no fabuloso *Memórias de um Médico* com mais cunho estrutural, já estava presente a dialética documentário-ficção, tão influente no cinema e romance modernos. Dumas inseria, em montagem com os lances dramáticos, por exemplo, o inteiro teor da *Declaração dos Direitos do Homem*, uma biografia e dados sobre antepassados de Mirabeau, transcrições de trechos de relatos históricos.

Alexandre Dumas: a ficção é muito mais forte do que a realidade [*Correio da Manhã*, 11.12.1970].

Zola e o Método

A obra de Émile Zola, depois da época em que foi publicada pelo autor com toda a celeuma e as reações desfechadas, enfim, depois do período de intervenção decisiva do criador do naturalismo no *affaire* Dreyfuss[4], sofreu uma espécie de, não diríamos desvalorização, mas desinteresse na análise do processo literário. Os críticos estruturalistas, além evidentemente de Joyce, Proust e outros, preocuparam-se com um outro contemporâneo, Flaubert – o escritor do *mot juste*, cujo *Madame Bovary*, um dos primeiros sintomas do romance orquestrado, gerou inclusive um ismo, cujo *Bouvard et*

---

4. Alfred Dreyfuss, célebre capitão francês de origem judaica, injustamente condenado por espionagem no final do século XIX.

Pécuchet foi registrado por Ezra Pound, em seu cronograma da invenção. Mas, quanto a Zola, não faltou mesmo quem, como Lukács, a propósito da comparação de *Nana* com *Ana Karenina*, de Tolstói, procurasse atribuir-lhe menores méritos no enfoque da realidade ou na sua inserção no tempo do processo social. Injustiça do desfoque engajado política e filosoficamente e até porque *Nana*, apesar da maior fama literária (talvez porque a personagem principal seja a prostituta, no século passado ainda um protagonista de choque), é das obras talvez menos expressivas, entre os vinte e um volumes que compõem a série dos Rougon-Macquart.

Todavia, com relação ao problema da prosa, mormente sob o mirante histórico, o trabalho de Zola assume uma feição importantíssima. É um dos primeiros escritores alistados em um projeto de obra preconcebido em termos estruturais e, ao contrário do sistema do realismo meramente fabulista (aqui o meramente sem implicar o pejorativo) de Balzac, calcado no método de observação direta – posição-condição *sine qua non* do naturalismo. Em suma, a impessoalidade total do autor, que não comenta e não procura colocar na boca de personagens-chave a sua visão e entendimento das coisas e eventos do mundo. Essa impostação rigorosa em Zola e também em Maupassant, a acarretar também um máximo de realismo ao nível de linguagem e não apenas da história narrada, descerra uma atitude de vanguarda diante da prosa que, nesse século, influenciou fortemente o estilo e as técnicas de um sem-número de escritores. Além disso, marcava-se em Zola o rigor de uma vivência, de uma experiência natural ou intencional, anterior ao livro a ser consumado – tudo dentro de sua especulação estrutural que, na faixa importante, a vintena dos Rougon-Macquart, seguia o fatalismo genético de Claude Bernard[5] na formação dos personagens, suas taras, inclinações, fixações. Em *Une page d'amour* (o seu romance mais "suave"), ele chegou a publicar a árvore genealógica dos Rougon-

---

5. 1813-1878. Médico e fisiologista francês famoso por seu estudo dos sistemas orgânicos e criação da *fisiologia experimental*, que abriu novos caminhos para o conhecimento dos mecanismos que regem o funcionamento dos seres vivos.

Macquart. Mathew Josephson, por seu turno, em *Zola e seu Tempo*, principalmente no caso *L'assomoir* (*A Taberna* – uma das maiores criações do romance no século passado), demonstrou, reproduzindo inclusive as notas de observação *in loco* do autor, nos locais e ambiência onde se desenrolaria o livro, o esmero e perquirição da verdade de todos os detalhes, em função da meta naturalista. Há, portanto, três grandes características em Zola, com referência ao trato com a linguagem. Em primeiro lugar, o impessoalismo, quando o autor, diretamente, não conduz nem forja o "espírito" da obra. Em segundo lugar, o despojamento da língua, não no tocante a efeitos de grandiloqüência imagética e generosidade em adjetivos (do qual *O Crime do Padre Amaro* constitui o *ápice* como exemplo – e tão diferente de *O Crime do Padre Amaro*, quando o pobre Eça de Queirós foi injustamente acusado de haver plagiado o escritor francês, já que a única semelhança detectável entre os dois romances é o título e o *leitmotiv*), porém com relação à funcionalidade do texto, adaptado às situações descritas. Em terceiro lugar, não só a mesma linguagem, mas as cenas de choque propiciadas por ele, seja, por exemplo, em *L'assomoir*, quando Gervaise trai o marido pela primeira vez, em que esse se afoga nos vômitos da bebedeira e, ela, ao lado, se entrega ao amante, seja na virulência das cenas de prazer sexual ou nas cenas debochadas da personagem denominada de Jesus Cristo, em *La terre* (outra de suas obras máximas, nada tendo a dever, na espécie, à virulência de um Henry Miller ou de um Nelson Rodrigues), seja, enfim, na passagem da imolação daquele comerciante que explorava os mineiros, em *Germinal*, quando é castrado o seu órgão genital, espetado numa vara e conduzido em holocausto pelas mulheres dos operários (outra das principais peças da tentativa de livro aberto de uma sociedade, como o foi *Os Rougon-Macquart*).

Seria mais interessante, contudo, a fim de melhor esclarecer o método Zola, invocar o exemplo de outro romance seu, *A Conquista de Plassans*. O entrecho é simples: a vida modesta, mas sadia e profícua do homem do campo e sua família, que passa a entrar em degenerescência total quando eles vêm a hospedar um padre. Zola quer mostrar a alienação do contato religioso, o aspecto negativo da contaminação mística. Mas, ao contrário dos *mots d'esprit* de um Anatole France ou da sátira feroz de Eça, não comenta nada, não descreve criticamente as passagens do romance, em suma, não "toma posição" diretamente – quase que documenta uma ficção. Assim, o crescendo do desvario místico da mulher (a decadência que conduz à destruição) vem do livro para o leitor, sem se notar nenhuma interferência adjetiva do escritor a uma realidade que ele desejou focalizar, vamos dizer com lentes neutras.

Talvez ninguém também melhor do que ele, até hoje, soube presentificar a euforia do superconsumo feminino, a alucinação irracional da relação mulher/compras, em *Au bonheur des dames* (*O Paraíso das Damas*) nome da imensa loja onde se desenrola a trama. Ou também a euforia no sistema da dinheirocracia, em *L'argent*, cujo pano de fundo é a Bolsa de Valores, com a épica delirante de Aristides Rougon. Já, em *A Obra*, a amizade pessoal, a compreensão (também com a carga da experiência pessoal) a respeito da incompreensão do meio, em face de um artista que inova, fez com que o seu Claude traduzisse a tentativa de retratar com a melhor fidelidade possível a luta de Cézanne em seu tempo. E ficou a passagem inesquecível das risadas do homem gordo diante do quadro.

Quando Zola chegou a Lourdes, na época dos milagres, a fim de, segundo o seu sistema, observar o fenômeno *in loco*, alguns representantes do clero já o esperavam a fim de indagar-lhe o que ia escrever em seu livro futuro. Ele respondeu que simplesmente iria escrever a respeito do que visse ali. Uma das vertentes radiais da prosa: a imaginação a serviço da realidade, em contraposição à experiência com a realidade a serviço da imaginação. Isso marca toda uma técnica inaugurada, em termos racionalizados e estruturais naquela época e cujo esgotamento, com outras variações reiterantes dos escritores de uma geração posterior, seria a outra água do início das crises sucessivas do romance nesse século.

Talvez mesmo porque Zola houvesse coberto de tal forma uma área que os seus continuadores se vissem obrigados a inverter os postulados, ou alterá-los, já sob a influência básica de Freud. Mas é a isso que queríamos chegar: ele foi o último dos grandes moicanos a escrever sem ter de tomar em conta a revolução de Freud [*Correio da Manhã*, 7.5.1967].

O Tempo de Gide

A editora Civilização Brasileira lançou o *Corydon*, de André Gide, em tradução para o português. No ensejo dessa edição, permitem-se algumas observações curiosas a respeito do assunto. Influenciado inicialmente pela estética simbolista, Gide tornou-se um dos maiores escritores franceses nos primeiros decênios desse século: *L'immoraliste*, *Les nourritures terrestres*, *Les caves du Vatican*, *Les faux-monnayeurs* etc. Nascido (André Paul Guillaume) em 22 de novembro de 1869, em Paris, lá morreu em 1951. Em 1894, teve o famoso encontro na África com Oscar Wilde e Alfred Douglas, que iria encorajá-lo a tomar atitudes que geraram o escândalo. Ganhou o prêmio Nobel em 1947.

A sua prosa fácil de entender é, no entanto, de difícil transposição para outros idiomas, devido à atmosfera proporcionada por uma linguagem extremamente gesticular. Não é bem o caso de *Corydon*, que se constitui num livro de tese, contendo apenas a organização de ficção no tocante à técnica dos diálogos. Enfim, não é preciso lembrar que essa obra sua, assim como outras, fizeram parte do *Index* do Vaticano até o dia em que a Igreja liquidou com tal instituição, verificando que era uma irresistível fábrica de *best-sellers*.

Corydon foi terminado em 1911 – mas o autor jogou os seus 12 únicos exemplares numa gaveta. Criou coragem e veio a publicá-lo no início do decênio seguinte. Afinal de contas, defender o homossexualismo, exaltar o "amor grego", era (e foi) motivo de revolta em sua época, haja vista as reações.

Hoje não é. O ressurgimento neopagão, dionisíaco, na era da comunicação, do LSD e variantes, diminui a força dos preconceitos. O assunto é até cândido. Assim também como uma releitura, meio século depois, serve para evidenciar a ingenuidade do livro, sem desmerecer, é certo, a coragem do autor de tê-lo feito em determinado período.

Gide, em sua polêmica, cercou-se dos exemplos históricos e literários, evocou a pureza do mundo grego e apoiou-se no arcabouço do cientificismo. Aí nesse ponto, com mais cinqüenta anos de tecnologia, ficou até sendo um amável *amateur*. Problema não só do ensaísta não profissional, como do romancista, diante da evolução da Ciência. Antigamente, com base na intuição ou no prosaico "bom senso", o romancista conseguia se aventurar em vários temas. Hoje, existem o sociólogo, o psicólogo, o antropólogo e, até, o ecólogo. Sem falar na inquietação permanente dos lingüistas, que vão matando os antigos métodos de análise estilística. Exemplos da atualização: Gide quanto ao mundo animal, se refere ao óbvio homossexualismo entre cachorros; hoje, um ensaísta especializado como Donald West, diz que, mediante experiências com reações elétricas, verifica-se que são os ratos os mamíferos dotados de maior potencialidade homossexual.

Mas o caráter espectral não impede de reconhecer que ele foi um dos que melhor se empenharam na denúncia da civilização cristã. A civilização cristã que criou o conceito de pecado, porém que, exatamente, conferiu ao sexo uma ascendência aberrante para o comportamento e relacionamento humano. Basta recordar, aqui, o enfoque do matrimônio. No mundo romano, antes de Cristo, a sociedade, os juízes presumiam a existência do casamento pela *deductio in domus maritii*; isso é, se homem e mulher revelavam o *animus*, morando juntos, estavam casados. Depois, a Igreja veio e centrou o reconhecimento não mais no morar, mas na *conjuctio carnalis*. A partir de então, começaram os rasgões e emendas nos códigos civis.

O que, entretanto, ficou superado, no saudosismo de Gide pelo mundo grego, foi a idéia de condição inferior da mulher, face à pederastia. Isso porque, no desenvolvimento tecnológico a gerar o neopaganismo, o cérebro tem cada vez maior ascendência sobre o resto do corpo. Ou, melhor, traduzindo: acesso ao mercado de trabalho – independência. Mesmo porque, também nos tempos de outrora, se havia, por exemplo,

aquela aura em torno de Aquiles e Pátroclos[6], Safo já dava o seu
plá [*Correio da Manhã*, 11.11.1971].

A Humanidade Vitoriosa

> **A JUVENTUDE DO REI HENRIQUE IV**
> Autor: Heinrich Mann.
> Idéia: Uma narrativa histórica em torno da primeira fase da vida
> do rei Henrique IV, com o propósito de realizar uma projeção
> humanística sobre os dias atuais.

A Juventude do Rei Henrique IV foi lançado por Heinrich
Mann em 1938 e logo seguido por *A Maturidade do Rei
Henrique IV*. São obras de teor histórico da fase final de um
escritor no exílio, mas ainda traumatizado pelo nazismo. Como
vem estampado nas palavras do crítico Georg Lukács trans-
critas na contracapa desse livro, é a concepção "a respeito de
uma humanidade real e vitoriosa", são "os traços verdadeiramente grandes da humanidade, e que o escritor não tem senão
que os reproduzir de forma concentrada com os próprios meios
da arte". De certa maneira, reapresenta-se a mesma perspectiva temática exposta pelo já citado Lukács. O romance se
divide em nove partes, por sua vez subdivididas em capítulos
geralmente curtos. Ao término de cada parte, há um texto em
modelo de comentário, adendo ou conclusão, escrito em francês, e sempre denominado "Moralité".

Heinrich é irmão de Thomas Mann, considerado este último um dos maiores romancistas do século por obras como

---

6. Gide aduz, *apud* Luciano, que os gregos antigos entendiam a filopedia
e a amizade como puramente platônicas:
... *Achille n'aimait point Patrocle pour le seul plaisir de rester vis-à-
vis de lui, / Attendant qu'Eacide eût mis fin à ses chants. / Mais leur amitié
se doublait par un plaisir commun. Aussi lorsque Achille pleure la mort de
Patrocle, sa douleur éclate avec l'accent de la vérité: / Quel commerce est
plus doux que les embrassements?*

Note-se, entretanto, em que pese a visão lucigideana do suposto amor
platônico (cujos partidários invocam geralmente *O Banquete*) que Platão
havia condenado a pederastia, em suas *Leis*.

A Montanha Mágica, *Doutor Fausto* ou a série bíblica de José. Apesar disso, não ficou inteiramente ofuscado – mesmo porque, além de ter escrito vários livros do gênero, tornou-se conhecido por um público bem amplo por haver criado o romance de sátira e decadência *Professor Unrat*, no qual se baseou o famoso filme de Josef von Sternberg, *O Anjo Azul*, a partir do qual se projetou para a glória a figura mítica da atriz Marlene Dietrich.

O rei Henrique de Navarra já esteve presente em outros livros de ficção históricos, valendo lembrar especialmente, no gênero folhetim, aquela série de Alexandre Dumas em torno das lutas religiosas na França: *A Rainha Margot*; *A Dama de Monsoreau*; *Os Quarenta e Cinco*. Nesse livro de Heinrich Mann, o relato é, em si, despretensioso e escorreito – não estavam programados grandes efeitos para o verbo.

São 528 páginas que mantêm unidade de tom e de estilo e se encerram com o cantar dos guerreiros e aquela "Moralité" que traz um resumo decisivo e decreta o término da juventude. As cenas dramáticas dispensam grandes arroubos; o que se entende por drástico ou enfático não passa por perto. E a leveza do texto se explica pelo trabalho minucioso com as frases – esse mesmo trabalho que gerou um ritmo monocórdio de narrativa. Enfim, entre as personagens, está outra figura histórica, Agrippa D'Aubigné, que foi companheiro do rei protagonista e um dos maiores poetas da Renascença [*IstoÉ*, 22.9.1993].

Balzac de Saias

A Era da Inocência
Autor: Edith Wharton.
Idéia: O romance, que o cineasta americano Martin Scorsese transformou em recente filme, descreve as frustrações existenciais da alta sociedade nova-yorkina do século XIX.

Logo na primeira frase desse romance, há uma récita do *Fausto*, de Gounod, na Academia de Música de Nova York, protagonizada pela grande soprano sueca Christine Nilsson

(1843-1921) e pelo tenor francês Victor Capoul (1839-1924). Ambos, depois, brilhariam no Metropolitan (então, ainda não inaugurado), onde ela cantaria a mesma ópera na inauguração daquele teatro. Mas, como Capoul somente cantou em 1871 na academia, eis aí o ano certo para situar o entrecho de *A Era da Inocência* – informação que não nos é fornecida no decorrer da história. Logo nesse primeiro capítulo, pelo cenário, pelos olhares e bate-papos de *foyer*, dá-se o enquadramento do livro: aristocrático, sofisticado, ou seja, "culto" – no sentido envernizado desse conceito.

Estamos diante de um antológico romance de costumes, focalizando a *high society* de Nova York nos últimos trinta anos do século passado. A Nova York que começa a crescer como uma das grandes capitais internacionais, onde a alta-roda imita os modelos europeus, mas ainda permanece bastante provinciana no sentido de encarar os fatos e o comportamento das pessoas. Enfim, a doença do moralismo assolando a maioria.

Edith Wharton, por esse *A Era da Inocência*, publicado em 1920, ganhou o prêmio Pulitzer de 1921. Seu livro mais conhecido é *Ethan Frome* (1911), passado no meio rural. Além disso, pode-se lembrar o conjunto de quatro novelas, sob o título de *Old New York*, o romance *The Buccaneers* ou a autobiografia *A Backward Glance* (*Um Olhar para Trás*). Para muitos existe uma evidente influência de Henry James na obra dela, o que é corroborado por R. W. B. Lewis na introdução do volume agora lançado.

No entanto, o que chama a atenção é não ter sido à toa que Edith também, em 1925, deu à luz um manual, *The Writing of Fiction* (*Escrever Ficção*). Isso demonstra predeterminação estética, dentro de um conceito de estilo que conduz a uma calculada cascata de requintes. Afinal, também, o estilo é a mulher... Por isso mesmo, o esmero e as minúcias na descrição de personagens e ambientes, a farta utilização de termos franceses – pendor da alta burguesia nas sociedades afluentes. E proliferam os detalhes *cult* – "saber que lhe seriam servidos patos selvagens e vinhos de boa safra, em lugar de Veuve Clicquot morno (a de menos de um ano) e croquetes da Filadélfia requentados" (p. 32). Era o tempo em que a alta sociedade nova-yorkina dançava o *Danúbio Azul*. Edith Wharton não procura maiores introspecções em suas personagens, mas, com um realismo refinado e rococó, sem concessões, é um fabuloso Balzac de saias [*IstoÉ*, 29.9.1993].

Breve Odisséia do Espírito

> **A VIAGEM**
> Autora: Virginia Woolf.
> Assunto: O primeiro romance da escritora inglesa, de teor requintado, aborda as perplexidades intelectuais e vivenciais de uma jovem no início deste século.

A idéia da *viagem* em consonância com a de vivência – fosse na primeira ou na terceira pessoa – esteve sempre presente no pensamento e obras de grande parte de poetas e ficcionistas. A viagem real – o deslocamento de um lugar para outro; a viagem mental e/ou sensorial – o deslocamento do imaginário. Enfim, em analogias paralelas, os dois tempos: o real – a lógica do relógio; o psicológico – a duração, determinada por tensões e distensões. Essas divagações são conseqüência de *A Viagem* (*Thevoyage Out*), em tradução de Lya Luft, primeiro romance de Virginia Woolf, datado de 1915 e lançado agora aqui entre nós. E foi uma estréia de maturidade. Em matéria de influências, muitos falaram em Proust, Joyce, Henry James ou Katherine Mansfield. Mas a impressão que a sua leitura nos dá é de que, de todo esse possível amálgama, a escritora, vinda de um grupo de intelectuais do período pós-vitoriano, já tinha o seu percurso auto-alimentado.

Como diz Otto Maria Carpeaux, em seus romances o tempo físico não existe. E poderíamos aduzir: só como pretexto. Mas, isso que por si só, mesmo na época, já não seria inovação, ganha em *A Viagem* a formação de um novo elemento infiltrado na narrativa: "os tempos mortos" – uma sensação análoga àquela que, posteriormente, o cineasta italiano Michelangelo Antonioni conferiu a seus filmes (*A Aventura, A Noite* e *O Eclipse*). Essa sensação de inutilidade do que está acontecendo envolve todo entrecho, desdobrado em três cenários:

Londres (inicial e breve), a embarcação e Santa Marina (América do Sul). A exceção é exatamente o capítulo XXV, em que se relata o início da doença (não nomeada) e morte de Raquel. Aí, a surpresa para leitor e personagens traduz de certa maneira um evento que se desloca do contexto. Tal espécie de *história dentro da história* é comum em Virginia Woolf. Além do que ocorre nessa sua *Viagem*, no caso de *Orlando*, intencionalmente ou não, há uma parte inicial que se desprende do restante; e, em *Mrs. Dalloway*, a "história de Septimus Warren Smith" dispensa chamar a atenção.

Como dizia William Wordsworth: "Um espírito, para sempre/ viajando através de estranhos mares do pensamento, só". A "viagem" de Virgnia Woolf foi começada por esse livro de verniz fortemente intelectual (diálogos das personagens e transcrições de autores) e cuja elaboração foi torturada. Basta ler o apêndice, de Elizabeth Heine, sobre as revisões da autora. Ali se diz: "Um romance quase miraculoso sobre o poder da morte..." Mas não seria uma busca do significado de viver? Luta inútil, se a vida for encarada como fração de algo progressivo. Seria ela, sim, um relance do processo – aquilo que o filósofo inglês Alfred North Whitehead denominou de "permanência do infinito nas coisas finitas" [*IstoÉ*, 23.6.1993].

Criação x Burocracia

Em sua pequena novela, *Schachnovelle* (traduzida para o português sob o título de *A Partida de Xadrez*), o escritor vienense, Stefan Zweig, tem, num dos protagonistas, o campeão húngaro, Mirko Czentovic, alguém muito parecido com Bobby Fischer. Czentovic é inculto, arrogante, exige dinheiro para qualquer exibição (inclusive para uma ingênua simultânea proposta pelos passageiros do navio onde viaja) e só pensa nesse jogo eterno – anda sempre com um xadrez de algibeira.

Aliás, o entrecho dessa novela é extremamente interessante e poderia ser mais bem aproveitado, caso tivesse Zweig a vocação do romancista ou prosador autêntico e não ficasse apenas na faixa do contador de histórias. Czentovic, aos doze anos, com a morte do pai, passou a ser pupilo de um pároco, numa cidadezinha à beira do Danúbio. Era lento no trabalho, retardado no aprendizado. O pároco jogava xadrez, todas as noites, com o sargento da *gendarmeria* – o menino, calado, a espiar. Certa vez, tendo o padre que sair, foi convidado a jogar pelo sargento. Ganhou-o uma, duas, várias vezes. Também com o padre. Passou a ganhar de todo mundo em sua aldeia e na cidade vizinha. Daí, até a campeão do mundo.

Agora, estava num navio rumo a um torneio em Buenos Aires, quando alguns passageiros convidaram-no para jogar. Exigiu dinheiro – foi aceito por um milionário escocês – em lugar da simultânea, joga sozinho contra uma espécie de conselho de enxadristas amadores – está ganhando fácil, quando um estranho (a quem Zweig simplesmente nomeia Dr. B.) se junta ao grupo, prevê jogadas espetaculares, sete, oito lances antes, e muda o desfecho da partida. Vai haver um mano-a-mano entre o campeão e o desconhecido. Este, antes da partida, revela ao passageiro-protagonista, o seu passado. Foi preso pelos nazistas, logo no início da ocupação da Áustria. Fica num quarto sem que nada o entretenha, sem ninguém com quem se comunicar – uma técnica de lavagem cerebral para levar à confissão. Um dia, consegue furtar um livro de xadrez, com a reprodução de centenas de partidas – reproduz as peças com miolo de pão e usa o cobertor quadriculado como tabuleiro. Só faz isso meses a fio – já não precisa do cobertor – mentaliza as partidas – joga na pura abstração do espaço mental. Com o tempo, essa capacidade de antevisão enxadrística torna-se alucinatória, jogando ele contra ele mesmo, o eu bidividido nas combinações mais refinadas e arrojadas, até que é liberto, curado, nunca mais pensa em xadrez.

Mas a tentação retornou no navio. Joga contra Czentovic e derrota-o. Este pede revanche, na hora; embora aconselhado pelo passageiro (o narrador, na primeira pessoa) a recusar, volta ao tabuleiro. O campeão, notando-o agitado, usa o expediente de usar o excesso de lentidão para dar seus lances – realmente, o Dr. B. já ultrapassara aquela e estava, em nova alucinação, jogando três ou quatro partidas adiante. E quando Czentovic, afinal, faz outro lance, Dr. B. joga errado porque deu xeque no jogo mental em que estava empenhado, contra ele próprio.

Criação abstrata

A literatura, vez por outra – desde um conto de Malba Tahan, "Xeque-Mate ao Diabo", até um romance policial admirável, como *O Bispo Preto*, de S. S. Van Dine – recorre ao xadrez, como *leitmotiv*. O que, no entanto, vale ressaltar, por meio da novela de Stefan Zweig, é a paixão pelo *ludos*, que leva ao delírio da criação puramente abstrata.

Se a arte é um jogo, seu resultado surge como qualquer manifestação concretizada, um objeto virtual. O caráter especulativo da ciência pode ser também um jogo, mas as fórmulas que ele projeta remetem, de imediato, a alterações no universo físico. No jogo, em si, o resultado é puramente abstrato. No xadrez, peões, cavalos, bispos, torres, reis e rainhas são algarismos que projetam mentalmente uma fórmula, uma variante, uma novidade teórica. Nada de ética ou estética – é o pensamento puro, a capacidade na matemática das combinações, pois (talvez com exceção do *go*) trata-se do único jogo em que a presença do acaso está controlada. Ganha sempre quem jogou melhor – o derrotado não pode se queixar: "você teve sorte" (como no bridge[7], ainda absoluto na força das cartas).

No xadrez, esforço de concentração, necessidade de criação e tensão na luta contra o tempo remetem de tal forma à abstração pura, que, parece, apenas os espíritos anormais chegam à exceção, à genialidade. O que a novela quer provar é que são pessoas de comportamento ou temperamento insólito: Czentovic, inculto, incapaz de sucesso em qualquer outra atividade, era gênio do tabuleiro; o Dr. B., pela experiência no cárcere, desenvolveu forçadamente o cérebro para aquela especialização, que, a partir de determinado ponto do jogo, entrava em transe paranormal até fugir à realidade do tabuleiro e imergir nas galáxias de outras partidas, com ele próprio – preto e branco – bipartido.

---

7. JLG referia-se antes à modalidade rubber de bridge-contrato do que a quadra ou torneio.

Fischer não está muito longe desses personagens – basta tomar conhecimento de sua atitude, de sua biografia. Mas a sua resposta de criatividade foi de importância, não só para o jogo em si, mas para outras considerações extra-enxadrísticas. Rompeu, sozinho, com o espírito burocrático imposto pela hegemonia soviética. Aquele espírito no qual o conforto de *tablas* é a dominante, ascendente sobre o risco de inventar. Pois todo jogo impõe invenção – para ser Grande Jogo. Assim como a Grande Arte.

Se a invenção assinala as cadeias do processo, às vezes, como preço, a loucura é necessária. Ou até fatal, contra o excesso de estagnação [*Correio da Manhã*, 17.9.1972].

Faulkner em Novelas Cinematográficas

TRÊS NOVELAS
Autor: William Faulkner.

William Faulkner é um dos maiores escritores do século. Criou um método e um mundo de especificidade absoluta, onde se transita entre o realismo quase cinematográfico (muito forte em imagens e cortes) a aquele fluxo de consciência que tem como ponto de partida, pelo menos convencional, *Les lauriers sont coupés*, de Édouard Dujardin. O realismo possui a sua base imaginária, em inúmeras de suas obras, na cidade de Jefferson e, conseqüentemente no ciclo de Yoknapatawpha. E parte dessas mesmas obras apresenta estrutura análoga àquela do romance policial, como, por exemplo, *Sanctuary* (*Santuário*) ou *Intruder in the Dust* (traduzido na edição portuguesa e na versão cinematográfica aqui exibida por *O Mundo não Perdoa*).

Isso levou até o escritor francês André Malraux a detectar um nível de tragédia grega nesses textos parapoliciais. Porém um outro André (e grande escritor) – Gide – foi mais drástico: "Faulkner é o maior romancista americano". Resta lembrar ainda que ele ganhou o prêmio Nobel de Literatura em 1949 e também, em 1955, o Prêmio Pulitzer, por *Uma Fábula* (*A fable*) – um "fabuloso" romance "sem enredo" no qual, vale aduzir, surge de modo inovador a personagem metalingüística, "o agente de ligação".

Agora, três novelas: "Cavalos Malhados" ("Spotted Horses"), "O Velho" ("Old Man") e "O Urso" ("The Bear"), extraídas de três livros, *The Hamlet* (*O Lugarejo*), *The Wild Palms* (*As Palmeiras Selvagens*) e *Go down, Moses* (do *spiritual* negro, de certa forma intraduzível, clamando Moisés para descer à Terra). O trio compõe, sem dúvida (e firmada numa tradução eficaz), uma das melhores fachadas do universo falkneriano. Excluímos aqui, propositadamente a letra "u" da expressão a fim de lembrar outro lance do autor: nascido e falecido no Mississipi (New Albany, 25.9.1897; Oxford, 6.7.1962), seu sobrenome não possuía esse "u", acrescentado posteriormente por ele mesmo em seu primeiro livro, de poemas, que, talvez sintomaticamente, se denominava *O Fauno de Mármore* (*The Marble Faun*), de 1924. E, também na estréia sintomática, vale ressaltar que seu primeiro poema, publicado em 6 de agosto de 1919, possuía título idêntico ao daquele famoso de Mallarmé: "L'après-midi d'un faune" ("A Tarde de um Fauno"). Não seria, então, o "u" do fauno uma inserção, não só intencional, porém significativamente simbólica? Ou simbolicamente significativa?

A primeira novela dessa edição, "Cavalos Malhados", proporciona bastante daquela visualidade de Faulkner, não apenas poética, simbólica, mas em ritmo cinematográfico. A descrição das personagens não surge linear, nem sempre minuciosa, mas pela justaposição de detalhes sobreposta a uma qualificação bem abstrata que pode emergir noutra passagem. Mas, como dizia o escritor francês Valéry Larbaud, "as personagens de William Faulkner têm uma qualidade e uma veracidade humanas que nos tocam mais profundamente que o exotismo de sua ambiência".

Alguns exemplos daquele ritmo ou imagens de "Cavalos Malhados":

> O ar prateado parecia estar preenchido por sons lúgubres e inexplicáveis – gritos, agudos e distantes, novamente um breve trovão de cascos em uma ponte de madeira; e mais uma vez gritos agudos e distantes, intensos e claros como sinos, um vez que até mesmo as palavras eram indistinguíveis: Upa!... Contenham-no!

Ou ainda:

> Para os que estavam lá embaixo, que Brunhilde, que raridade, que virgem do Reno de papel-machê, uma Helena restituída ao desvairado e pretensioso Argos, esperando por ninguém!

E quando essa novela termina é de maneira abrupta, mas significante, sem arremate clássico, sem chave de ouro.

"O Velho" e o Mississipi. Existe o antigo debate em torno do mútuo desmembramento dessa novela e "Palmeiras Selvagens". Como é sabido, o autor, originariamente, montou um volume com as duas, em capítulos alternados, criando-se por força um paralelismo, apesar da aparente heterogeneidade dos temas. Malcolm Cowley, um dos grandes *experts* faulknerianos, vê nessa alternância "uma espécie de contraponto, um efeito de contrastes" entre a história de "Palmeiras Selvagens", na qual um homem tudo sacrifica pelo amor e pela liberdade e perde a ambos, e a de "O Velho", em que o forçado a tudo sacrifica a fim de escapar das duas mesmas coisas.

Dele discorda Maurice Coindreau, assinalando que as duas histórias se esclarecem e que, cada uma delas ficaria insondável. Conclui dizendo que se o escritor, por vezes, é hermético, "as suas complexidades, sejam de fundo, sejam de forma, nunca são gratuitas". De qualquer modo, distorcido ou não devido ao relato isolado, a odisséia dentro de "O Velho" representa um dos momentos mais altos daquilo que se entende por narrativa em prosa. As frases longas a fluir, a interseção dos parênteses, os diálogos bem sacados, as descrições – enfim, saudável parafernália técnica. E observa Robert Penn Warren que ele, de um lado, é um escritor perfeitamente direto e realista e, de outro, é um simbolista.

"O Urso" traduz um dos instantes mais telúricos de Faulkner, em analogia com *Moby Dick* de Melville. Mitologia/ecologia:

> Assomava e ascendia em seus sonhos mesmos antes de ele ter visto as árvores invioladas na qual deixara sua impressão tortuosa; peludo, imenso, olhos avermelhados, não era malévolo, apenas grande... grande demais mesmo para a região que era o seu espaço restrito. [...] Aquela natureza condenada, cujos bordos estavam sendo constante e mesquinhamente consumidos

pelos homens com seus arados e machados, que a temiam porque ela era parte da floresta.

Três tomadas, três enfoques genéricos – cavalo, rio, urso: no meio e de dentro, o homem, suas contradições e perplexidades na visão e invenção de um escritor sem concessões [*O Globo*, 27.2.1994].

Rosa da Prosa

Anteontem, Dia da Bandeira. Será também o dia da morte de João Guimarães Rosa, não só, talvez o maior prosador em língua portuguesa de todos os tempos, mas, também, um dos escritores mais autenticamente brasileiros, apesar da perplexidade que – até hoje – a sua linguagem possa despertar. Rosa da prosa; o nosso Rosa. Porque falar apenas de James Joyce (ou, principalmente, *Ulisses* e *Finnegans Wake*) ou de todos os escritores que o antecederam no uso das palavras-valise (*portmanteau*), do jogo de sílabas ou trocadilho (*pun*), ou de todas as escolas barrocas, não será suficiente para explicar e definir o fenômeno Rosa. Essa linguagem que também reflete a mescla de refluxos arcaicos com os dialetos regionais, vazada no exprimir de uma profunda acepção mística, brotou e filtrou-se na experiência vital do próprio escritor, que soube encorpá-la nos recursos de uma cultura refinada. Aliás, um exemplo da cultura de Rosa emerge, logo, no intróito do seu mais recente livro, *Tutaméia – Terceiras Estórias*, quando aborda com observações de requintada sutileza a questão do anedotário.

Não fosse a sua extraordinária vertente de fabulista, seria, inclusive, bastante difícil classificá-lo especificamente como romancista, novelista, contista – em suma, prosador. Em artigo anterior, publicado no *Correio da Manhã*, tentávamos exatamente situá-lo como "prosador impuro", na medida em que o texto seu, devido a inúmeras características estruturais, aproximava-se da poesia. O prosador puro seria aquele, cuja transparência do texto escrito, com relação ao acionamento da imaginação do leitor, fosse imediata, isso é, forjaria um condicionamento de área semântica, simples e direto. O impuro, por seu turno, utilizando um agenciamento mais complexo dos elementos de linguagem – modificando ou até recriando-os – subdivide a comunicação em múltiplas etapas, tornando a leitura mais densa. E – também – bastante rica quando acerta no alvo. Guimarães Rosa, quase sempre, acertava na mosca da invenção. Por isso, foi o grande renovador da ficção, assim como já o fora, antes, Oswald de Andrade.

Pode-se ao mesmo tempo dizer que talvez haja sido o último grande artesão do texto, numa época em que o texto escrito sofre o impacto dos grandes meios de comunicação modernos de massa: cinema, televisão, rádio, publicidade, cartazes. O esmero e o rigor com que ele trabalhava em cada obra, ou praticamente em tudo a que ele se dedicava, era de índole flaubertiana. E, aí, baixava na terra o poeta, pesando palavra atrás de palavra, sílaba atrás de sílaba: a inspiração expirada após a maturação e o burilar implacável. Rigor de poeta – vigor de ficcionista. O fabulário rosiano é dos mais ricos existentes, os entrechos dos mais originais. É só recordar narrativas como aquela do homem que viajou a fim de procurar saber o significado de uma palavra – *famigerado* – em *Primeiras Estórias*, ou, em *Tutaméia*, logo de início o notável conto do cego bonito, narrado pelo seu guia, a quem as mulheres pediam para não denunciar a sua feiúra. Foi Guimarães Rosa, aliás, quem cunhou o termo *estória* (já incorporado à língua) a fim de fazer a distinção funcional entre a ficção e a dissertação sobre fatos verídicos, *história*. E não deixa justamente de ser uma das metas do escritor ou do artista: renovar a língua (regional), na medida em que opere pela linguagem (geral).

"Diadorim do meu amor, põe o teu pezinho em cera branca que eu rastreio a flor de tuas passadas." Quem assim escreve não é apenas o romancista; é o poeta. Rastreia-se a poesia, o falar poético, por toda a prosa de Rosa. E a dicção musical, cintilante, é superestrutura de um respigar e captar incessante de pepitas do terralém ou vidalém. Esforço de meditação profunda para além de uma realidade racional, embora fincado, lastrado no espetáculo terreno. Nesse sentido, aí paira o monumento de prosa, de romance em língua portuguesa, que é o *Grande Sertão: Veredas*. Nos "Gerais" (região sertaneja de Minas) o jagunço Riobaldo, o *Tatarana*, e seu amigo, Diadorim (e/ou também a amada) vivem a epopéia de aventura e mistério (não o mistério somente contingente, porém aquele que conduz à indução telúrica e metafísica). São centenas de páginas com a sazão de encantamento intacta, em que a densidade da fabulação poética não sofre de hiato ou jaça, devido à invenção permanente do escritor e o seu rigor férreo na luta com a palavra. E, aqui, reside uma das suas coisas muito próprias, que o isolaram como autor. A densidade peculiar da prosa poética, calcada também nas inversões comuns de oração, nas imagens preciosas, na surpresa, a quase cada linha, das recriações léxicas ou morfológicas, conferiu-lhe ao texto, ao acompanhamento da estória pelo leitor, uma *duração* também própria, peculiar, em conotação funcional com os acontecimentos descritos na fábula. Pode-se querer acusar esta *durée* de leitura de estar tão-somente ao alcance das inteligências cultivadas. Todavia, a idéia de compromisso de escritor com o público jamais poderia ser alvo de considerações assim simplistas, mesmo porque ela envolve um duplo compromisso de esforço: o do escritor (ou do artista em geral) no "fazer" e o do público em decifrar, descobrir, desvendar e que corresponde àquele "desfazer" construtivo da intelecção a descerrar um processo. Foi por isso mesmo que Ezra Pound definiu os artistas como "antenas da raça".

Em *Grande Sertão: Veredas* já se detectava aquela técnica rosiana de o personagem da estória, em moldes diretamente coloquiais, dirigir-se ao leitor – "o senhor" – a facultar uma tensão de relato extremamente pessoal. Mas num conto longo, ainda estranhamente inédito em livro, "Meu Tio o Iauaretê" (Tio Jaguar) – lançado há anos na revista *Senhor* – a mesma técnica leva a conseqüências estruturais de imenso radicalismo, dentro das surpresas proporcionadas pela atividade criativa. Pode-se considerar, em matéria de texto, o mais inventivo do autor. O protagonista dialoga com o leitor, enquanto sorve pinga, e conta suas peripécias, inclusive aquela – de início, estranhíssima – de seus amores com uma onça,

Maria-Maria. Quanto mais o álcool se entranha, o seu falar mais vai ganhando uma infiltração do idioma tupi. Ao final, a impregnação é total – o homem se transforma em jaguar – vê o próprio leitor sacar o revólver contra ele – os tiros – os pedaços de palavras explodem, ininteligíveis.

Mais do que nenhuma, a *estória* do Tio Jaguar evidencia a preocupação de atuar sobre a linguagem. Uma preocupação até ao nível mágico, alquímico. Há alguns anos, Augusto de Campos publicou, na *Revista do Livro*, um ensaio, sob o título "Um Lance de Dês do Grande Sertão", em que, ao fazer o trocadilho com o poema-base de Mallarmé, "Um Lance de Dados" ("Un coup de dés"), descortinava a "temática de timbres" weberniana[8] de Rosa, cuja nota dominante, naquele romance, seria a sílaba *de*. Essa mesma sílaba permanece nas palavras que emprega para a dicotomia radial, bem e mal: *deus* e *demo*. Não é à-toa, portanto, a preocupação e, assim também, as coincidências: ambas têm quatro letras e são referentes à relatividade dos fatos e do comportamento do homem, o *deusdemo* ou o *demodeus*. "O diabo na rua no meio do redemunho" – a preocupação de Guimarães Rosa com a coisificação do diabo leva-o a fazer um levantamento de todos os substantivos concretos referentes a *ele*. E inserir a nomeação capital – *demo* – dentro das palavras; cf. re*demu*nho. Uma das passagens mais belas, inclusive com a aura místico-misteriosa que a embebe, é a saída de Riobaldo para o encontro com o demônio. A instigante ambigüidade referencial banha várias conjunturas, desde a religiosa até a amorosa ou sexual. Ou, então, nada melhor do que a ambigüidade com *leitmotiv* da indução semântica, a fim de operar com o aleatório da memória, numa outra de suas obras-primas, o conto "Nenhum Nenhuma".

Em todas as ocasiões que conversamos longamente com Guimarães Rosa, foi possível constatar a inteligência agudíssima e a evidência de uma intensa vida interior que corroboram a sua obra. Falava de como permanecia, à noite, horas a fio, procurando detectar a linguagem dos bichos, o som das aves. De como andava a cavalo com um caderninho de notas dependurado no

---

8. Relativo ao compositor vienense Anton Webern.

pescoço, a fim de registrar os ditos, histórias ou pensamentos dos habitantes do interior. De como anotava em pedaços de papel e guardava, para uso posterior, as imagens e metáforas – que de repente – lhe vinham à imaginação. Era o material bruto. Ou nos mostrava as correções que estava a fazer de uma tradução para o francês de um conto de sua autoria. As correções – infalivelmente – para melhor. Embora já esteja traduzido para diversas línguas, Rosa era intraduzível – em sua essência, aquela da gesticulação verbal – no que há de tão brasileiro na raiz de sua escrita. Talvez só ele próprio estivesse capaz de uma cabal autotradução, conhecendo tão bem como ele conhecia diversos idiomas estrangeiros. Disse-nos uma vez que não conhecia todas as línguas, mas que procurava saber a gramática de todas elas. Coerência com a sua preocupação de agir mediante as formulações gerais da linguagem, com a caça daquelas identidades e analogias que lhes permitiriam organizar um cosmos lingüístico.

João Guimarães Rosa, que nasceu em Cordisburgo, Minas Gerais, em 27 de junho de 1908, formou-se em medicina, praticou-a no interior, e serviu na Força Pública do seu Estado natal, antes de ingressar na carreira de diplomata, a qual foi agora cortada, quando – já há muito – dirigia a Divisão de Fronteiras do Itamarati havendo também participado de delegações a conferências internacionais. Como escritor, apresentou-se pela primeira vez com um volume de poesias, *Magma*, que recebeu o prêmio da Academia Brasileira de Letras. Todavia a sua projeção fulminante se deu com o livro de novelas e contos, *Sagarana*, escrito em 1937 e só publicado em 1946. Aí, já se denotavam as características estilísticas que iriam assumir um grau de permanência, ganhando densidade com o tempo e com a especulação inventiva. O seu reaparecimento literário só se deu na década de 1950, com a série de novelas enfeixadas no livro *Corpo de Baile*. Nessa altura, denotava-se estar diante de um dos grandes escritores da língua: a estória do Dão-La-La-Lão já passava, por exemplo, a merecer lugar marcado nas antologias de prosa. Logo depois, então o salto definitivo com *Grande Sertão: Veredas* – agora, inclusive, glória internacional do romance, traduzido para o inglês, francês, alemão e italiano. Houve depois uma seqüência de contos ou novelas publicados em jornais e revistas, até que surgissem as *Primeiras Estórias*, em que a generosidade criativa continuava a jorrar fácil. Há pouco, veio-nos *Tutaméia – Terceiras Estórias*, entremeadas de prefácios, um novo recurso do autor de pôr e dispor dos formulários, no caso, o prefácio já atuando como uma espécie de componente do texto e não como simples introdução à margem da obra. E lá estão contos como "Desenredo", tratamento do tema da mulher adúltera, em destinação também antológica.

Embora eleito para a Academia, em agosto de 1963 (34 votos a favor e dois em branco – nenhum contra), para a cadeira número 2, antes ocupada por João Neves da Fontoura, Guimarães Rosa, só na semana passada, veio a tomar posse, já que protelava enfrentar os discursos e todo um cerimonial de tradição. Antes disso, como membro (Câmara de Letras) do Conselho Federal de Cultura, participou da comissão encarregada de opinar pela unificação da ortografia portuguesa, havendo o seu parecer de relator desfechado debates dentro da maior repercussão.

Súbito – domingo de noite – enfarte – a morte. Morte? "Mire e admire" – "me vou indo". No céu? No ar? "Nonada". Tudo ou nada; mas a obra ao léu do infinito. Rosa da Prosa [*Correio da Manhã*, 21.11.1967].

O Iconoclasta da Cruz

> **AO VIVO DO CALVÁRIO**
> Autor: Gore Vidal.
> Idéia: Mais um romance polêmico do autor, no qual ele passeia pela trilha do calvário de um Cristo submetido aos impactos da mídia eletrônica.

Gore Vidal está se transformando num dos monstros sagrados da literatura ou, pelo menos, no fita-azul dos iconoclastas. Vem daqui, vai dali, mantém permanentemente suas lanças ou aríetes do deboche devidamente assestados a fim de sacudir o marasmo e assustar os *bien-pensants*. Hoje, as lentes ou lunetas do bom senso estão delineando os contornos definitivos: a personagem-matriz da obra de Gore Vidal é Gore Vidal. Elementar, meu caro leitor: *épater* é a palavra de ordem.

Ao Vivo do Calvário (*Live from Golgotha*) – com o subtítulo *O Evangelho segundo Gore Vidal* –, tendo a bela capa reproduzindo a imagem do Cristo, em detalhe do rosto, da *Pietà*, do grande Cranach, não surpreenderá os leitores experimentados do autor. O inesperado, como de praxe, já era esperado. Surpresas? Sim. Mas a informação estética também, delas, não prescinde.

Mas o americano Vidal não é apenas o romancista, maestro do relato, em que situações insólitas são forjadas. Desliza, em paralelo, na faixa poética. Ou seja, aquela hoje já bem conhecida norma de Mallarmé de que a poesia não é feita com idéias, mas, sim, com palavras. Logo à página 11 está a demonstração:

> Como as sobrancelhas de Santo se juntam numa linha reta quando ele franze a testa, uma sobrancelha escura e peluda parece estar trepando com a outra como se fossem um casal de lagartas negras.

Os discípulos de Flaubert, do *mot juste* (da palavra exata), não fariam isso; no entanto, poderiam tirar o chapéu...

Apenas com uma breve dose de audácia, pode-se definir esse livro como uma espécie de paródia herética. Até aí, nada de assustador – o que se entende por "heresia", depois da Segunda Revolução Industrial, já nem assusta os próprios católicos praticantes. "O meio é a mensagem." O.K. Se, por exemplo, Gore Vidal viesse a afirmar que a ceia de Cristo foi um vasto porre não tiraria o sono do frei Leonardo Boff.

Nesse romance, mais uma vez presente/passado/futuro surgem mesclados na narrativa em tom de sátira e de alegoria. O escritor tem o seu *savoir-faire*, salta entre as próprias linhas, reaparece, maneja e redimensiona as personagens hipoteticamente históricas (?), deleita-se (nos) com o erotismo às vezes semipornô. Enfim, aí está o entrecho, em linhas gerais: uma equipe de tevê desembarca no passado a fim de transmitir o calvário ao vivo. Enquanto isso, Timóteo, na primeira pessoa, tenta escrever seu evangelho. Mas há o vilão, o Pirata da eletrônica, "o marginal cibernético".

Dispensável tentar extrair mensagens claras do texto. Melhor o deleite com *flashes* de fanopéia, poética das imagens:

A delicadeza exótica de um mar perolado que vai se espraiando até virar uma frágil lâmina de nácar pela costa rasa – uma iridescência violeta, azul e verde – umas poucas gaivotas.

É isso aí [*IstoÉ*, 20.11.1993].

O Banquete dos Amorais

GRANA
Autor: Martin Amis.
Idéia: O escritor inglês combina dinheiro com orgia, delírio e palavreado cru, num romance ambientado na Inglaterra e nos Estados Unidos.

Martin Amis apresenta esse seu quinto livro como o bilhete de um suicida. Narrado na primeira pessoa – decorrente evidência da falsa ou hipotética autobiografia – estamos diante de um texto que acumula, quase página a página, situações insólitas, a navegar num palavreado aberrante. Certo: o romance não peca pela falta de intenção de ser original.

O jogo da trama procura ser engenhoso. A personagem principal (o *eu*) chama-se John Self – sobrenome que, em inglês, significa o *próprio*, o *mesmo*, já numa primeira sinalização do arremedo metalingüístico. Completando tal indução, há uma personagem de nome Martin Amis, ou seja, o nome do mesmo ou próprio autor emergindo em terceira pessoa. Personagem que também é escritor. Navegam pelo entrecho recheado de muito coito e muito porre – tudo a serviço do naturalismo rococó. Mas os diálogos que povoam esse mundo *noir* e intelectual de *Grana* (*O Bilhete de um Suicida*) não irão espantar o leitor razoavelmente experimentado. Desnecessário citar o santo Marquês de Sade. Basta quanto ao século passado, por exemplo, lembrar *Os Rougon-Macquart* de Émile Zola, com as mulheres capando o dono do empório e espetando seu pênis numa estaca, em *Germinal*; o Jesus Cristo campeão de traques, em *A Terra*; ou a mulher se entregando a outro diante dos vômitos do marido bêbado, em *A Taberna*. Zola, o pai do naturalismo, foi deveras escandaloso para a época, mas também funcional. Hoje, basta ligar a tevê...

Amis não parece, entretanto, ser um amador desonesto. Busca proporcionar densidade a inúmeros trechos do relato pela inoculação metafórica. Exemplos: "um pânico de treva pantanosa" (p. 341); "um homem de pernas tortas como um compasso quebrado" (p. 271); "o elevador me sugou em direção ao céu" (p. 19). Há uma farta intromissão poética, assim se vê, com o molho da filosofia de bolso: "Existe uma filosofia moral da ficção? Quando eu crio uma personagem e a faço passar por certas provações, que estou querendo... moralmente?" (p. 274).

Até para corroborar com uma das veredas da história – a realização de um filme –, a narrativa tenta adotar, por analogia, um ritmo cinematográfico. São seqüências esfuziantes, com agitação, diálogos pesados, violência, pileque, mulheres prontas para tudo, sofisticadas, desinibidas, amorais (esta última palavra, como deve ser de praxe, sempre apontando para o bom sentido). O amor é amoral...

O texto oferece dificuldades para a tradução, exigindo mesmo um *tour de force*. Por isso as chamadas ao pé de página e a invocação ao anjo da guarda, Eric Partridge[9], com os seus dois volumes do dicionário de gíria e inglês atípico. Só não pôde socorrer as cenas dos jogos de xadrez e tênis, especialmente este último, que, sem a terminologia adequada e específica, se tornam algo incompreensíveis [*IstoÉ*, 6.11.1993].

O Outrora no Agora

As editoras redescobriram o romance policial e seu filão de interesse. Falamos em redescobrir porque, na boa maioria dos casos, não estamos diante de autores novos, mas, sim, daqueles que já haviam proporcionado o *thriller* ou o *suspense*

---

9. Lexicógrafo neozelandês (1894-1979) conhecido por *A Dictionary of Slang and Unconventional English* (1937).

literário às gerações de leitores nas décadas de 1920, 1930 e 1940. Referimo-nos, em especial, ao romance policial de mistério, alguns com aquela geometria rigorosa, implacável, em torno do centro de interesse: desvendar o assassino.

O prestígio do gênero policial era incalculável, no nível do consumo, à época em que as pessoas se reuniam a fim de discutir, em termos de hipóteses solidamente fundamentadas, a respeito do desfecho de determinado livro. Isso, lá pela década de 1930. As preferências oscilavam. Uns se concentravam mais no formalismo de Ellery Queen, do qual vários livros traziam, inclusive, a planta dos locais dos crimes. Outros, nos provérbios de Charlie Chan (sempre com assessoramento tumultuado de sua malta de filhos), figura obrigatória das primeiras publicações nacionais de histórias em quadrinhos. Outros, ainda, com maior apreciação pelo aspecto romanesco da trama – o literário –, faziam recair suas predileções sobre Edgar Wallace. Isso sem esquecer o reconhecimento unânime em torno do mestre e precursor, Arthur Conan Doyle (Edgar Allan Poe foi o fabuloso pré-precursor), o criador de Sherlock Holmes e do eterno companheiro Watson e que legou o tom da excentricidade para a maioria dos grandes e famosos detetives.

Van Dine

Nesse sentido, quem merece melhor atenção ainda hoje é S. S. Van Dine, com a sua personagem Philo Vance, detetive amador ultra-requintado, de alto nível intelectual e que, sob a influência de Conan Doyle, leva sempre a tiracolo o narrador na primeira pessoa do segundo plano, como se fosse Watson. Uma obra-mestra, *O Bispo Preto*, demonstra todos os citados refinamentos, ainda reforçados em notas ao pé de página. Philo Vance, enquanto tenta deslindar uma seqüência de crimes precisos, feitos em acompanhamento às quadrinhas infantis de *Mother Goose*[10], disserta sobre as altas matemáticas e teoria da relatividade ou dos *quanta*, a respeito das partidas de xa-

---

10. Dona Carochinha.

drez de Capablanca[11], Lasker[12] ou Rubinstein[13], literatura alemã ou ópera (em dado momento, vai assistir a *Louise*, de Charpentier, com Geraldine Farrar, mas observa que prefere a performance de Mary Garden). E, no meio de tantos dados culturais, a sua esquematização lógica e logicista, quanto ao entrecho (crimes em si e movimento dos personagens), evidencia-se linearmente implacável.

Mais uma manifestação de nostalgia? Como diz Heidegger, em *O que é o Zaratustra de Nietzsche?*, "a nostalgia se consiste na dor que nos causa a proximidade do longínquo" [*Última Hora*, 14.2.1972].

A Era do Texto

O problema do texto, em si mesmo, tornou-se uma realidade mais aguda para os considerandos estéticos, pode-se dizer, a partir de pouco tempo. Foi o desfechar de inúmeros processos não mecânicos de informação e de comunicação, propiciados pela industrialização na era eletrônica, em paralelo com a decorrência dos diversos movimentos de vanguarda, a colocar em crise permanente o conceito tradicional de *arte*, que levaram a essa contingência especulativa. O filósofo Max Bense, por exemplo, fartou-se de examinar a questão – possui mesmo o seu livro, denominado *A Teoria do Texto*.

---

11. José Raul Capablanca y Graupera (1888-1942), enxadrista cubano, terceiro campeão mundial e possivelmente o maior gênio nato na história do xadrez. Sua profunda e ao mesmo tempo simplíssima visão da partida torna-o uma lenda do xadrez moderno, "profissional", como haviam sido, no passado histórico, um Ruy Lopez ou um Philidor. Durante oito anos consecutivos, Capablanca não perdeu uma única partida oficial.

12. Emmanuel Lasker, enxadrista alemão (1894-1921), segundo campeão mundial. Derrotado por Capablanca em 1921. O primeiro jogador a ser mundialmente reconhecido como tal fora Wilhelm Steinitz, que aliás criara o título em 1866 e o defendera várias vezes, perdendo finalmente para Lasker em 1894.

13. Akiba Rubinstein (1882-1961), rabino polonês que de 1910 a 1928 se dedicou exclusivamente ao xadrez, consagrando-se mundialmente como um de seus expoentes.

A própria definição de *texto* veio a ganhar uma condicionante mais concreta, no momento em que, dentro dela, já não se separa ou isola a concepção de área semântica ou referencial, dos materiais que são os suportes dos signos da expressão ou informação, quer dizer, na hora em que essa definição toma em conta, no tocante à estrutura, tanto os elementos (sempre virtuais), como os materiais (sempre reais) – de acordo com a contraposição, hoje clássica, consumada por Susanne Langer, em *An Introduction to Symbolic Logic*. Assim ele (o texto) obriga permanentemente a ser captado, em sua estrutura, segundo essas determinantes, seja um texto intencionalmente referencial à outra coisa que paira além dele, seja, pode-se dizer, auto-referencial, em sua gratuidade essencial – que, quanto maior o índice, mais a aproxima da concepção de obra de arte pura. Na ocorrência dessa segunda hipótese, não existem considerações mais a fazer a respeito da necessidade de uma atitude objetiva integral com relação à estrutura em exame. Na primeira hipótese, é natural meditar sobre a ligação entre linguagem e realidade. Pois, de acordo com o material e o sistema de signos utilizado, a partir dele, existem gradações evidentes de distância entre o texto e o seu objeto referencial, existente além, isso é, o pretexto, uma extra-estrutura quanto à materialidade. Tomemos o exemplo da cidade de Ouro Preto, como a coisa referida. Se determinada pessoa realiza um filme documentário sobre aquela cidade histórica, o texto (o filme) estará muito mais próximo dela, da realidade em sua transparência, do que se uma outra pessoa, com a mesma intenção documental, escrevesse (fosse do modo mais realístico possível) a respeito de idêntico assunto. A distância entre as palavras e Ouro Preto é muito maior do que a distância entre o filme e Ouro Preto. A realidade próxima do objeto referido, no segundo caso, esmaga qualquer pretensão idêntica do escritor ou do repórter – a barreira das palavras, escritas ou orais, constitui, ela própria, o *leitmotiv* para o exame mais acurado do texto em si. Já é literatura, com ou sem aspas.

Questão não menos intensa, com relação a isso, se verifica na antiga distinção literária entre prosa e poesia. A velha estética, hoje formalista, se satisfazia em separar o que era escrito em versos, como poesia, e o restante, como prosa. A partir do simbolismo, principalmente, com os poemas em prosa e Lautréamont etc., as coisas começaram a se complicar. E, no século atual, depois de vários *ismos* fecundos dos movimentos de vanguarda, a existência do verso como condição *sine qua non* a fim de se denotar a presença do poeta se transformou numa balela acadêmica (e, nem assim, de todas as academias). A poesia sofreu mesmo essa evolução em direção da percepção e compreensão da existência da questão do texto, quando deixou de ser menos concebida, de maneira primordial, como fruto de inspiração subjetiva, do que como resultado do trabalho com a palavra, em suma com a linguagem. Quando Mallarmé diz que a poesia não é feita de idéias e, sim, com palavras, está conferindo a primazia para o texto, como passou a ser modernamente entendido.

Hoje, as teorias do texto tendem a eliminar as diferenças entre poesia e prosa, ou torná-las uma superficialidade formal a alimentar tão-somente a etiqueta dos gêneros. Mas de que modo se colocar diante do problema, pelo menos para fins metodológicos, se o fato em si não impede que inúmeros escritores sintam a necessidade de escrever romances (prosa), ou contos, novelas etc., se o ensaio ou o relato documental ou noticioso, nem traduzem apenas a livre especulação de escrever, porém ainda necessidades dentro do complexo do mundo da informação e comunicação? Em nossa opinião, a par da atitude básica, de que o poeta habitualmente procura trabalhar ao nível da linguagem, enquanto o prosador, ao nível da língua, aferido o mínimo múltiplo comum estrutural das obras, a diferença é de grau. Ou, talvez melhor dizendo, de transparência do texto. Ao ler poesia, o leitor sempre se detém mais nas palavras do que ao ler prosa. Assim sendo, a prosa pura é aquela que se afasta no máximo da poética; reciprocamente, a poesia pura é aquela onde mais se impõe a materialidade dos signos e suas relações. Na prosa, pura, o leitor não pára nas palavras – a transparência do texto é de tal ordem, dentro de sua função referente, com uma determinada área semântica, que, inclusive, ela propõe, quando funcional em sua elaboração, a rapidez da leitura.

Um exemplo genérico de prosa pura (dentro do objetivo ficção, dentro da especificidade do autor ser, em essência, o narrador) se caracteriza no folhetim. Mas o folhetim não seria um gênero menor, um gênero popular, segundo quaisquer de suas tendências, a arte purista ou a dos grandes conteúdos e mensagens? Até que não. Há exceções. Um dos melhores exemplos de prosa pura é o imenso *Memórias de um Médico*, de Alexandre Dumas (pai). Divide-se em cinco partes, quase que como romances isolados em si: *José Balsamo, O Colar da Rainha, Ângelo Pitou, A Condessa de Charny* e *O Cavaleiro de Maison-Rouge*. Desde o início, o relato da chegada de Balsamo (anos depois, Cagliostro, nome pelo qual ficou mais famoso) à beira do monte Trovão, onde se reuniria a seita dos iluministas, que planeja, no âmbito internacional, as revoluções contra o regime da realeza, dá uma idéia do poder da prosa de Dumas, em sua simplicidade, naquela transparência. *Memórias de um Médico*, por outro lado, não deixa de ser uma obra estruturada conscientemente dentro da dialética ficção x documentário: enquanto joga com seus personagens, intrigas e acontecimentos, naquela faixa histórica que vai desde o fim do reinado de Luiz XV até a morte de Maria Antonieta, na guilhotina, o autor fornece dados, relatos secos e até transcreve documentos (por exemplo, a Declaração dos Direitos do Homem) paralelos ao entrecho. Fatia de história mesclada com o contexto da estória. Coisas semelhantes aconteciam nessa fase do romance, quando o romancista (sem a consagração de especialidades ou ciências como a psicologia, a sociologia, a antropologia etc.) podia e desempenhava mesmo o papel de psicólogo, sociólogo ou antropólogo, de acordo com a observação adequada do crítico Oliveira Bastos. Assim é que, por exemplo, Victor Hugo, em *Notre Dame de Paris*, interrompe em dado instante a sua trama para, num capítulo inteiro, perfazer um instigante ensaio a respeito da menor variedade de formas na arquitetura, provocada pelo advento da invenção da imprensa.

A transparência da prosa pura de *Memórias de um Médico* que transforma a obra num clássico é até independente da temporalidade. Isso porque o contexto básico de seus elementos é, ainda hoje, uma constante: de um lado, o documento (*et pour cause*), de outro, a ficção, sem compromissos de *coloratura* estilística de escola ou de *partis-pris* com visadas, teorias – sociológicas, políticas, psicológicas – sempre, mais cedo ou mais tarde, em superação pelo roer do tempo. A narrativa em si, quer dizer, o complexo de sentimentos e acontecimentos, gira em todas as épocas. Está em Balzac, que ficou superado mais facilmente pelo seu *realismo*. Russos como Dostoiévski ou Tolstói. Entre nós, hoje, Nelson Rodrigues, por exemplo. O problema é não confundir cultura com estática erudição e notar que, para não ficarmos no mestre Dumas (sempre o pai: não o filho), o Ponson Du Terrail de *O Juramento dos Homens Vermelhos* é mais legível do que, talvez, todo o Chateaubriand. Este último, em nível de evidência, pode ser mais importante para um trabalho de pesquisa histórica; seu vôo foi mais alto no espaço, menos horizontal no tempo.

Se a prosa impura é aquela em que nos detemos nas palavras, marcamos um ritmo ao seu peso e relações, o modelo mais elevado é James Joyce ou, no ápice, *Finnegans Wake*. Ou também, aqui no Brasil, Guimarães Rosa, que, aliás, reaparece reforçando sua posição de maior "prosador" brasileiro com *Tutaméia* (terceiras estórias). Aqui, no tocante à valorização, não importa a classificação de prosa impura. A hegemonia de Rosa; ou a de Joyce, na prosa do século XX, repousa na originalidade e na estrutura do texto, captado em si, sem nos atermos à divisão clássica de gêneros. Guimarães Rosa, acreditamos, poderia ser também, no entanto, voltando atrás, um prosador puro excepcional, já que, além da opção pelo primado da palavra (poética), se revela um notável fabulista. É só lembrar, ao acaso, nas *Primeiras Estórias*, aquela do *Famigerado*, em que, a par das especulações morfológicas com a palavra-título, vigora, de maneira plenamente isomórfica, aquela narrativa do sujeito que viajou a fim de se informar sobre o significado da palavra.

Numa época em que a análise de texto, para vários efeitos, se submete a métodos matemáticos, cibernéticos e estatísticos, evidente que o conceito velho de literatura, com a tradicional abertura ao subjetivismo, ficou caduco. Há de, pelo menos, ser considerada a condicionante para uma nova subjetividade – de quem lê, de quem escreve ou fala [*Correio da Manhã*, 6.8.1967].

Criação e Publicidade

Se não me engano, na sua "Teoria da Guerrilha Artística", publicada aqui no *Correio da Manhã*, Décio Pignatari falava da arte, hoje em dia, como um "preconceito cultural". O impacto científico das novas técnicas que romperam com o número sete (as sete artes) e com os gêneros pré-delimitados, tais como, no terreno específico da literatura, a idéia de texto, se sobrepõe às divisões convencionais entre poesia e prosa, ensaio e ficção etc. Tais divisões não irão desaparecer, porém a percepção das coisas em função delas será outra e vice-versa.

O encanto da arte começou a ser quebrado, primeiro superficialmente por tendências como o realismo, naturalismo, expressionismo etc. (não era só o belo, o harmonioso), pois, estruturalmente, neste século de comunicação e reprodutibilidade em massa. A essência do objeto "artístico" passa também a sofrer uma redefinição, pois muitas coisas que possuem função primordialmente utilitária vieram a ensejar o idêntico interesse de pesquisa, até então à conta da "ciência do belo". O próprio conceito de *beleza* – especialmente a partir da apresentação do princípio do isomorfismo (identificação de fundo e forma), lançado por Max Wertheimer, um dos grandes psicólogos da Gestalt – veio a receber o condicionamento da funcional idade. "O belo é o funcional" – isso, inclusive, procurou demonstrar a poesia concreta em seu período mais fecundo e depurado.

Perguntar o que é arte, já, outrora, era precário, em termos filosóficos (apesar de muitos escribas haverem dissertado sobre "a filosofia da arte"): hoje, atinge o nível da inutilidade, nessa época em que muito do que existe como criação (concebida naquela amplitude estética da gratuidade essencial) já não é arte. Marcel Duchamp, durante a efervescência *dada*, enviou um vaso sanitário para uma exposição de esculturas. Denúncia do paraíso perdido artesanal.

Depois do filme, talvez seja a publicidade quem dê o melhor exemplo para a compreensão do processo criação/funcionalidade, a resultar na maior ou menor eficácia da obra ou produto. Ambos operam em vários níveis de linguagem: verbal, gráfico, plástico, musical, escultural, teatral. E a mesma publicidade, *last but not least*, no do próprio filme. Os cartazes de propaganda ou os pôsteres fotográficos passam a ser fruídos, muitos deles, como o são chamadas artes plásticas. E o que pode haver de miniprosa nos textos?

A barreira do utilitarismo separa a criação pura (aquela que situa a gratuidade essencial do objeto lógico da obra) da não-pura. Mas a distinção em matéria de pureza talvez seja supérflua. A publicidade trouxe uma etapa intermediária para o zoneamento do problema e suas especulações. Antes, como o demonstraram inúmeros teóricos de estética (principalmente Susanne K. Langer), havia a diferença entre o objeto real e o virtual. O primeiro não significava além dele. Mesmo em sua evidência material e de funcionamento proposto: um sapato, uma lâmpada, uma faca. O segundo, pelo contrário, em virtude de ser uma forma simbólica (termo este lançado por Ernst Cassirer), era veículo ou suporte de um significado extramaterial: era a obra de arte.

Surge, então, o universo da publicidade e deparamo-nos com uma hipótese limítrofe. No objeto real (sapato, lâmpada ou faca), matéria e forma traduziam o contexto do utilitarismo do fim a que se destinavam: calçar, iluminar, cortar. No objeto publicitário, verifica-se o oposto, ou seja, é na área virtual que se enfeixa o utilitarismo. É naquela significação extramaterial que nasce sua necessidade – a necessidade de convencer eficazmente a respeito das qualidades de determinado produto.

Quem, antes de Croce, vivia dizendo que o importante na obra de arte era o conteúdo e não a forma (dicotomia estática e superada), encontrou na publicidade a resposta a seus desejos. É claro que importa, na publicidade, a utilização eficiente de elementos gráficos, verbais, plásticos, cinéticos etc., mas a sua funcionalidade está em referir-se positivamente a outra coisa que nada tem a ver com o objeto-anúncio em si. Não há o anúncio sobre o anúncio, auto-referencial, como pode haver o poema sobre o poema, o romance sobre o romance, o filme sobre o filme. A publicidade é a mais antipoética das artes; a menos gratuita em sua razão de ser. E tem de vigorar no momento exato em que a criação é lançada – deseja um público cada vez maior e nunca a torre de marfim.

Paradoxo para Sartre: é a mais "engajada" das artes. Tanto para tentar provar as maravilhas de uma pasta de dentes como as de um ditador [*Correio da Manhã*, 26.3.1972].

O Problema da Prosa

A arte de narrar, o faz-de-conta, é tão antigo quanto o momento em que o homem, conscientemente, descobriu que a linguagem, como *instrumento* (na acepção que lhe dá Ernst Fisher, em seu importante *Da Necessidade da Arte*), não era apenas um sistema de signos destinado a uma apropriação pragmática e imediatista de representar a realidade (ou, imitá-la, dentro da adaptação superficial que o mundo cristão fez da *mimesis* aristotélica). Cassirer, em *Linguagem e Mito*, mormente pela análise do conceito melanésio do *Maná*, talvez seja até agora quem haja mais bem demonstrado a origem mágica das palavras, do ato de nomear ou da configuração mítica da metáfora nos povos primitivos. E Collingwood, em seus *Principles of Art*, mediante o exemplo dos rituais religiosos primitivos, quis justamente chamar a atenção no sentido de que a *realidade*, inclusive no caráter motor para uma atividade futura, tinha como fonte a própria forma do culto e não o objeto do culto em si.

Diante disso, concebe-se que, desde os tempos mais remotos, o instrumental utilitário da palavra começou a perder a sua hegemonia em face daquela gratuidade essencial com o caráter formativo das palavras executado pelo ser humano. Desde aí, também, poder-se-ia então tentar estabelecer uma diferença entre a posição do poeta e a do prosador, embora, até hoje, inexista qualquer metodologia que dê fronteiras claras à distinção. Pode-se dizer que a preocupação fundamental do poeta cinge-se à linguagem, às palavras e ao encantatório de suas inferências formais, enquanto o prosador já está em situação diante dos significados das palavras e o seu encadeamento.

A fabulação, o contar histórias, com todas as variantes nominais e estruturais que atravessou a prosa criativa, era a atitude básica dos escritores cientes da verdadeira realidade ou que desta faziam parábolas, embora conscientes de que a verdadeira realidade-matriz era o próprio material das palavras com que lidavam. Mas o conceito de romance, a experiência sistemática com esse assim chamado gênero só se deu, no Ocidente, de modo intensificado, com a ascendência do mundo burguês, em paralelo com a invenção da imprensa, por Gutenberg, quando ia se tornando possível, cada vez mais, imprimir maciçamente relatos mais longos. É só ver. Antes daquela ascensão, o artista-grande-pensador, mediante aferição de sua obra criativa, era geralmente o poeta, um Dante, um Shakespeare ou um dos poetas metafísicos, John Donne.

A partir do século XIX, com a grande virada do prosador, aquilo mesmo que se chama prosa de ficção passou a sofrer as suas profundas experiências, mutações estruturais, em que o linear do faz-de-conta era insuficiente em face da ambigüidade de instigação do meio. A prosa clássica teve os seus trunfos antológicos, mas, até por coincidência etimológica ou numa *intentio* retrospectiva, foi com o romantismo que o romance se projetou como forma criativa a encontrar um público. Daí, logo depois do romantismo no romance, com suas variantes temáticas do indianismo, surgiram duas escolas ligadas essencialmente à pesquisa com a prosa: o realismo e o naturalismo.

No dobrar para o século atual, já as especulações com a natureza essencial da prosa começavam a entrar no apogeu da intensidade, cumulando com James Joyce (*Ulysses* e, principalmente, *Finnegans Wake*), quando então tudo parecia que ia acabar em matéria de romance, devido ao sobrepor-se do cinema que, como magistralmente frisou Merleau-Ponty, em seu ensaio, *O Cinema e a Moderna Psicologia*, tratava-se da primeira arte a nos propiciar concretamente o comportamento do indivíduo.

A própria crise do romance não tem meros fundamentos formativos estéticos, nem tampouco é fruto da capacidade mais poderosa de o cinema formular o faz-de-conta. A evidência disso é que o mesmo cinema já não apresenta o faz-de-conta linear como base de suas obras de ficção. Essa crise nos remete ao homem em situação na infra-estrutura do mundo industrializado atual, quando, no corre-corre do dia-a-dia, necessita de informações mais rápidas e sintéticas. O dia que o nexo industrial servir ao lazer, o ato lento e silencioso da leitura ganhará, outra vez, o seu lugar mais amplo. Pois, da mesma maneira que é alienante o escritor se ater a fórmulas velhas, superadas, repisadas de narrativa, de forjar ficção, também o é àquela de julgar que a língua em uso corrente possa estar alijada como matéria de criação. Se dissermos diariamente "bom dia", "obrigado", "alô", "olá", "como vai?", "vou bem", "vem cá", "não vou", torna-se óbvio que é um material válido de ser explorado.

Sartre, em *Situations II* (*O que é a Literatura?*) já mostrou com acuidade que a poesia está, em seus fundamentos, ao lado da música, da pintura, da arquitetura. A prosa, concluímos, cai do lado do teatro e da dança – quer dizer, enquanto, no caso da poesia, da música e das artes plásticas, a sua própria essência formativa remete a um universo inorgânico (as estruturas ou formas puras) – o teatro, a dança e a prosa, em seu mínimo múltiplo comum, jamais chegarão a isso. É inimaginável um teatro abstrato ou um balé abstrato (quando a sua essência é a dinâmica de uma presença física do ser humano em cena), assim como a arte da ficção (o ensaísmo não é simplesmente uma arte) não pode abolir do primeiro plano o significado das palavras (o que faz amiúde a poesia, com maior ou menor intensidade).

Se tomarmos o nosso maior prosador, Guimarães Rosa, podemos dizer que ele é *poético* no estilo, chega a ser de grandeza mallarmaica naquele "aragem do sagrado", "absolutas estrelas" – trecho do *Grande Sertão: Veredas* – possui uma fanopéia deslumbrante, musicalidade rigorosa, inventiva, instigante, mas tudo isso, em paralelo, concatenado com o fabuloso fabulista que ele é. Até na hora de meditar a respeito da própria etimologia, das raízes das palavras, da sua morfologia ou da ambigüidade significativa, ele ainda está sendo o fabulista, como no notável conto de *Primeiras Estórias*, do homem que viajava a fim de saber o significado da palavra *famigerado*.

O prosador em essência, que não é o caso de Rosa, todavia, trabalha arduamente com as palavras, embora num sentido diverso daquele do poeta. Está aí o exemplo de Nelson Rodrigues, que, apesar das metáforas, não está absolutamente agindo como poeta (como no exemplo de Guimarães Rosa, na superestrutura da obra). É o narrador por excelência, motiva-o a ação dramática simplesmente – enfim, quer narrar, contar, relatar, à sua moda, que reflete um método, um estilo extremamente pessoal; e, aqui, sem se preocupar com o problema da linguagem (poética, como já ressaltamos acima), mas com o da língua ou o uso geograficamente setorizado da linguagem. Em suma: as expressões do costume. Esse trabalho, embora mais vinculado à intuição, à espontaneidade, à captação fenomenológica do que à intenção racional e já pré-estrutural do criador, não deixa de ter a sua faixa de especulações formativas necessárias. É só dar um exemplo com o mesmo Nelson Rodrigues: a repetição continuada, reiteração diária de termos e metáforas que ele criou, que sejam, apanhando ao acaso, "o óbvio ululante", "poente de folhinha", "dispnéia pré-agônica", "fauno de tapete", "mau tempo de quinto ato de *Rigoletto*". Um julgamento apressado daria a idéia de que se trata do lugar-comum. Nada menos exato, de início porque o assim chamado *lugar-comum* traduz o recurso, o "truque" de um autor, visando, sem inovar, a iludir o público a respeito dessa falta de inovação. No lugar-comum, as palavras e frases até variam, mas a chave formativa é sempre a mesma. Ora, Nelson não procura iludir porque repete frontalmente as mesmas imagens, termos, símiles, metáforas etc. A questão é mais profunda e de maior alcance formativo. Nessa repetição proposital o que ele está querendo é, à custa do repisamento constante, lexicalizar tais expressões, assim como faz o povo, o "inventa-línguas" na expressão de Maiakóvski, ao criar a gíria, por exemplo. E, nisso, eis ainda o mais importante, reabastece um vocabulário a serviço puro da prosa, pois esses termos, na medida em que se aproximam do léxico, perdem o caráter poético de revelação ou inauguração, e ajudam a acionar a fala do fabulista, do contador de histórias, como já o fazem, por exemplo, o "ora bolas!", "deu no pé", "caiu no conto do vigário", "Deus me livre" etc. O poeta, ao contrário, geralmente, quando repete uma palavra ou um termo ou uma metáfora, o faz somente dentro de um mesmo texto, de uma dada estrutura, pois a sua intenção é apenas a palavra.

A prosa é sempre discurso, mesmo que fragmentado ou numa estrutura de montagem; isso, pelo menos enquanto o homem se comunicar dentro do sentido estrutural do discursivo. A poesia, como já o mostrou Susanne Langer, mesmo quando discursiva, não o é em sua apreensão global, posto de lado o agenciamento material ou superficial da sintaxe. Talvez, a partir disso, é que seja possível recondicionar toda uma série de postulações de vanguarda na prosa, que, diante inclusive da voga do *Nouveau Roman*, ou vogas temáticas, seja do regionalismo ou do psicologismo, precisam ficar libertas, de um lado (já se sabe) do academicismo, do outro, do que é vanguardismo inócuo dentro da vanguarda [*Correio da Manhã*, 23.4.1967].

2. POR QUE LER OS CLÁSSICOS

O Livro de Jó *Descerra os Meandros da Tradução*

> *A versão em português do texto bíblico é a principal obra do poeta José Elói Ottoni*
>
> *Nem sequer a saliva é meu sustento? [...] Ah! não soltas do teu furor as iras? / Eis que eu durmo no pó... Se me buscares / Amanhã já não sou, bem que me firas.*
>
> O Livro de Jó

Essa epígrafe denota a marca de José Elói Ottoni, um poeta nosso da fase colonial. Um poeta esquecido, quase desconhecido, que destruiu ou teve destruída boa parte de sua obra. Mas, agora, o melhor dela – a tradução do *Livro de Jó*, do Antigo Testamento, em versos decassílabos – vem relançado. Massaud Moisés (no *Pequeno Dicionário de Literatura Brasileira*) o aponta como "lídimo precursor do romantismo entre nós". Mas as traduções da Bíblia são mais instigantes sob a ótica de um corte sincrônico. Veja-se o final do capítulo 3, das "Paráfrases dos Provérbios de Salomão em Verso Português", agora em redondilha maior: "C'roa-se o sábio de glória, / Porque um dia se humilhou: / O insensato se confunde, / Do nada a que s'exaltou". A mesma passagem na versão do padre Antônio Pereira de Figueiredo está reduzida ao laconismo prosaico: "Os sábios possuirão a glória: a exaltação dos insensatos será a sua ignomínia".

O Livro de Jó é um dos mais ricos e "modernos" componentes do Antigo Testamento, no qual o dogmatismo fica minado pela dúvida e abalada a idéia de que a desgraça constitui fruto do pecado. Monsenhor José Alberto de Castro Pinto (na edição Barsa de 1965) estipula que se trata de um drama em três atos com um prólogo. Mais recentemente, José Schiavo, em seu *Novo Dicionário de Personagens Bíblicos*, discorre sobre a última possibilidade de redação do *Livro*, entre 600 e 400 a.C., sua origem sumeriana, e, em apoio disso, faz referência às descobertas de uma expedição americana às ruínas de Naipur. Seria um conto. "Jó teria vivido no sul da Judéia, talvez em Edom", comenta Schiavo.

"Publica o mar: – Um fundo de divícias, / A pérola, o coral eu crio e tenho: / Mas não tenho sequer nem as primícias / Da luz, que emana d'imortal desenho." José Elói Ottoni faz um *tour de force* e seu trabalho ressurge como um "ponto luminoso" na trilha do traduzir.

Na época da invenção da imprensa, apenas 33 línguas possuíam algo da Bíblia e, por volta do começo do século XIX, esse número passou para somente 71. No entanto, na primeira metade do século atual, subiu para mais de 500 idiomas e dialetos. Eugène A. Nida, em seus *Princípios de Tradução Exemplificados pela Tradução da Bíblia*, ressalta, apesar dos números acima, as dificuldades desse encargo. Diz que a reprodução da palavra que corresponde exatamente ao original pode distorcer inteiramente o significado. Continuando, "todos os tipos de tradução envolvem perda de informação, acréscimo de informação e/ou desvio de informação". Pois a comunicação é um processo de mão dupla, mesmo que uma só pessoa esteja falando. Daí, nada a estranhar que Haroldo de Campos crie o termo *transcriação* ou que José Elói haja elaborado seus decassílabos.

Vamos então a quatro versões do último versículo do capítulo 38: 1) "Quem prepara ao corvo o seu sustento, quando os seus filhinhos, vagueando, gritam a Deus, por não terem que comer?" (padre Antônio Pereira de Figueiredo); 2) "Quem do corvo os filhinhos alimenta? / Da fome ao impulso vagueando grasnam / Reconhecem a mão, que os aviventa" (J. E. Ottoni); 3) "Quem prepara aos corvos o seu alimento, quando os seus pintainhos gritam a Deus e andam vagueando, por não terem de comer?" (padre João Ferreira D'Almeida); 4) "Quem prepara a ração do corvo / quando seus filhotes gritam / ao Poderoso / E a esmo se agitam / à míngua de alimento?" (Haroldo de Campos).

Temos as linhas de convergência verbal, sendo que a de Haroldo de Campos é a única a chegar direto do hebraico. Aquelas dos dois religiosos refletem a opção mais prosaica. Aí está um exemplo das variantes de Nida.

Se Walter Benjamin ("A Tarefa do Tradutor") afirma que tradução é forma e J. C. Catford (*Uma Teoria Lingüística da Tradução*) assevera que linguagem é *forma* e não substância, ficamos na constatação de que o ato de traduzir é um ato *significante*, na acepção saussuriana. Como dizia Roman Jakobson, "duas mensagens equivalentes em dois códigos diferentes". Essa edição do *Livro de Jó*, na recriação histórica de José Elói Ottoni, constitui mais um elemento para o debate em torno da tradução – principalmente de textos poéticos ou parapoéticos. Voltando a Walter Benjamin: "Toda escrita importante, em qualquer escala – porém, mais do que qualquer outra, a Escritura Sagrada – contém, entre suas linhas, a sua tradução virtual. Aquela do texto sacro é o protótipo ou o ideal de toda tradução" [*Folha de S. Paulo*, 14.2.1993].

Carpeaux – Literatura Ocidental

A primeira coisa a se ressaltar na *História da Literatura Ocidental*, obra praticamente única em sua formulação, escrita e estruturada por Otto Maria Carpeaux, é que, embora reflita a invejável formação, o conhecimento profundo do autor a respeito do vasto assunto abordado, não constitui estilisticamente obra de um erudito. Nada dos tanques pesados de uma terminologia que, em muitos outros escritores, obriga à consulta de dicionários altamente especializados. Nem o maciço descarregar de citações, que, amiúde, se transforma numa sobrecarga antifuncional para quem lê. Na simplicidade do saber e no saber dissertar sintetizando, Carpeaux consuma um admirável trabalho de prosador, expondo escorreitamente, conseguindo explicar numa linguagem leve e precisa aquilo que muitos só conseguiram recorrendo a complexas parafernálias terminológicas. E – por isso mesmo – na conjugação entre o estilo e o tema, a *História da Literatura Ocidental* pode ser considerada um dos momentos mais luminosos da prosa em língua portuguesa. No ritmo, na *clarté*, na economia de meios. *Last but not least*: nos seus ensinamentos.

Como o autor desde o intróito, fez questão de anunciar, o desdobramento do exame da literatura no mundo ocidental obedece à correlação de critérios estilísticos e sociológicos. Na análise de determinados livros, de determinados movimentos, um critério explica e complementa o outro. E, a fim de secionar momentos mais decisivos nas transformações do comportamento e visão do escritor – em decorrência, das próprias civilizações – a obra vem dividida em dez partes básicas: 1) A Herança; 2) O Mundo Cristão; 3) A Transição; 4) Renascença e Reforma; 5) Barroco e Classicismo; 6) Ilustração e Revolução; 7) O Romantismo; 8) A Época da Classe Média; 9) *Fin de siècle* e Depois; 10) Literatura e Realidade.

Seria difícil destacar uma parte ou mesmo trechos delas superpostos meritoriamente aos demais. Aquilo que Ezra Pound denominou os *punti luminosi* escorre pelas milhares de páginas. Vale, no entanto, a título de exemplo, citar passagens e procurar demonstrar como Carpeaux soube situar e focalizar determinadas questões. Na primeira parte, que enfoca o mundo grego e romano, a sua contribuição é importante, não tanto na análise individual e isolada que realiza da obra dos escritores, mas na explicação de que constituía aquele mundo para que melhor se possa compreender e situar a obra dos grandes filósofos, poetas e prosadores.

Ao abordar, por exemplo, o que significa o conceito de *mimesis* (imitação) no mundo grego, a partir da demonstração não só de que as religiões da Antigüidade não conheciam dogmas, mas de que a própria idéia de tradição não era idêntica à nossa acepção atual, Carpeaux a define, elucidando um processo. E melhor discorre, em seguida:

> Desde os começos da civilização grega, os antigos consideravam a *mimesis*, não como imitação servil, mas como processo criador. "O nosso mundo ideal" – arte, literatura, filosofia, ciência pura – é uma criação do espírito grego. Apenas com uma diferença: para nós é um "mundo ideal", sempre diferente da realidade das coisas: para os gregos, a identidade do pensamento filosófico e das obras de arte coincidia com a realidade das coisas. Nesse sentido, o mundo grego continua como ideal eterno.

Ao enfocar o universo da Idade Média, faz questão também de evidenciar a necessidade de rever o convencionalismo do conceito "Idade Média". E parte para isso, apontando a descoberta moderna da existência – não de uma – porém de várias renascenças; a começar pela carolíngea. E o fim da Idade Média? Carpeaux identifica-o com a morte de dois grandes poetas, Manrique e Villon: "O gótico *flamboyant* não teria encontrado melodia digna da morte definitiva da Idade Média, senão na voz de representantes das duas classes que morreram com ela: os cavaleiros e os clérigos. O cavaleiro: Jorge Manrique. O clérigo: François Villon".

A evolução do conceito de tradução é outro ponto luminoso da história:

> O próprio conceito de tradução é obra do humanismo. Nem a Antiguidade nem a Idade Média conheceram traduções: aquilo a que damos esse nome entre as obras medievais são versões livres, libérrimas mesmo, adaptações mais ou menos inescrupulosas e plágios. De nada importava ao leitor medieval a origem e a estrutura formal de uma obra alheia; apenas desejava conhecer o conteúdo. Só o humanismo criou a consciência da relação entre forma e conteúdo, da importância de verter letra e espírito do original, da necessidade eventual de reconstituir um texto corrompido; e da propriedade literária.

Desossar a forma fechada dos conceitos, trocando-os em miúdos, consoante as transformações do Universo e das civilizações, fica-nos evidenciado, é uma tarefa de sentido estrutural na missão de narrar uma história da literatura ocidental. Nesse sentido, é que os exemplos acima de como perceber a imitação na Antiguidade ou a herança da instigação em traduzir, vinda do humanismo, bem como analisar outros conceitos, como o classicismo, desvendar as várias origens e recorrências do barroco, explicar (como o autor o faz com acuidade) o romantismo, diferenciar poesia de prosa ou como aproximar a literatura da realidade na época contemporânea constituem elementos importantes para que um determinado quadro – aqui, o da literatura e suas transformações – fique decisivamente delineado.

Não, por outro lado, que a análise de obras e autores, se perca. Pelo contrário; aí mesmo, desvenda-se ainda melhor a capacidade de síntese, o captar sucinto da significação de muitos deles consumado por Carpeaux. Vamos a alguns trechos: a) Petrarca: "É o primeiro homem que sente a responsabilidade do espírito, do talento, do gênio, chamado a desempenhar grande papel nos acontecimentos deste mundo. Petrarca é o primeiro intelectual moderno"; b) John Donne: "A poesia erótica de Donne é a mais original do mundo e aí está o seu papel na história da poesia inglesa: foi ele quem acabou com o petrarquismo da Renascença. Substituiu-o por uma mistura de neoplatonismo exaltado e naturalismo sexual, representando assim uma nova definição do barroco"; c) Dryden: "É o criador da poesia moderna, não somente pela linguagem poética, pelas novas convenções teatrais que estabeleceu, pela prosa, mas ainda pela atitude. É o primeiro inglês que foi conscientemente e profissionalmente 'homem de letras' "; d) Rousseau: "*As Confissões* são um livro de importância histórica tão grande como *As Confissões*, de Santo Agostinho, duas autobiografias que anunciam e terminam a agonia de duas civilizações, pelo desmoronamento total de todos os valores. Somente que Rousseau não foi um santo. Teria sido padre da Igreja da anarquia permanente"; e) Balzac: "A história do romance como gênero literário divide-se em 2 épocas: antes e depois de Balzac. Com ele, até o termo mudou de sentido. Antes de Balzac, 'romance' fora a relação de uma história extraordinária, 'romanesca' fora do comum. Depois será o espelho do nosso mundo, dos nossos países, das nossas cidades e ruas, das nossas casas, dos dramas que se passam em apartamentos e quartos como de nós outros"; f) Maupassant: "É profundo na superficialidade porque reconhece o 'sem fundo' da superficialidade, o vazio desta luta corporal, só prazer, sempre o mesmo prazer e, enfim, a destruição fatal. A angústia do desfecho. Maupassant sempre vira o fantasma do nada atrás das luzes impressionistas"; g) Fernando Pessoa: "Até a sua teoria do 'poeta que é fingidor' e da poesia como arte de 'cantar emoções que não se tem' lembra o músico que parece, ao ouvinte, afogar em emoções, enquanto, na verdade, conta exatamente os compassos".

Secura, lucidez e isenção no sentido de projetar as suas opções pessoais e emocionais. O historiador, aqui, se comporta como tal, como tentativa de ser instrumento de projeção da mesma história. A sua ojeriza a um poeta como Maiakóvski, não o faz omitir a presença e atuação histórica do poeta da revolução soviética; a sua ainda hoje enorme admiração por Keats, não o impede de gastar maior espaço na explicação de um fenômeno importante como essa espécie de satanismo desfechada por Byron (um poeta muito menor – obra *versus* obra – do que Keats), mas cuja atitude teve tal extensão que levou o próprio Carpeaux, bem mais adiante, a ainda definir Baudelaire, "o fundador da poesia lírica moderna", como "o último byroniano". Nem tampouco o seu pensamento político-filosófico lhe permitiu concessões emocionais a determinados escritores, diante de um critério de análise estética. A gratuidade de certas posturas "participantes", em relação a uma obra que se esgota no próprio ato (às vezes hipócrita) de se mostrar "engajado", já mereceu a sua denúncia formal.

A História da Literatura Ocidental não nasceu à toa, nem como essas encomendas literárias que se fazem ao sabor, tantas vezes por nós experimentado, da irresponsabilidade. Pode haver muita coisa a ser seriamente criticada em seus métodos e análises, mas Otto Maria Carpeaux – aqui, como ninguém – era o escritor talhado para o ofício. Aquele ofício de que falava o grande Dylan Thomas: "In my craft or sullen art..." [*Correio da Manhã*, 27.8.1966].

A Literatura Alemã

Das origens aos nossos dias, da literatura dos cavaleiros, do *Minnesang* e do *Meistersinger* à "reabertura" pós-nazista, com Arno Schmidt ou Heissenbüttel – esse o panorama vivo que Otto Maria Carpeaux descerra, com uma narrativa instigante, que conforma o fluxo de uma cronologia de estilos e conjunturas políticas, lingüísticas e sociais daquilo que se denomina *A Literatura Alemã*, sem ser necessária e especialmente apenas a literatura feita apenas em território da Alemanha. Nessa obra de pouco mais de trezentas páginas, contendo, inclusive, ao fim, uma nota sobre a pronúncia dos nomes alemães não poderia, nem pretendeu o autor descer a análises profundas. Trata-se de uma tomada geral, de um fluir panorâmico, mas em que cintilam as informações, escorreitamente desvendadas num estilo de "contar a história" seco e estimulante.

De Erasmo, Lutero e Sachs ao documento assinalador do divórcio humanismo x reforma: *A História do Dr. Johannes Faust*. O tema, aliás, foi preocupação de grandes nomes da literatura ocidental: há, por exemplo, o Fausto de Marlowe, de' Goethe, de Fernando Pessoa ou de Thomas Mann. Depois, o barroco e um grande poeta: Gryphius. A era do racionalismo, a poesia anacreôntica, Klopstock, até o eclodir de um dos grandes movimentos propriamente literários: o *Sturm und Drang – Tempestade e Impulso*, como sugere para tradução o próprio autor. Já era a maturidade da língua. Curioso notar que dois momentos básicos de evolução da língua alemã correspondem a traduções de obras também básicas: a tradução da Bíblia por Lutero, quando, como ressalta Otto Maria Carpeaux, advém "o nascimento da nação alemã moderna, sua língua, sua literatura"; a tradução, quase dois séculos depois, de 13 peças de Shakespeare, realizada por Schlegel, segundo OMC, "não só talvez a melhor tradução que existe de qualquer poeta em qualquer língua, é, depois da Bíblia de Lutero, o mais importante marco na evolução da língua literária alemã".

Antes, contudo, a presença ainda hoje abrangente de Hegel – o pensamento filosófico, estético, ético, lingüístico, político. Hegel, via OMC – "a sua filosofia revelou coisas para cuja expressão a língua comum não é suficiente". Hegel – a fonte permanente – a "ala esquerda" e "a ala direita" do seu pensamento – a dialética.

O *Sturm und Drang* – o jovem Goethe que, mais tarde, irá repousar na glória apolínea do classicismo de Weimar. Ao lado de Goethe, Schiller. E o pré-romantismo. E, da teoria de soerguimento nacional de Herder, à "razão pura" e suas limitações formuladas por Kant, cuja teoria do conhecimento, apesar do tempo-espaço de Einstein, assola os pensadores até hoje. Trata-se de uma faixa áurea dessa história, espécie de renascimento, no qual, referindo-se a *An den Mond*, de Goethe, Carpeaux, citando Wordsworth – "emotion recollected in tranquility" – diz haver sido "alcançado o supremo objetivo da poesia lírica".

No extremo da faixa, aparecem Kleist, Jean Paul (um dos mais intrinsecamente alemães dos escritores alemães) e um "gênio" marginal, Hoelderlin. Hoelderlin, mais "moderno" – folia e poesia – até hoje hermético. E Carpeaux frisa a fabulosa dualidade nos marcos estéticos da lírica alemã: Goethe x Hoelderlin. Entre um extraordinário poema curto, como "Hälfte des Lebens" ("Metade da Vida") e o manancioso "Arquipélago", divaga a surpreendente riqueza sugestiva de Hoelderlin. Na vertente fronteira, a inspiração "tempestuosa" ou clássica de Goethe, porém sempre contida, a sensibilidade mais racionalizada em função dos meios de se expressar. Aliás, com relação ao termo "gênio", propicia o autor esclarecimento bem necessário:

> Esse termo não tem, inicialmente, o sentido de qualidades intelectuais superiores ao comum do gênero humano. Nos teóricos italianos e ingleses da Estética, na primeira metade do século XVIII, o gênio é o contrário do *gosto*: é a capacidade de criar valores de beleza sem obedecer às regras eruditas pelas quais é formado o gosto artístico dos cultos; capacidade atribuída ao povo e invocada para reabilitar a poesia popular, que o gosto clássico desprezara. Um *gênio* é, então, aquele que não precisa de regras para comover e edificar. *Genial* é a poesia sem imitação dos antigos e *genial* é a religiosidade livre sem dogmas.

Chegamos, então, ao romantismo – *turning point* em todas as literaturas, mas que, na língua alemã, ganhou *status* da maior amplitude. As teorias do romantismo e os escritores: Tieck, Novalis, os contos fantásticos de Hoffmann. Ainda no século XIX, pontificam, numa época criativa das mais ricas, nomes como os de Eichendorff, Heine, Buechner, Stifter,

Nietzsche, Holz, Fontane, Hauptmann, Wedekind, Hoffmannstahl, Marx, Engels, George e Schnitzler. E também o germinar do realismo, do naturalismo, do simbolismo e as sementes do pré-expressionismo. Nietzsche invoca uma transfiguração do espírito dionisíaco e é uma influência constante para o século XX – de acordo com OMC, "o último que procurou enraizar na Grécia o espírito alemão". Ao mesmo tempo, a atualidade de Buechner e Arno Holz, o teatro do primeiro refulgindo nos palcos internacionais e o seu *Woyzeck* perpetuado na música de Alban Berg, enquanto a poesia do segundo – o seu fabuloso *Phantasus* – reabilitado pelas pesquisas de vanguarda. E, desenvolvendo a ala esquerda hegeliana, emergem Marx e *O Capital*. Engels e o manifesto do Partido Comunista.

A fase inicial desse século é a forja do terceiro grande poeta alemão ou em língua alemã. Dispensa-se maiores intróitos: é Rainer Maria Rilke. Se Goethe é a poesia clássica, se Hoelderlin é a poesia genial, Rilke seria a poesia pura: "Nur wer die Leier schon hob / auch unter Schatten, / darf das unendliche Lob / ahnend erstatten" ("Só quem a lira já elevou / até o mundo das sombras / pode o infindo louvor / pressentir e cantar") soneto IX a Orfeu. A sua palavra pesa, exata, adequada, como um jarro de pedra, a sua poesia pesa por sobre o tempo. Mas já é também o tempo de grandes romancistas: Thomas Mann, Hesse, Kafka ou Musil. E há outros poetas como Benn e Trakl. E há o teatro básico de Bert Brecht. O século XX marca na literatura momentos de alta trepidação: o pré-expressionismo, o expressionismo, a juventude artística dos *Twenties*, a nova renascença da Bauhaus de Gropius, o dadaísmo, o pensamento de Dilthey, o declínio do Ocidente preconizado por Spengler, a objetividade nova e os movimentos de *avant-garde* da literatura que se faz agora, no instante.

Um *mobile* de *flashes* instigantes, tomadas ou panoramas, fluxo didático. *A Literatura Alemã* pode ser também lido, aprendido e apreendido como um romance. É mais uma contribuição valiosa da cultura e da visão respeitável de Otto Maria Carpeaux [*Correio da Manhã*, 4.11.1964].

Armas e Barões de Camões

> OS LUSÍADAS
> Autor: Luís de Camões.
> Introdução e notas: Alexei Bueno.

Essa nova edição de *Os Lusíadas*, de Luís de Camões, é uma das mais importantes entre aquelas lançadas no Brasil. E isso, logo de saída, em decorrência de um motivo específico: nela, surgem republicadas, em apêndice, as 75 estâncias desprezadas ou omitidas pelo grande poeta e, posteriormente, encontradas por Manuel Faria e Souza. Assim como ocorre em relação a uma parte dos sonetos e uma ou outra seção de sua lírica, essa estrofes foram consideradas apócrifas por alguns estudiosos, entre os quais Wilhelm Storck. Mas a simples leitura das mesmas demonstra que tais assertivas jamais poderiam ser muito convincentes. Basta ler a última entre as catalogadas por Faria e Souza, que se situaria após a estrofe 141 do Canto Décimo e referente a Fernão de Magalhães: "Daqui saindo irá, onde acabada / Sua vida será na fatal ilha: / Mas prosseguindo a venturosa armada / A volta de tão grande maravilha: / Verão a nau Vitória celebrada / Ir tomar porto junto a Sevilha, / Depois de haver cercado o mar profundo, / Dando uma volta em claro a todo o Mundo".

Pelo que sabemos, nenhuma das edições brasileiras de *Os Lusíadas* (irmãos Laemmert; Itatiaia; Biblioteca do Exército; Silveira Bueno; Melhoramentos) apresentou as partes expurgadas. Só em Portugal foram elas lançadas (edição de 1782, de Thomás Joseph de Aquino; Editora Lello).

Na introdução, Alexei Bueno fala sobre a situação histórico-literária da época. Chama a atenção para a fusão entre o ideal cavalheiresco e religioso da Idade Média e "as virtudes bélicas do herói pagão". E, depois de, com muita justiça, colocar as redondilhas dos "Sóbolos Rios que Vão" como provavelmente "o mais alto poema de nossa língua", entra, firme, na faixa polêmica, ao dizer que todos os reparos feitos posteriormente ao decassílabo camoniano "são obra da incompreensão poética de metrificadores esteticamente imprestáveis, como Castilho e o famigerado padre José Agostinho de

Macedo": "Por obra do primeiro, seguida por parnasianos tão vazios quanto ele, chegaram a antepor o decassílabo bocagiano, com sua uniformidade absolutamente monocórdia, ao de Camões, de riqueza sinfônica". Enfim, Bueno aponta a adjetivação de Camões como dona de expressividade incomparável, "destituída de todo enfeite ou ouropel".

Também constam dessa edição as transcrições do alvará régio da edição de 1572 e o parecer do censor do Santo Ofício, da mesma data. Há uma biografia e, à guisa de intróito, a apresentação de um soneto de Torquato Tasso dedicado a Camões, em texto bilíngüe, com tradução do próprio Bueno. Aqui estão os tercetos finais: "Mas a do bom e culto Luís tão alto / Estende além seu vôo glorioso / Que mais que as tuas naus o longe rende". "Do Pólo austral ao nosso, seu radioso / Eco, onde chega num sonoro salto, / O curso de tua fama alarga e estende."

No mundo inteiro, há longo tempo, muitos louvam e se manifestam a respeito da obra de Camões e, principalmente, *Os Lusíadas*. Quem foi contrário à poesia épica, como Voltaire, colocou-o no confortável pelourinho entre Dante e Shakespeare. Mas, além de Tasso, aí estão, com a palavra, Montesquieu, Madame de Staël, Chateaubriand, Schlegel e Humboldt, que o classificou como "um grande pintor marítimo". E mais: Ezra Pound, que o chamou de "Rubens do verso", Lorde Byron, Herman Melville e Elizabeth Barrett Browning. Ou, então, Jorge Luís Borges, que assim termina seu soneto a ele oferecido: "Comprendiste humildemente / que todo lo perdido, el Occidente / Y el Oriente, el acero y la bandera, / Perduraria (ajeno a toda humana / Mutación) en tu Eneida lusitana".

Em língua portuguesa, quantos não louvaram Camões, o mago, o mágico, o macro? O próprio Bocage, que tanto endeusavam os detratores, assim dizia: "Invejo-te, Camões, o nome honroso, / Da mente criadora o sacro lume, / Que exprime as fúrias do Lieu raivoso..." E, num impecável soneto classicista, o nosso grande Manuel Bandeira: "Não morrerá sem poetas nem soldados / A língua em que cantaste rudemente / As armas e os barões assinalados" [*O Globo*, 4.7.1993].

A Magia de Shakespeare, para Além do Tempo

> As obras completas do maior poeta dos tempos modernos voltam ao mercado, para reforçar a aura de mistério que ainda envolve a vida e os textos de William Shakespeare.

O que mais dizer sobre Shakespeare? De fato, basta rememorar algumas de suas personagens (personagens fortíssimas, de marca indelével), para perceber que eles permanecem extremamente atuais, adaptáveis a inúmeros padrões de comportamento. Não chegariam a permanecer como mitos, mas sem dúvida são arquétipos. E, com o decorrer do tempo, nos respectivos dramas, firmam-se como protótipos.

A listagem não é das mais trabalhosas. Lá (ou aqui entre nós) estão Iago, MacBeth, Hamlet, Lear, Ricardo III e – nessa era da chamada permissividade – Otelo. No naipe das personagens, relativamente mais frágil, estão Julieta, Catherine, Lady MacBeth, Desdêmona, Ofélia, Cleópatra etc. São elementos e mais elementos de todo um universo a querer demonstrar que o engenho e a arte de Shakespeare atravessam os tempos no meio do maremoto de exegeses, quando não somente especialistas em teatro e literatura se manifestam, mas também filósofos, psicólogos, historiadores e até estudiosos em ciências ocultas.

Nesse último caso, vale citar *An Encyclopedic Outline of Masonic, Hermetic, Qabbalistic and Rosicrucian Symbolical Philosophy*, de Manly Hall (São Francisco, 1928), em que, através de uma transparência, se faz uma superimpressão dos rostos de Sir Francis Bancon e William Shakespeare, e o retrato deste é justamente o mais conhecido e o mesmo que abre todos os três volumes de suas *Obras Completas*[1].

Os rostos são, de fato, bem semelhantes e, além de inspirarem um famoso poema de Ben Jonson, permanecem sendo um dos inúmeros aspectos do mistério que ainda recobre a existência de Shakespeare.

---

1. Nova Aguilar, 1969. A reimpressão ensejou o artigo em apreço.

Mistério que, de certa forma, cintila também no poema hermético e metafísico "The Phoenix and the Turtle", que encerra o último dos três volumes recém-lançados. "A Fênix e a Pomba" (preferimos traduzir *turtle* – que é a *turtle-dove* – por *pomba* ao invés de *rola*, como vem nessa edição, ainda que, *mutatis mutandis*, se trate evidentemente da pomba-rola).

Feita a ressalva, o que interessa comentar é que esse poema nos revela um Shakespeare no auge de seu poder criativo. Foi publicado pela primeira vez na antologia de Robert Chester, Loves Martyr, em 1601, e muitos colocaram em dúvida sua autoria.

É, de fato, uma exceção dentro da obra shakesperiana, em que, com um só texto, ele surge como o "metafísico dos metafísicos", com peripécias verbais que somente com John Donne, em seus melhores momentos, poderia também realizar. E, sob o prisma do hermetismo (pelo qual quase todos os assim chamados poetas metafísicos foram julgados), mais ainda leva a palma. Vários ensaísta mergulharam em seus meandros: Emerson, I. A. Richards, Alfred Alvarez.

Um jogo verbal de contrastes e oposições que se anulam no campo semântico, até mesmo com violentação gramatical. A lenda da fênix corresponde meramente ao caráter alegórico do significado total, uma espécie de *overture* ao pensamento que vai embrenhar-se nas mais complexas especulações. E chega-se à perspectiva paradoxalmente antimetafísica, com a negação do absoluto. Mas a união líquida a lógica dos números. Exemplo:

> So they loved, as love in twain / Had the essence but in one; / Two distincts, division none: / Number there in love was slain. (Tanto se amavam que, duas sendo / No amor, só uma eram na essência; / Distintas, mas indivisíveis; / Nelas o amor matava o número. [tradução constante da edição ora comentada].)

Basta passar os olhos por todo o texto de *A Fênix e a Pomba* para comprovar sua extrema modernidade. Modernidade essa que, mesmo com vários séculos de diferença, chega a ultrapassar a da maioria dos poetas simbolistas, com exceção de Mallarmé, revelando muito da genialidade inigualável de Shakespeare.

Interpretações
Palavras, palavras

Verdadeiro monumento da poesia lírica é a série de 154 sonetos que Shakespeare publicou em 1609 e que suas obras completas reproduzem. Existe, em torno deles também, um mar de interpretações, pois ressurge o hermetismo (não tão intenso) sustentado por elementos barrocos.

Oscar Mendes, em sua nota introdutória, faz breve análise, observando que, quanto à forma de versificação, os sonetos estão sempre constituídos de três quartetos com as rimas cruzadas e um dístico final de rima parelha – o último, característica do soneto em língua inglesa. Tudo isso, no entanto, cede ao que é mais importante: o ritmo e a intensidade da obra.

Oscar Mendes, ao mesmo tempo e como tradutor, também explica a necessidade de transpor os versos do original para o alexandrino clássico em português. Trata-se da maior amplitude, a fim de evitar o sacrifício de conceitos, e elisão da imagens. Isso geralmente ocorre na tradução de decassílabos de outros poetas da língua inglesa. E a sua opção pelo verso branco, abandonando a rima, seguiu idênticos critérios.

É preciso notar, nos sonetos, o de número 99, que tem uma linha a mais e não rima ("In my love's viens thou hast too grossly dyed" – "Foi das veias do amado extraída sem pejo" – tradução de OM), e os de números 135 e 136 e no desfecho do de número 143, em que o autor, num sistema de repetição, joga com a palavra *will*, que significa, ao mesmo tempo, desejo e o diminutivo de seu nome, William, detalhe descuidado pelo tradutor. O que realmente interessa, no entanto, é notar que o grande escritor, muitas vezes, se torna o grande fazedor de frases e forja conceitos que atravessam os tempos. Nisso, Shakespeare foi modelar. Alguns exemplos:

Theres beggery in the love that can be reckon'd. [Muito miserável é o amor que possa ser medido. – *Antônio e Cleópatra*.]
Just death, kind umpire of men's miseries. [A morte, árbitro afável das misérias humanas. – *Henrique VI, 1ª parte*.]
To be or not to be; that's the question. [Ser ou não ser; eis a questão. – *Hamlet*.]
Words, words, words. [Palavras, palavras, palavras. – *Hamlet*.]

How long a time lies in one little word! / Four lagging winters and four wanton springs / End in a word: such is the breath of kings. [Quanto um tempo se estende numa palavra breve! / Quatro longos invernos e quatro pródigas primaveras / Findam numa palavra: tal o respirar dos reis. – *Ricardo II*.]

Life... is a tale / told by an idiot, full of sound and fury / signifying nothing. [A vida... é uma história / contada por um tolo, cheia de som e fúria / significando nada. – *MacBeth*.]

Assim, Shakespeare fez também a história – mesmo porque não pode haver História sem ele. Melhor, portanto, encerrarmos com outra frase; esta de T. S. Eliot: "Sobre a hipótese de alguém tão grande como Shakespeare, é provável que nunca possamos estar certos; é melhor que, de tempos em tempos, mudássemos nosso modo de estar errados" [*O Estado de S. Paulo*, 10.3.1990].

O Grande Marvell

A chamada poesia metafísica – denominação assim cunhada por Samuel Johnson – e que cobriu, na Inglaterra, a segunda parte do século XVI e primeira do século XVII, além de John Donne (talvez o maior poeta em língua inglesa depois de Shakespeare) ou Richard Crashaw (um dos maiores expoentes da poesia barroca), legou também com Andrew Marvell, um outro notável poeta, que apenas a crítica do século XX passou a conferir a devida grandeza. Antes de entrar propriamente na obra de Marvell, é interessante ressaltar o espírito da época e as tendências intelectuais e formativas metafísicas. Segundo Alfred Alvarez, em *The School of Donne*, a importância dessa escola (se, assim, é possível denominá-la) consistiu em "tomar uma forma dialética que se tornou rígida após séculos de contenda escolástica, e romper a sua estreita casuística; em açambarcar as ciências em toda a força imaginativa das novas descobertas e, reunidas, trazê-las como protagonistas no drama interior de uma poderosa experiência pessoal". Na realidade, a importância dos metafísicos – Donne à frente – foi a de enriquecer a área semântica da arte poética com a utilização de termos filosóficos, termos das ciências aplicadas (matemática, geografia, geometria, cartografia etc.), além do fundo religioso, com a invocação ou incorporação de passagens bíblicas. Era uma poesia extremamente culta e – por isso – revolucionária, numa época em que o poeta geralmente extravasava o lirismo na estrutura mais leve das canções, com um fraseado mais ligeiro e terminologia mais singela. Os metafísicos, ou contrário, tinham como principal característica aquilo que Helen Gardner cita como *strong line* (verso forte). De acordo ainda com a mesma autora, o *strong-lined poem* consumava o objetivo de uma expressão concisa, dentro de sintaxe elíptica e uma aspereza intencional de versificação. Daí, o hermetismo, do qual foram acusados pelos seus inimigos e como sempre, é, de início, a culpa lançada aos maiores poetas. Pois a reforçar aquelas estruturas já complexas, altamente engenhosas, havia o refinamento permanente dos jogos de palavras ou trocadilhos – *puns*.

Hoje em dia, os principais ensaístas contemporâneos deram uma resposta abalizada à incompreensão do Dr. Johnson, o batizador da poesia metafísica. T. S. Eliot, que além do estudo sobre eles tem um ensaio dedicado a Marvell, Alfred Alvarez, Rosamond Tove, Helen Gardner, William Empson, Joan Bennett, Ezra Pound, Austin Warren, Herbert Read – são alguns no mês de estudiosos no assunto. Mesmo porque, a partir de Hopkins (que era uma cunha na poesia do período vitoriano) e chegando a um Dylan Thomas, um Hart Crane ou àquilo que se pode chamar de neobarroco, houve uma revivificação, dentro da temática atual, de certas características básicas da poesia no período elisabetano ou jacobiano.

A importância de um poeta como Marvell reside assim na modernidade de determinadas constantes e que conduzem também àquela idéia de "despoetizar" o poema, como ocorreu com o nosso João Cabral de Melo Neto. O poema em si deixava de ser lânguido avatar de desejos e devaneios emocionais ou pueris e passava a refletir uma arte extremamente intelectual, com meditações ou parábolas que perfaziam a recorrência sobre o próprio escrever. Nada de inspiração, espontaneidade ou facilidades. Marvell, por exemplo, não era apenas o intelectual de formação impecável, de cultura aplicada à época e ao ofício; dominava amplamente as técnicas do verso. Joseph H. Summers faz notar que um simples poema seu, "The Garden" ("O Jardim") fez diversos dos exegetas invocarem Buda, Plotinus, São Boaventura, Théophile de Viau ou Hermes Trismegistus, Alfred Alvarez, por seu turno, soube desvendar a impessoalidade intencional do seu estilo. Num poema, por exemplo, como "The Definition of Love", mostra a inexistência de qualquer amor concreto impelindo o jogo de espírito: ao contrário, segundo ainda o mesmo crítico, trata-se até de um poema abstrato, cujo objetivo seria aquele mesmo do título: efetuar uma definição. E as duas quadras finais, antológicas, são um exemplo poderoso da escola metafísica:

> As lines so loves oblique may well / Themselves in every angle greet: / But ours so truly parallel, / Though infinite can never meet. / Therefore the Love which us doth bind, / But Fate so enviously debars, / Is the conjunction of the mind, / And opposition of the stars. [Assim como linhas, os amores podem, oblíquos, se saudar a cada ângulo: mas os nossos, tão deveras paralelos, embora infindos, nunca se podem encontrar. Portanto o amor que nos liga, mas o destino tão despeitadamente proíbe, é a conjunção do pensamento e contraposição dos astros.]

E todo um exercício de inteligência culta, com um conceptismo bem peculiar, a usar elementos de astrologia e geometria para elaborar uma imagem dinâmica do amor platônico, do amor que a fatalidade impede sua materialização. Esse poema de Marvell se aproxima bastante de uma das *valedictions* ("forbidding mourning"), "proibindo o pranto", de John Donne, que, por sua vez, com "The Extasie" – uma das leituras básicas colocadas no *ABC of Reading*, de Ezra Pound – realizou talvez o mais belo poema de amor platônico em toda a história da literatura. Mas assim também como Donne, embora sem o erotismo desse último, Marvell possuía a sua vertente de poesia amorosa não-platônica. E o exemplo máximo disso em sua obra talvez também seja um dos pontos máximos dentro do âmbito temático na história da literatura, análogo à posição do famoso soneto de Ronsard, "Quand vous serez bien vieille". Trata-se do poema mais conhecido de Marvell: "To His Coy Mistress" ("À Amada Esquiva"), no qual o autor incita uma hipotética amada a se empenhar na paixão e nos prazeres carnais em vida, pois não há tempo a perder. E, além de imagens admiráveis, é com a ironia de uma logopéia habilíssima (Marvell foi também um ótimo satírico) que ele inicia o poema: "Had we but world enough and time, / This coyness, Lady were no crime" ("Tivéssemos o mundo inteiro e tempo / Essa esquivez, Senhora, não seria crime"). Mas, depois de invocar uma série de conjunturas da eternidade, sempre sob o banho irônico – ele poderia ter começado a amá-la desde dez anos antes do Dilúvio e, ela, podendo dar-se ao luxo de refugar até o dia da conversão dos judeus – começa a lembrar o ruído do carro alado do tempo e diz que os vermes hão de experimentar a preservada virgindade.

Em outro poema excepcional, "Eyes and Tears" ("Olhos e Lágrimas"), utiliza de uma técnica nominativa permutacional dos dois objetos temas – os olhos e as lágrimas – a fim de desenvolver considerações ao nível cósmico a respeito da unidade ser-sentimento, encerrando o poema através da magistral chave de ouro: "these weeping eyes, those seeing tears" ("esses olhos que choram, aquelas lágrimas que olham").

Todavia a obra dele que ressurge atualmente como o seu trabalho mais profundo e alenta-o é "Upon Appleton House", um poema com 776 versos, dedicado a Lord Fairfax, de cuja filha Marvell foi preceptor, durante mais ou menos o período entre 1651 e 1653. Era uma espécie de obra muito comum na época, em que se saudavam os nobres ou soberanos mediante a descrição de sua casa e/ou riquezas. Marvell, contudo, em seu cumprimento, transcende o mero *offertorium* requintado e elabora, com suas invocações, o *pun* e a arquitetura barroca, uma engenhosa meditação sobre as relações do ser humano com o tempo e a natureza. O poema tem sua parte inicial dedicada à descrição bucólica, a conter sempre na superestrutura a idéia de saudação ao retiro de Fairfax e Mary, sua filha. Mas já aí, o requinte e o arrojo das imagens conduz a símiles altamente inventivos. Os jardins, como bem observa Joseph H. Summers, são descritos mediante terminologia militar, as flores tal qual fossem regimentos, e as abelhas, sentinelas. Já um rio aparece como se fosse o elemento provedor de uma vida profética e sobrenatural do futuro. O surgimento de aves e insetos aumenta a dose de uma atmosfera estranhíssima à obra – já se torna impossível dizer que ela constitui somente paga ao patronato de Lord Fairfax. Basta dar alguns *exhibits* a fim de demonstrar a técnica do poeta:

> An' now to the abyss I pass / of that unfathomable grass, / Where men like grasshoppers appear, / But grasshoppers are giants there. [E agora para o abismo eu passo / daquele insondável tramado / onde os homens são gafanhotos / mas gafanhotos lá são gigantes.]

ou toda essa estrofe que é uma pedra de toque da poesia barroca:

> The viscous air, wheres'ere she fly / Follows and sucks her azure dye; / The jellying stream compacts below, / If it might fix her shadow so; / The stupid fishes hang, as plain / As flies in crystal overta'en; / And men the silent scene assist / Charmed with the sapphire-wingèd mist. [O ar viscoso onde ela voa / Segue e suga sua cor azul / O rio gelatinoso espessa-se abaixo / Se puder fixar a sobra dela / Imobilizam-se os peixes entorpecidos / tal como as moscas ébrias no cristal / E os homens assistem à silente cena / seduzidos pela névoa, alada em safira.]

Bosques, rios, prados, jardins são imagens de Maria, filha de Fairfax – isso na superfície, na denotação imediata do texto. Mas correspondem também à necessidade de conferir uma imagem organizada do mundo em desordem. É o pensamento de um poeta intelectual, que, inclusive, teve uma vida de atuação política e viu o inferno da luta pelo poder. Marvell, que nascera em 1621, embora estivesse em viagem por vários países, quando rebentou a guerra civil, trabalhou depois junto ao Governo de Cromwell, para o qual escreveu alguns poemas. Um deles, "An Horatian Ode Upon Cromwell's Return from Ireland", constitui, na opinião de inúmeros ensaístas, um dos maiores poemas políticos já feitos, com um dos seus notáveis *touchstones*: "T'is time to leave the books in dust, / And oil th'unusèd armor's rust" ("É tempo de deixar os livros ao pó / e de olear a armadura enferrujada").

A modernidade de Andrew Marvell pode ser aquela de toda a grande poesia, mas também reverte devido às constantes barrocas de hoje. Também aquela técnica de relacionar substantivos concretos a fim de projetar idéias ou sentimentos abstratos caracterizou grande parte dos principais poetas que rejeitaram o empinar solene da dicção clássica. No caso de Marvell, temos uma poesia profundamente filosófica e de idéias sutis, elaborada sem rejeitar o fundamento da palavra em si. E isso também se consiste em produto da inteligência criativa que atualizou sua obra diante das contingências do texto em nosso tempo [*Correio da Manhã*, 19.11.1967].

As Tramas do Gosto

> **CARTA SOBRE OS SURDOS-MUDOS PARA USO DOS QUE OUVEM E FALAM**
> Autor: Denis Diderot.
> Idéia: A partir da linguagem de sinais utilizada pelos surdos-mudos, desenvolve-se uma teorização original e instigante de questões de estética, literatura e comunicação.

Denis Diderot nasceu em 5 de outubro de 1713 e morreu em 31 de julho de 1784. Um dos maiores nomes da literatura e da filosofia na França em seu século. Diretor, juntamente com D'Alembert, da famosa *Enciclopédia* (ou *Dicionário Lógico das Ciências, Artes e Ofícios*).

Essa *Carta sobre os Surdos-mudos para Uso dos que Ouvem e Falam* foi publicada em 1751 e agora, em boa hora, é reapresentada entre nós. Falamos em boa hora porque estamos diante de uma obra atualíssima, apesar da distância no tempo superior a dois séculos. Diderot era uma inteligência deveras iluminada. Dispensava a necessidade de ser "iluminista", embora a seita dos propriamente ditos estivesse em plena efervescência na época. Basta recordar a antológica abertura de *Joseph Balsamo*, de Alexandre Dumas (série de tomos que compõem a primeira parte do gigantesco romance *Memórias de um Médico*), quando se dá o encontro do protagonista e futuro conde de Cagliostro com os confrades vindos de todo o mundo, no sopé do monte Trovão.

A *Carta* envolve questões a respeito da língua e da estética e suas premissas e colocações ainda provocam ressonâncias extremamente válidas diante de quaisquer teorias, por mais sofisticadas que sejam, elaboradas nesse século. E tudo foi exposto por meio de uma redação límpida e direta, que não exige do leitor maiores intimidades com terminologias complexas ou aquele repertório de palavreado bombástico de muitos "pós-modernos". No entanto, a linha de pensamento de Diderot é altamente original. E, assim, instiga o leitor.

As citações são proverbiais e funcionais. As notas ao pé de página reforçam a compreensão da matéria em debate. E, nisso, é curioso observar que o autor – com todo o seu rigor, com a segurança no desdobramento de idéias e argumentações – era, paradoxalmente, descuidado em suas citações, trocando autores ou alterando textos. Mas isso corresponde a detalhes de superestrutura que não prejudicam a organização de um mecanismo de raciocínio.

"A percepção das relações é um dos primeiros passos da nossa razão [...] Elas constituem a simetria." "O gosto em geral consiste na percepção das relações. Um belo quadro, um poema, uma bela música agradam-nos somente pelas relações que observamos." Isso vem na parte final, na carta à srta. De La Chaux. São observações pertinentes à estética moderna, à psicologia da percepção. São assertivas que já se antecipavam a coisas como a Gestalt, o neopositivismo ou mesmo as manifestações de quem olhou para tais vertentes com um pisca-pisca crítico, ou seja, outro mestre francês do pensamento mais atual, Maurice Merleau-Ponty [*IstoÉ*, 17.11.1993].

Blake, do Tigre ao Cordeiro

WILLIAM BLAKE – POESIA E PROSA SELECIONADAS
Edição bilíngüe.
Tradução e prefácio: Paulo Vizioli.

A primeira coisa que se pode dizer, quando emerge o nome ou a lembrança de William Blake, é que se trata de um dos poetas mais originais da língua inglesa. Para G. S. Fraser, foi o único poeta inglês que inventou sua própria mitologia.

Idéia-Imagem-Música – "The Tyger" – O tigre: deslumbrante energia do verbo – um dos poemas mais espetaculares da língua. "Tyger! Tyger! Tyger! Burning bright / In the forests of the night, / What immortal hand or eye / Could frame thy fearful symmetry?". Esta a primeira quadra, da qual já havia uma tradução de Augusto de Campos: "tigre! tigre! tigre!, brasa / que à furna noturna abrasa, / que olho ou não armaria / tua feroz symmetrya?". E, então, Paulo Vizioli: "Tigre, tigre, flamante fulgor / Nas florestas de denso negror, / Que olho imortal, que não poderia / Te moldar a feroz simetria?".

No poema-fera, o tigre substituía o cordeiro como símbolo de Cristo. Da inocência à experiência.

O Blake protéico, contraditório, contendo multidões, tal como um dos futuros e grandes sucessores de uma de suas águas: Walt Whitman. Revolucionário (apoiou a Independência dos Estados Unidos e a Revolução Francesa) e cristão herético; um galope pelo esoterismo, com o olhar girando em torno de figuras como Paracelsus e, especialmente, Swedenborg. O verso conciso e o verso longo, o dizer simples e o falar esparramado.

"To see a World in a grain of sand / And a Heaven in a wild flower, / Hold Infinity in the palm of your hand / And Eternity in an hour" – mais um dos indiscutíveis *touchstones* (pedras de toque) na literatura inglesa ("ver um mundo num grão de areia / e um céu numa flor selvagem / ter o infinito na palma da tua mão / e a eternidade em uma hora"). É a abertura dos "Augúrios da Inocência", poema que Paulo Vizioli não traduziu por inteiro porque, como explica em nota no final do volume, "a qualidade dos dísticos e o seu conteúdo não variam muito".

Em sua introdução para a obra de John Donne e William Blake, Robert Silliman Hillyer assevera que a trajetória deste último foi excepcionalmente coerente, seja como homem, artista ou poeta. Ainda de acordo com Hillyer, ele, no tocante à política, era apenas nominalmente um revolucionário. A verdadeira revolução deveria ter sua fonte na libertação de cada indivíduo no sentido da liberdade espiritual – "essencial" seria, modernamente, o adjetivo mais adequado, como faz Herbert Read, em "Anarchy and Order", a fim de diferenciar essa liberdade (*freedom*) daquela outra (*liberty*) vinculada meramente ao direito de ir e vir. (Nosso idioma não possuía flexibilidade para nomeação das duas liberdades.)

O pequeno poema do girassol, para o qual Paulo Vizioli chama a atenção particularmente, ou o "Abstrato Humano" consistem em duas outras demonstrações do impulso da originalidade. "The Gods of the earth and sea / Sought thro' Nature to find this tree, / But their search was all in vain: / There grows one in the Human Brain." ("Os Deuses que governam terra e mar / Tentaram aquela árvore encontrar. / Mas foi vã sua busca pelos anos... / Uma cresce nos cérebros humanos", na tradução de Vizioli.)

"The Little Vagabond" ("O Pequeno Vagabundo") é outra marca registrada de Blake, com relação ao universo infantil. Estranhamos tão-somente o tradutor não conservar os &s do original; afinal, outra característica do autor. Isso também acontece, por exemplo, em "I Saw a Chapel all of Gold" ("Vi uma Capela toda de Ouro") – todos omitidos; mas a tradução está boa, precisa: "E lá vomita o seu veneno / Por sobre o vinho e o Pão divinos". Enfim, na passagem do "Casamento do Céu e do Inferno", outro *touchstone* de William Blake: "Nuvens famintas sobre o abismo pendem".

Os "Provérbios do Inferno" trazem mais munição para a heresia: "As prisões se constroem com as pedras da Lei; os Bordéis, com os tijolos da Religião". O carimbo definitivo de William Blake.

O prefácio desse livro explica de maneira clara e despretensiosa vida, obra e tendências do poeta. No final, estão as notas em série com o propósito de esclarecer nomes e situações do texto. Vale observar que Blake além de escritor, foi artista. Sua obra visual é também altamente expressiva, insólita. No século XX, ressurgiu e influenciou diversos poetas.

Um lançamento, em suma, que consegue proporcionar panorama essencial da obra de um autor até hoje polêmico; seja no que se refere à concepção estética em si, seja naquilo que diz respeito à conseqüência e/ou inconseqüência de uma perspectiva do ser humano. "Ouvi a voz do bardo!" [*O Globo*, 14.3.1993].

Baudelaire: Um Século de Morte

Je te donne ces vers afin que si mon nom / Aborde heureusement aux époques lointaines, / Et fait rever le soir les cervelles humaines, / Vaisseau favorisé par um grand aquilon" – quem escreveu versos como estes era poeta de porte quase inigualável: "Eu te dou esses versos porque se meu nome / atracar com sucesso em épocas longínquas / Faça à noite sonhar os cérebros humanos / Navio favorecido por grande aquilão.

Mallarmé, John Donne ou o próprio Dante podem ter sido maiores do que ele como poetas para poetas, escritores do processo. Mas Baudelaire, menos nisso, foi mais em alguma coisa. A altitude, a prefiguração de um estar no mundo, fabricado pelo próprio artista – o ímpar eterno entre as paridades. Ao largo do bem e mal, da contraposição virtude x vício. Para ele, ao contrário, a virtude seria o vício ou vice-versa. Houve Lorde Byron (*gentleman vampyre*, como o designou Corbière). Depois, é só Baudelaire ou consagração do *poète maudit*. Dandismo, satanismo, esteticismo, artificialismo; daí saiu tudo, emergiu a obstinação do intelectual que não aceita a natureza, que não acata e, sim, ele mesmo molda o seu âmbito. Por isso, no *Elogio da Maquilagem*, Baudelaire condenava a beleza natural da mulher.

Romântico, parnasiano, simbolista? A discussão entre escolas e gêneros perde até, sob um aspecto mais amplo, o seu sentido diante da obra que dura há um século e encontra nessa fase tão aberta à experiência do século atual a resposta ao estabelecimento por ele. A sofisticação no vestir, o LSD como retomada do *opium*, o requinte em todo o seu revigoramento neopagão: *luxe, calme et volupté*. Época de neurose, ou de *spleen* permanente. Tédio, angústia, hipocondria: "et l'Angoisse atroce, despotique, sur mon crâne incliné plante son drapeau noir" ("e a angústia atroz, despótica, sobre o meu crânio inclinado finca a sua bandeira negra"). Baudelaire influenciou quase a tudo e todos na sua área temática: esses versos acima são pais daqueles do nosso Augusto dos Anjos.

Saber estar só e se bastar – mesmo vítima da miséria, da moléstia ou da moral. É assim que ele, no *Le mort joyeux* (*O Morto Alegre*), diz: "Dans une terre graisse et pleine d'escargots / Je veux creuser moi-même une fosse profonde / Où je puisse à loisir étaler mes vieux os / Et dormir dans l'oubli comme un requin dans l'onde". ("Numa terra untuosa e cheia de caracóis / Eu desejo cavar uma fossa profunda / Onde possa à vontade espalhar meus velhos ossos / E dormir no olvido como um tubarão no mar.) "La conscience dans le mal" – esse o paradigma baudelairiano.

Charles Baudelaire nasceu em 9 de abril de 1821, em Paris, na rue Hautefeuille 13. Aos vinte anos fazia os primeiros conhecimentos literários, a começar por Balzac e Nerval (este, como poeta, de certo modo, seu precursor). No ano seguinte, são Gautier e Theódore de Banville. Também nessa época se torna amante da mulata Jeanne Duval. Em 1845, tentaria o suicídio, após redigir um testamento legando tudo de seu a Jeanne. A partir de 1852, começa a ser o grande divulgador e tradutor da obra (importantíssima) de Edgar Allan Poe. Em 25 de junho de 1857, está nas ruas, à venda, *Les fleurs du mal*. Poucos dias depois, *Le fígaro* condenava o autor pelas "monstruosidades" que expunha no livro. Poucos dias após, era condenado e multado pelo Tribunal, e seus editores obrigados a retirar seis poemas do volume.

Os últimos dez anos de vida não diminuíram em intensidade. Republicou *Les fleurs du mal* em edições aumentadas e os poemas em prosa, *Le spleen de Paris*. Todos os seus escritos de estética, de crítico de arte, estão reunidos, assim como as traduções de Poe. No dia 31 de agosto de 1867, morreu às onze horas da manhã, já com afasia e semiparalítico.

O Mort, vieux capitaine, il est temps! levons l'ancre. / Ce pays nous ennuie, ô Mort! Appareillons! / Si le ciel et la mer sont noirs comme de l'encre / Nos cœurs que tu connais sont remplis de rayons!. [Ó Morte capitã, é tempo! Alçar âncora. / Essa terra entedia, ó Morte! Aprontemo-nos! / Se o céu e o mar são negros assim como tinta / Os nossos corações estão cheios de raios.]

O alexandrino era uma das formas por excelência do verso baudelairiano, isso em face já das características da língua francesa, com grande parte das palavras em acentuação oxítona a facilitar a armação dos hemistíquios. E, projetado por essa arquitetura de dicção (na qual também comum era o verso de oito sílabas), o seu *spleen* ou *ennui* eram fonte de imaginação – imagens insólitas germinadas no tédio ou desespero que o tornaram, junto com Rimbaud, Lautréamont e Nerval, um dos precursores do surrealismo no século XX, que levaria às últimas conseqüências aquilo que Herbert Read denominou dentro desse movimento como princípio romântico.

T. S. Eliot, num ensaio a respeito do autor de *Les fleurs du mal*, observou: "seu *ennui* pode naturalmente ser explicado, assim como tudo pode ser explicado em termos psicológicos ou patológicos; mas ele é também, sob um ponto de vista oposto, uma verdadeira forma de acedia, a se projetar da fracassada porfia por uma visa espiritual". Sartre encerra o seu livro famoso sobre Baudelaire – e que tantas polêmicas provocou – afirmando que

ele traduziu uma experiência em recipiente fechado, algo como o *homúnculos* do *Segundo Fausto*, e as circunstâncias quase abstratas da experiência, com lucidez inigualável, permitiram-lhe testemunhar esta verdade: a livre escolha que o homem faz de si mesmo identifica-se totalmente com a quilo que se denomina o seu destino.

Robert Vivier, autor de *Atualidade de Baudelaire,* confere o enfocamento das afinidades vida-arte, a artevida de CB: "vê-se que espécie de elo íntimo e profundo unia a psicologia de Baudelaire à sua técnica poética: esta foi para ele bem mais do que uma necessidade prática, foi o único meio de chegar aos fins designados pela fatalidade de sua natureza". Enfim, as considerações de Jean-Pierre Richard: "palavras, ritmo, imagens sentimento, tudo se torna poroso, ressonante, translúcido, tudo se impregna de ecos, tudo escapa e se reúne em tudo, tudo se desenrola num clima de *solenidade*, que, para Baudelaire, caracteriza a grande poesia".

De poeta para poeta, talvez melhor *hommage* ainda seja a de Mallarmé, em um dos seus notáveis sonetos, "Le tombeau de Charles Baudelaire", com o fabuloso terceto final: "Quel feuillage séché dans les cités sans soir / Votif pourra bénir comme elle se rasseoir / Contre le marbre vainement de Baudelaire". Em vão contra o mármore de Baudelaire. É todo um estilo de vida, apenas renovado pela química dos costumes, é assim que a obra sempre convida a ser relida, "hypocrite lecteur, mon semblable, mon frère!" [*Correio da Manhã*, 31.8.1967].

Stéphane Mallarmé, o Criador da Verdadeira Poesia Moderna

O autor de "Lance de Dados", morto há cem anos, trouxe para os versos o radicalismo estrutural e racional de que precisavam para renovar-se:

> Recomendação quanto aos meus papéis (para quando minhas queridas o lerem)
> Mãe, Veva
>
> O horrível espasmo da asfixia sentido há pouco pode repetir-se no decorrer da noite e me liqüidar. Assim, não se surpreenderão como eu penso na pilha semi-secular de minhas anotações, que só irão transformar-se para vocês num grande transtorno, pois sequer uma folha pode ser útil. Eu mesmo – o único a poder extrair dali o que existe... Teria-o feito, se os anos restantes não me houvessem traído. Por isso, queimem: nela, não há herança literária, minhas queridas. Nem submetam à opinião de quem quer que seja: ou recusem qualquer ingerência curiosa ou amiga. Digam que nada ali existe para ser levado em consideração – o que é verdade – e vocês, prostradas pelo sofrimento, são as únicas pessoas no mundo capazes de respeitar a esse ponto toda uma vida sincera de artista – acreditem na beleza que deveria existir em tudo isso. Assim, deixo apenas um papel inédito, com exceção de alguns fragmentos impressos que vocês vão encontrar, além do "Lance de Dados" e "Herodíade", possivelmente terminada.

O bilhete acima, deixado pelo poeta para sua mulher (Maria Christina) e sua filha (Genoveva), é um documento contundente. Para felicidade geral da inteligência, da criação, da imaginação, não foi obedecido *in totum*. Não fosse assim, e seu genro, Edmond Bonniot, não teria revelado "Igitur" – esse luminar monumento ao santo hermetismo, que, até hoje, implica e desafia exegeses e que acabou sendo publicado, em 1925, pela NRF. E, depois – sem nem tanta importância – os esboços/fragmentos do *Livro*, via Jacques Scherer, ou do "Por um Túmulo de Anatole", com a introdução de Jean-Pierre Richard. Além de outros inéditos. Mallarmé foi um mundo. Tal como o terceto anterior que, com ele, formam os quatro pontos cardeais da trajetória transcendente do que se entende por Poesia: Homero, Dante e Shakespeare. Era o introspectivo, passivo, tímido, gozador... Não deu uma de Rimbaud, aos 17 anos (época do glorioso "O Barco Bêbado") ainda fazia poemas de liceu. Mas, logo depois, já dava um salto com o "Castelo da Esperança", "A um Poeta Imoral", "Contra um Poeta Parisiense ou Mysticis umbraculis". Já se denotava salutar amoralismo e um humor laforguiano.

Do longo período entre o eterno calvário de professor até as famosas reuniões na rue de Rome, onde pastoreava seus discípulos, conseguiu, apesar das dificuldades financeiras, existenciais e (oh!) familiares, deixar uma obra que já era iluminante, luminar, luminosa, para as estáticas letras francesas (mal sabiam que, após o santo Baudelaire, ainda chegaria a dupla Verlaine-Rimbaud – aí o circo do lugar-comum pegaria fogo). Pois, além de poemas que haviam abalado de beleza insólita o *establishment* da época – como "O Azul", "O Fauno", "Herodiáde", "O Cisne", "Os Leques" e "Os Túmulos" – rompeu de vez com os diques das convenções e deixou os jovens Paul Valéry e André Gide embasbacados, ao lerem a jogada no infinito, o "Lance de Dados": novos elementos para o poema; a subdivisão da sintaxe, a variação tipográfica, o manuseio de páginas (monagem – depois Eisenstein), o prisma de idéias.

"Um Lance de Dados" ("Un coup de dés") aponta para o início da verdadeira poesia moderna (e não o *vers libre* tão aqui rapidamente captado), com o seu radicalismo racional/estrutural. Jamais os ismos do início do século atual (dadaísmo, futurismo, letrismo, sonorismo, ultraísmo etc. etc.; o surrealismo foi uma alternativa mais consistente e profunda porque lidava com problemas de sintaxe e subconsciente) corresponderam à mensagem do gênio de Valvins. Somente na década de 1950, aqui no Brasil, a poesia concreta retornaria a sua proposta básica, pois os fatores gráficos, espaciais, onomatopaicos etc. não traduzem enfeites de superfície ou modismos destinados tão-somente a *épater*, mas, sim, contingências de uma nova era. É bom lembrar, para efeito de entendimento, a distinção que Susanne Langer, em *Uma Introdução à Lógica Simbólica*, fez entre material e elemento: o material é real, o elemento é virtual, ou seja, para dar os tons concretos, a tinta na lata é material, a cor na tela é um elemento.

Dois dados curiosos, entre outros, em torno de Mallarmé e sua obra são as manifestações de John H. Ingram e Adrien

Renacle. O primeiro, em seu livro *A Filosofia da Caligrafia*, ressalta aquela do poeta, dizendo que ela haveria de obter certamente um primeiro prêmio. O segundo, um dos franceses mais protéicos e bizarros de seu tempo – entre outras atividades, jornalista, romancista, músico, teatrólogo, coreógrafo e autonomeado inventor do avião monoplano e biplano – definia Marllarmé como "o homem raro que só fala coisas novas".

Mallarmé foi rigorosíssimo no publicar o seu fazer. O grosso do que se vê/lê hoje em dia de seu trabalho são coisas sem destino específico: além de "Igitur" e dos outros inéditos da área criação/especulação, surgem cinco volumes de importante correspondência (Henri Mondor e Lloyd James Austin), centenas de versos (muitos maravilhosos) de circunstância e mais escritos, e versos e traduções. Outro dado importante: ele acabou com a pontuação em seus poemas (Apollinaire e outros saíram correndo atrás). E o simbolismo? Depois de lançados os dados, tente alguém indagar o que ele tinha com isso, com escolas ou escolásticas [*Jornal da Tarde*, 5.9.1998].

De Mallarmé a Resnais

Mondrian já percebera e preparara a integração das artes visuais (pintura e escultura) num complexo arquitetônico; o que provocou, inclusive, o vaticínio de Herbert Read – *Icon and Idea* – de que o futuro do artista não seria o doméstico nem o monumental, mas, sim, o ambiental. Tudo isso já vinha implícito na decadência do artesanato individual, em face do desenvolvimento progressivo da Revolução Industrial, quando agora as relações homem-máquina, estudadas a partir do comportamento de cada um, constituem fatores básicos na apreensão de um processo criativo.

Contudo, já muito antes de Mondrian, com o neoplasticismo, e de todos os denominados movimentos de *avantgarde*: que eclodiram na primeira parte desse século (futurismo, dadaísmo, surrealismo, cubismo, orfismo, letrismo, sonorismo, raionismo, suprematismo, construtivismo, concretivismo etc.) havia um ponto de partida – isolado, porém radical: Mallarmé. É o seu poema "Un coup de dés" (revista *Cosmopolis* – maio de 1897) o marco principal. Alguns consideravam essa obra como prosa, por motivos ingênuos: não obedecia à estrutura linear do verso. Outros, alimentavam razões mais sutis vinculadas àquelas mesmas idéias de integração totalizante. De qualquer maneira, todos esses termos, como relatividade, simultaneidade, descontinuidade etc., com fácil trânsito nas discussões estético-filosóficas de hoje, encontram em "Un coup de dés" um poderoso foco de instigação. Em linhas gerais: a técnica de manchetes e de "paginação" associada com os métodos de montagem interna, mediante a espacialização, e externa, pelo manuseio de páginas; em paralelo, as variações tipográficas e os brancos do papel, funcionais, em sua distribuição, ao ritmo das palavras e frases e ao movimento entrecruzado de temas e recorrências: as fugas.

Um conto filosófico

Muito tempo antes, em 1869, com o inacabado "Igitur", Mallarmé manifestara a preocupação por uma grande obra de capacidade convergente dos seus elementos temáticos e artesanais. Segundo a opinião de Roland de Renéville, transcrita nas edições Pleiade das obras completas do poeta, o título "Igitur" (advérbio: pois, portanto, então) é tomado do capítulo II do texto latino da *Gênese*: *Igitur perfecti sunt coelli et terra et omnis ornatus eorum*. E o substituto – "A Loucura de Elbennon" – tem a última palavra, de origem hebraica, significando o filho dos Elohim, potências criadoras emanadas de Jehovah. O nome da peça já é, pois, sintomático, quanto às intenções do autor, e "Igitur", embora inacabado, pode ser considerado acabado como um processo que se delineia. Lá estão as constantes mallarmaicas – o vazio, o nada, o absoluto, o acaso, o infinito – numa complexa dialética de termos e imagens (essas com algumas características extraídas de Poe), numa prosa que obedece a uma técnica apurada de cristalizações sonoras – as palavras, umas em contraste com as outras, formando uma cadeia de ecos recíprocos. Há toda uma especulação sobre a memória ("Igitur" volta ao tempo de sua raça) que, atualmente, absorve cineastas e escritores – entre esses, sem falar nos expoentes do *nouveau roman*, o nosso Guimarães Rosa com o seu espetacular "Nenhum, Nenhuma". E o estilo, com esse rebate de palavras e frases longas, está presente nas pesquisas dos franceses, enquanto o próprio Robbe-Grillet, no texto de *L'année dernière à Marienbad*, muito se aproxima da sintaxe do "Igitur".

Resnais e o castelo da pureza

Quando falamos na integração das artes, forçoso pensar no cinema. A sétima-arte recorre a diversos elementos utilizados pelas outras. A própria classificação de Ezra Pound, da maior importância para a poesia – melopéia (música), fanopéia (imagem) e logopéia (a dança do intelecto entre palavras) – dentro de um critério analógico para constatação, ocorre no cinema, com a sua correlação moto-sonora-visual. Mas, após um período mudo, da farta experimentação e muitos êxitos – a montagem de efeito (Eisenstein), o ralenti (impressionismo francês e *avant-garde*), o acelerado (Sennett e Chaplin), com o máximo de dinâmica interior do quadro, a exasperação de um gráfico visual (Dreyer), a liberação isomórfica, fundo-forma, do comportamento (Buñel e Vigo) – o advento da faixa sonora trouxe uma espécie de recuo no processo. O cinema, açambarcando constantes superficiais do teatro e da literatura, ingressou num diapasão conceitual – a imagem subordinada à abstração. Até a chegada de Orson Welles (*Cidadão Kane*) e a primeira revolução – descontinuidade externa, pelo embaralhamento pirandelliano dos *flashbacks* e tratamento do diálogo nas estrias de um realismo vinculado à teoria do comportamento. Porém, a constante mallarmaica – num refluir de influências em toda plenitude – foi, só agora, estrutural e mesmo estilisticamente, desaguar no *turning-point* que representa a obra de Alain Resnais. Esse cineasta invoca, logo de início, e com toda pujança, a dialética radial do cinema moderno: documentário x ficção. E com três elementos básicos de elaboração: o *travelling* (também as panorâmicas) cujo movimento permanente da abertura e inauguração do espaço rima ritmicamente com o segundo elemento, o narrador off; o terceiro elemento está na distorção de um suposto presente, com outras que, aparentemente, na superfície, lembram o *flashback* tradicional mas representam recorrências afins àquelas da memória e do chamado subconsciente. Resnais, vivendo noutra época – a relatividade, a cibernética, a fenomenologia – já não visa ao idealismo da razão de Mallarmé; controlar o acaso e atingir o absoluto puro. Aqui, ao contrário do fabuloso "fracasso" do autor de "Un coup de dés", temos a obra de arte aberta, apesar de obedecer a um rigoroso racionalismo ao relacionar os elementos e composta de uma propositada infiltração de acessos, que transformam a concepção clássica do que seja realidade ou "realismo" numa gama de possíveis. Nem se diga tratar-se de um derivativo de tese do automatismo psíquico do surrealismo, malgrado a influência (confessada) de Cocteau e a admiração por Bréton. O racionalismo de Resnais é composto com aqueles paradoxos da impotência de um sistema simétrico de apreensão hierárquica dos valores imanentes do universo e que, já em Shakespeare, num poema importante como "The Phoenix and the Turtle", era observado quando os elementos matemáticos da razão, empregados, par a par, em plena exasperação combinatória, eram destruídos pelo amor e a sua intuição soberana. Por isso, o palácio de Marienbad está em posição perfeitamente análoga ao "castelo da pureza" do desfecho do "Igitur", numa tomada final do filme à la Mondrian, em que, no fundo negro do edifício (o Nada, a negação), vibram afirmativamente os quadrados luminosos (os possíveis da afirmação vital).

Com *O Ano Passado em Marienbad*, inventou-se a linguagem do cinema – aberta a uma escala dialética de possíveis, em que o tradicional método princípio-meio-fim recebe um golpe de misericórdia. O sonho de Mallarmé inicia sua concretização com o desenvolvimento industrial – a evolução das técnicas e da máquina – e quando a estética se situa não mais a partir do artesanato de expressão, mas num complexo de novos meios de produção em que a opção individual pelo absoluto também se elide integralmente [*Correio da Manhã*, 7.9.1962].

Jules Laforgue: 70 Anos de Morte

> *Ele é talvez o mais sofisticado entre os poetas franceses.*
> EZRA POUND
>
> *De todos os simbolistas era talvez o mai
> inteligente e solitário.*
> WALLACE FOWLIE
>
> *Sacudiu o verso tradicional, desmontou a sintaxe e
> usou as palavras comuns de forma audaciosa.*
> HENRY PEYRE
>
> *Entre todos os artistas jovens de sua geração
> só Laforgue era dotado de gênio.*
> TEODOR DE WYZEWA
>
> *Laforgue permaneceu único – esse homem-criança
> sabia muito, sabia amargamente da vida.*
> MARIE JEANNE DURRY
>
> *É um dos precursores de James Joyce.*
> WARREN RAMSAY

Jules Laforgue, nascido em 16 de agosto de 1860, morto em 20 de agosto de 1887, viveu pouco. Vida breve, arte longa. Desapareceu quando o movimento simbolista ainda ia a pleno vapor. Alguns o tacharam de decadentista; outros de poeta menor. Nasceu em Montevidéu e lá permaneceu até os seis anos de idade; a seguir, Tarbes; depois Paris. O fim de sua existência se desenrolou quase inteiramente na Alemanha, pois, em 1881, foi nomeado leitor da imperatriz Augusta, mulher de Guilherme I. Voltou a Paris em 1886, havendo passado três dias em Londres, onde se casou. Morreu jovem, triste e pobre: um dos últimos a alimentar alguns desses elementos de uma mitologia do poeta, já ultrapassada.

Mon coeur hypertrophique – autoconfissão espiritual, ou aquilo que o crítico Wallace Fowlie, a propósito do pierrô laforguiano, classificou como "projeção terna e irônica de uma natureza hamletiana". "Pálido mandarim" – é a imagem que, dele, faz Henri Peyre, ao ressaltar que a originalidade de sua ironia repousa na mescla do humor e do cinismo.

Enfim, em matéria de projeção de espírito, de circunvoluções genéricas a respeito de sua modalidade de temperamento não faltaram contribuições. E, nisso, já se sabe há muito, é indiscutível a grande faixa laforguiana, em que talvez haja sido inigualável; a ironia. Ironia exige inteligência – para o poeta, um reflexo concreto dela mediante a sensibilidade de jogar com as palavras; a habilidade formal do trocadilho, das assonâncias e aliterações, aliada à vivência com o idioma-base. Laforgue: o intimismo, o refinamento conceitual, o antiprimitivo por excelência. Foi um poeta para leitores inteligentes, cultos – mas só os críticos realmente inteligentes e preocupados com "essências e medulas" viram no criador das *Complaintes* algo mais do que isso: um dos poetas mais importantes do século XIX e que, no atual, começou a deixar o rastro nítido de sua influência em grandes poetas, sendo que, no caso de T. S. Eliot, da primeira fase ela é arrasadora: basta lembrar poemas tão belos ou bastante conhecidos, como "Portrait of a Lady" ou "Mr. Appolinax". O próprio Eliot, aliás, por exemplo, em *Purpose* (1938), manifesta a sua dívida para com Laforgue, quando começou a escrever, em 1908-1909.

Mas – além de também influenciado por ele no terreno criativo – o grande descobridor, o grande revelador da importância de Laforgue foi outro grande poeta e, talvez, o maior crítico de poesia desse século: Ezra Pound. Já em 1917, no ensaio "Irony, Laforgue and Some Satire", Pound valorizava até às alturas o então denominado "poeta menor" – pelos críticos franceses. Depois, em 1928, no seu ensaio clássico, "How To Read", EP incluía Laforgue no seu elenco básico de autores que levaram a linguagem para frente. Pound, ali, fizera uma divisão básica de três aspectos pelos quais se poderia caracterizar a atuação de um escritor: melopéia (música), fanopéia (imagem) e logopéia (a dança do intelecto entre palavras). Dizia então o autor dos *Cantos*: "a não ser que eu esteja certo, ao descobrir logopéia em Propertius, devemos concluir praticamente que foi Laforgue quem a inventou". E Laforgue, segundo outro método de classificação, inaugurado por Ezra Pound, era isso mesmo: um inventor, aquele que nos dá a primeira demonstração de um novo processo.

Pound foi longe em matéria de Laforgue. O seu volume de poesias, *Personae*, evidencia quantas vezes afivelou a máscara laforguiana para escrever e, nisso, o maior produto talvez haja sido aquele outro poema seu com o mesmo título em francês, superior ao de Eliot, "Portrait d'une femme"

("Your mind and you are our Sargasso Sea"). Em 1917, também publicava na Little Review a sua tradução do poema "Pierrots (scène courte mais typique)". Dizia EP: "o verbalismo ruim é retórica, ou o uso inconsciente do clichê ou um mero jogo de frases. Mas existe o bom verbalismo, diferente do lirismo ou do imagismo e, nisso, Laforgue é um mestre". Ou então: "nove décimos dele é o crítico, lidando na maioria dos casos em poses e clichês. Tomando-os como seu tema e – e isto é o mais importante, quando pensamos nele como poeta – torna-os num veículo para a expressão de nas próprias emoções muito pessoais e de sua imperturbável sinceridade". "Parece-me que, em familiaridade com Laforgue, não se pode apreciar, isto é, determinar os valores positivos ou negativos da poesia francesa desde 1890."

E todo um mundo de sensibilidade, de *savoir faire* com as palavras. Como inventor, deve-se logo lembrar também, ao lado das observações agudas de Pound, que Laforgue foi um dos primeiros a utilizar o *vers libre* – que seria a grande jogada poética (e início de crise do verso) no primeiro quarto do século XX. Ou então a sua preocupação com as palavras-valise, com a montagem de termos ou a criação deles: alguns exemplos instigantes: *lunologues*, *sangsuelles*, *lune-levante*, *violuptés*, *sexiproques* ou *ennuiversel*.

"Sou apenas um ser lunar" – assim começa um dos seus poemas. Pierrô, a lua, o lamento – porém outro dos grandes aspectos importantes de Laforgue é a sua distorção do lirismo até as últimas conseqüências. A seriedade do trato com o lírico recebe o seu molho de ridículo, de ironia, de humor – que não deixam de refletir a visada cética, mesmo a impotência de ser aquilo que exatamente satiriza no dia a dia poético. As *locutions*, as *complaintes* vêm imersas nisso: o homem impõe, o poeta põe. Jogo de palavras, trocadilhos, mas não parando aí, na habilidade artesanal. Notar o elemento do diálogo dentro da estrutura do verso. Talvez ninguém antes haja feito o mesmo, em que tal competência avulta num dos seus maiores poemas, "Une autre complainte de Lord Pierrot": "Et si ce cri lui part: 'Dieu de Dieu que je t'aime! / – Dieu reconnaîtra les siens.' Ou piquée au vif: / – 'Mes claviers ont du coeur, tu seras mon seul thème' / Moi:

'tout est relatif' ". Essa uma amostra instigante da dicção laforguiana, praticamente inédita na época (Corbière, talvez ainda maior do que ele, outra redescoberta poundiana, estava mais sob a égide de Villon). E tal dicção abriu um ciclo; o Mauberley, que é o maior poema de Ezra Pound, está em grande parte marcado por ela. Parafraseando o Mauberley, a propósito de EP: "His true Penelope was Laforgue". Sim, o *mot juste*.

Na verdade, essa dicção era extremamente pessoal (como também pessoais os usos dos recursos literários e gramaticais): não a encontramos, entre os simbolistas, quer em Verlaine, em Mallarmé, em Rimbaud. Um pouco antes, já havia algo disso em Corbière, porém num sentido diverso de apropriação. Na poesia alemã, havia Heine – todavia mais *cantabile*. *Finesse*, *esprit*, *humour*; não foi à toa que Pound fez questão de também ressaltar a importância de Laforgue para a prosa, pois aquilo que classificou como logopéia leva, incontinênti, a determinadas aferições, próprias ao romance e até ao teatro.

Pedras de toque

Elefante de Jade, olho ao meio sorridente, / Meditava sob rico sempiterno pêndulo, / Bom Buda degredado julgando ridículo / Que se pranteie aos Nilos de poentes do Oriente / Quando pende o crepúsculo ("Complainte des pubertés difficiles").

Se meu ar lhes diz qualquer coisa, / Não precisam se apreender; / Eu não o possuo por pose; / Sou a mulher, não me conhecem ("Notre Petite Compagne").

Cauteriza e coagula / em vírgulas / Suas lagunas de cerejas / As felinas Ofélias / As órfãs em folia ("Stérilités").

Madona e miss / Diana-Artêmis / Santa Vigia / Dessas orgias / *Jettatura* / De *baccarats* / Dama bem lassa / Desses terraços / Filtro atiçante / Versos brilhantes / Rosácea e cúpula / De salmos últimos / Olho de gato / Desses resgates / Seja ambulância / De nossas ânsias / Seja edredão / Do Grã-Perdão ("litanies des premiers quartiers de la lune").

Um ligeiro *exhibit*, com a tentativa de *reviverter* em português a fabulosa parafernália verbal de Laforgue, na qual também a rima rica, a rima-surpresa, se constitui em elemento-chave para a estrutura do texto. De qualquer forma, o melhor será sempre relê-lo, procurar apreender aquela sua permanente concreção da poesia, já que representa, em grande parte, a vertente instigante, vamos dizer, feijão-com-arroz, ou seja, o método de nomear-contrapor imagens, substantivos concretos, a fim de exprimir sentimentos, genericamente rotulados em palavras abstratas [*Correio da Manhã*, 20.8.1967].

Axel

Esse ano de 1972 assinala o centenário da publicação da primeira parte de uma obra que é essencial no que significa como término de todo um ciclo cultural e simbolização, sob a aparência decadentista, de um movimento que iria libertar em definitivo a linguagem literária do logicismo clássico: o *Axel* de Villiers de L'Isle-Adam.

Não foi à toa que Edmund Wilson deu o título de *O Castelo de Axel* (*Axel's Castle*) ao seu livro que estudou os fundamentos e a significação do movimento simbolista. Nada melhor do que essa peça sob o signo "noite, desespero e pedraria", utilizando, aqui, as palavras de Mallarmé.

Jean-Marie-Mathias-Philippe-Auguste de Villiers de L'Isle-Adam nasceu em Saint-Brieuc, em 1838, filho de um marquês. Em 1859, já em Paris, começou a ter os primeiros contatos com os simbolistas e a lançar seus poemas. Seu encontro com Mallarmé data de 1864. Passou a publicar dramas em prosa (*Elen*, *Morgana*) e, em 1867 fundou a Révue des Lettres et des Arts. Em 1871, as dificuldades financeiras começaram a tornar a sua vida extremamente penosa, o que não impediu de prosseguir seus trabalhos: os *Contos Cruéis*, o romance *L'Ève future* e *Axel* tornaram-se os principais e mais conhecidos. Em 1884 ganhava celebridade e colaborava regularmente no *Figaro*. Em 1888, viajou à Bélgica, convidado para pronunciar diversas conferências. No ano seguinte, 1889, no dia 18 de agosto, morre de câncer no aparelho digestivo.

Axel é uma peça de teatro que vive mais da poesia do que do próprio drama, isso é, a sua leitura já projeta, isoladamente, os efeitos principais previstos pelo autor – encerra o âmago de sua linguagem. A representação cênica seria mais moldura, suporte do signo literário, embora, evidentemente, proporcione a contribuição do espetáculo, que faculta o dimensionamento quantitativo dos efeitos. Curioso notar que a idéia de teatro, sempre presente no instrumental de Mallarmé, veio a se consumar por meio de Villiers. Esse havia, em 1870, participado da leitura de "Igitur" feita pelo mesmo mestre e, quem sabe, projetou-o figurativamente no *Axel*. "Igitur" é um conto filosófico-teatral a antecipar o desenlace do "Lance de Dados", a obra que, verdadeiramente, inaugurava a poesia moderna em termos de linguagem.

Por outro lado, tal como Mallarmé (e, possivelmente, com mais intensidade), Villiers havia mergulhado nos estudos e especulações oculistas; e isso vem inscrito na obra de ambos. O fantástico, o absoluto, o vazio, o nada.

Axel se divide em quatro atos bem distintos. Cada qual possui um título bem indicativo: primeiro: "O Mundo Religioso" (renúncia de Sara no dia de sua sagração); segundo: "O Mundo Trágico" (encontro de Axel D'Auersperg com seu primo Kaspar, no castelo, revelação do tesouro ali oculto e morte desse último por causa da ambição); terceiro: "O Mundo Oculto" (diálogo de Axel com seu mestre Janus quando esse prevê que ele não resistirá à tentação da vida, ou seja, do conhecimento efêmero, enquanto Sara chega ao castelo); quarto: "O Mundo Passional" (encontro de Axel e Sara nos subterrâneos do tesouro, a tentação da ambição, o amor e o suicídio de ambos).

Além da precisa geometria arquitetônica do entrecho, em que se opera um mecanismo implacável de fatalidade e glória do Ser, o que se ressalta na peça e lhe confere a perenidade representativa do simbolismo é a extrema riqueza do texto. Aqueles efeitos cintilantes da língua, onde, por coincidência ou não, todas as palavras do soneto mais encantatório e esotérico de Mallarmé, "Ses purs ongles", estão contidas, espalhadas como retransmissão de um código ou quebra-cabeças da leitura para os iniciados.

De qualquer forma, *Axel* se afirma com a grandiosidade de ourivesaria que explica a criação. É só voltar às coincidências – 1872 (23 de outubro) também foi o ano da morte de Théophile Gautier, o lançador do *l'art pour l'art*. E o artista não tem outra coisa a fazer [*Correio da Manhã*, 6.1.1972].

Os Formalistas Russos

Depois do livro de Victor Erlich – *Russian Formalism* – foi Tzevan Todorov quem se encarregou de repor em circulação, em 1965, vários textos teóricos dos formalistas russos, com o seu *Théorie de la literature*. Todorov encontra-se justamente aqui no Brasil, realizando cursos e conferências a respeito do exame da literatura como fenômeno lingüístico.

É realmente da maior importância a contribuição que aqueles escritores deram no sentido de tornar a análise da literatura, não um problema meramente retórico de crítica estilística ou um exercício de impressionismo. Assim, são fascinantes os ensaios de um Roman Jakobson, um Tinianov, um Brik ou um Tomaschevski, ao examinarem fatos lingüísticos, os problemas da narrativa, na prosa ou a criação poética. Talvez haja sido o primeiro movimento sistemático destinado a captar as valências da literatura, consoante um método científico, e dentro da meta de formular uma teoria dotada de fundamentos filosóficos.

Na União Soviética, por voltar do decênio de 1920, respirava-se ainda a liberdade para as pesquisas de vanguarda. O futurismo, com Maiakóvski à frente, já havia permitido o salto experimental da poesia (o mesmo Maiakóvski, que, posteriormente, atacado pela burocracia estalinista, acuado pelo Proletkult, viria a suicidar-se). Maliévitch havia lançado o suprematismo na pintura, o primeiro movimento sistemático de pintura abstrata, enquanto Gabo e Pevsner realizavam o construtivismo na escultura. Surgia Kandinski, um dos grandes pintores-teóricos, ao passo que Meierhold revolucionava o teatro. Sem falar no cinema, ou, principalmente, em Eisenstein, um dos criadores da sintaxe básica do filme, o maior cineasta teórico e com obra quase insuperável registrada na história. Posteriormente, todos eles seriam tragados pelo obscurantismo, cairiam no suicídio, na prisão, no ostracismo, na fuga ou naqueles típicos desaparecimentos siberianos. Em lugar disso, erigiu-se o ridículo realismo socialista, tão irreal em matéria de arte quanto o socialismo burocratizado, que gerou a liquidação de Trótski.

Mas foi naquele período de grandes arrancadas renovadoras que os formalistas desenvolveram suas pesquisas, hoje reconhecidas mundialmente. Se na mesma época, em paralelo, Ezra Pound começava a fazer a melhor crítica pragmática do século (tal como fez, aqui, Mário Faustino, na segunda parte do decênio de 1950), eles, em lugar da crítica propriamente dita, efetuaram – como acentuou Tzevan Todorov, em entrevista de terça-feira última no *Correio da Manhã* – uma espécie de teoria da literatura e o seu *approach* como linguagem. Perspectiva das mais fascinantes, se pensarmos que hoje se fala fartamente em teoria da informação e era da comunicação. Aliás, Roman Jakobson tornou-se um dos maiores lingüistas do mundo e, no ano passado, mormente em seu notável e minucioso estudo de um poema de Fernando Pessoa, "Ulysses" chamou a atenção ao público aqui do Rio de como funciona o método formalista. Esse estudo foi depois publicado na revista *Langages*, assim como, na revista *Tel Quel*, ele lançou um estudo também exaustivo a respeito de um dos *spleens* de Baudelaire. Páginas e páginas, no árduo corpo-a-corpo com a estrutura do poema, sem a menor invocação psicossociológica, sem cera verbal.

Os detratores é que batizaram o movimento como formalismo. Hoje, o tempo ensinou que formalistas eram exatamente aqueles que recorriam a um pseudo-marxismo ortodoxo para acorrentar o escritor em suas formas ideológicas, tal como acontece em todos os lugares onde o artista é perseguido e a liberdade é substituída pela desinformação oficial [*Correio da Manhã*, 28.10.1969].

Por que Ler os Clássicos

Italo Calvino no mar dos clássicos

A definição clássica de "clássico" apegava-se aos padrões estéticos greco-romanos. Até Hegel e Winckelmann, ainda se pontificava aquela idéia do equilíbrio perfeito. Coisas como individualismo, burguesia, romantismo ou reabilitação do barroco recondicionaram as polarizações. A partir do século passado, a idéia de clássico, de um lado, apontava para o primado da maior racionalidade de composição, de outro, para obras cuja grandeza e/ou importância caiam no consenso do público e/ou dos observadores especializados. A descoberta, por exemplo, da perspectiva nas artes pictóricas, a invenção da imprensa, a primeira e a segunda revolução industrial mostraram novos caminhos de criação, modelaram novos conceitos estéticos. Hoje, diz-se que *Guerra e Paz* e *Madame Bovary* são dois romances "clássicos", que o *Encouraçado Potemkin* é um clássico do cinema ou que Mozart é um "clássico".

Classicismo tem ainda forte vínculo com a idéia de padrão ou tradição. É até um receituário para a formação de artistas, criadores e intelectuais; para haver ruptura seria necessário, antes, haver cultura. Ezra Pound assim começava o seu poema "Cantico del sole": "A idéia do que seria a América se os clássicos tivessem uma ampla circulação perturba meu sono". Depois de muita tradição e traduções, ele partiu para a ruptura com *Os Cantos*, pela curva dos trinta anos de idade. Mas, em geral, os rompedores principiam cedo – o ímpeto da mocidade. Nem mesmo Pound poderia esperar muito. Afinal, Sturm und Drang aos setenta anos é difícil. Ou iniciar surrealismo aos oitenta seria facilmente interpretado como "gagaísmo"...

Por que Ler os Clássicos nos traz Italo Calvino no papel de respeitável ensaísta. Alguns dos tópicos desse livro podem, inclusive, ser considerados como "clássicos" no gênero, pela clareza e capacidade de formulação. E mais, pela descoberta de aspectos extremamente ricos, inventivos, sutis em determinadas obras.

O ensaio-título que abre a seqüência descerra uma definição poliédrica, multifacetada, do tema em questão. Italo Calvino solta as rédeas de sua inteligência especulativa e aborda um tema acadêmico sob vários prismas. Despretensiosamente, esgota o assunto; pelo menos à luz de muitos ângulos. Tudo isso com uma linguagem lógica e acessível – esclarecedora –

que nada tem a ver com as complicações terminológicas, até intencionais, dos pseudo-estruturalistas ou pós-semióticos das Éditions du Seuil, com seus intertextos ou isotopias meramente abracadabrantes a fim de *épater* turistas de leitura.

A partir daí, na maioria dos casos em textos curtos, vem o desfilar de temas, autores e obras consoante uma perspectiva classicamente subjetiva. Vamos a alguns tópicos.

Em "As Odisséias na Odisséia", a leitura homérica fica assinalada entre as claves do contraste e da simulação, para arrematar: "Talvez para Ulisses-Homero a distinção mentira / verdade não existisse, talvez ele narrasse a mesma experiência ora na linguagem do mito, como ainda hoje para nós cada viagem, pequena ou grande, sempre é Odisséia".

Vê, em Xenofonte, por meio do seu "Anábase", "bem delineada com todos seus limites a ética moderna da perfeita eficiência técnica do estar 'à altura da situação', do 'fazer bem as coisas que têm que ser feitas' ". E, com isso, estamos em condições de realizar a ligação àquela ética de Hemingway (duzentas páginas depois), "daquelas regras desportivas que em todos os lugares ele sente necessidade de impor a si com o empenho de regras morais, tanto numa luta contra um tubarão quanto numa posição assediada por falangistas". Nas entrelinhas do texto do autor de *O Velho e o Mar*, residiria a crise do pensamento burguês com a dualidade inextirpável: o desporto ou nada. Jogo.

Passeando seu indicador radical por Stendhal, dizendo inclusive que *A Cartuxa de Parma* sói ser "o mais belo romance do mundo", chegamos, com ele, a Jorge Luís Borges e suas imensas afinidades. "Mundo construído e governado pelo intelecto." "Zodíaco de signos que correspondem a uma geometria rigorosa." "Borges é um mestre do escrever breve." Para Calvino, Borges traduz um cabedal de idéias "num milagre estilístico, sem igual na língua espanhola".

Mas o que existe de mais gratificante nessa coletânea é constatar o Italo Calvino, prosador, como um acurado e imaginativo analista de poemas. É o caso de seus escritos sobre Eugenio Montale e Francis Ponge. Talvez, nada a dever a um Auden, em William Empson, até mesmo Eliot. O breve poema de Montale (um dos maiores poetas italianos do século), que começa com a expressão "Forse un mattino", constitui pretexto para estudo denso e imaginativo em torno da subjetividade como "depositária do segredo do nada", com o devido socorro à *Fenomenologia da Percepção*, de Merleau-Ponty – um dos livros básicos desse século. E, quanto a Ponge – o poeta prosador, original em suas pseudodescrições de objetos, e que fascinou estetas como Max Bense, vale a explicação, aqui, de sua "antropomorfia", na batalha com a linguagem, análoga à parábola do lençol, ora estreito, ora largo, no dizer pouco ou dizer demais.

Italo Calvino é um escritor muito divulgado entre nós, como ficcionista em especial. Encontrá-lo como ensaísta é também encontrar, no barco da racionalidade, o seu estojo de critérios [*O Globo*, 24.10.1993].

Por que esse seu Apego aos Clássicos? (Aliás, todo Mundo Tem uma Definição de Clássico. Borges Tem uma, T. S. Eliot outra...)

JLG – Ah, "os clássicos!", dizem. De bons conteúdos está cheio o inferno... Se na arte valesse boa intenção, imaginem! Mas arte é forma. O resto é literatura. Já as traduções são um último esforço criativo. Não digo que o verso tenha acabado, mas é inegável que, quantitativamente, seja uma coisa superada [Entrevista ao *Jornal do Brasil*, 9.1.1988].

3. POESIA AQUI E ALI

Palavras, Palavras

"A poesia é a fundação do ser pela palavra", assim fala Heidegger, motivado por Hoelderlin. O poeta inaugura. Então, se inaugura, é dogmático em seu dizer. Já, por seu turno, o filósofo usa as palavras a fim de chegar a formulações novas ou renovadas do que se chama pensamento. Não pode ser dogmático, partindo-se do princípio que pensamento é decorrência de linguagem; ele é didático (entende-se, dentro disso, também um processo dialético). Não fosse assim, não seria filósofo, tornar-se-ia, quando muito, um autor de máximas, provérbios, aforismos heterogêneos. Mas mesmo assim, o índice significativo dessas modalidades de manifestação de idéias traduz uma resultante dogmática.

O mesmo Heidegger, por exemplo, quando define ciência como teoria do real, vai ao fundo das profundas em terreno etimológico, na história da palavra, com vistas a justificar a descoberta conceitual. Caso contrário, a inspiração de definir alguma coisa seria simplesmente poética. Ele também, para tatear o que significa *pensar*, inclusive a partir do dizer de

Parmênides, viu-se obrigado a exploração histórica intensa. Como ninguém pode captar o infinito – *riocorrente* – que é não-histórico, a história do pensamento só pode ser a da linguagem. A dos signos.

Esse presente que nunca se pode captar, pois tempo é movimento – a constante modificação do futuro em passado – dá-nos de volta a idéia de processo – presente transcendental. Por isso, Whitehead define processo como a presença permanente do infinito nas coisas finitas. A velha invocação do rio de Heráclito. Então é impossível ao dogma explicar o infinito, que é, em essência, dinâmico – a ponto de deixar-nos no estágio do impalpável, do desconhecido. Mas no papel de dialética suprema, o infinito é não-informação, aqui e além galáxias. E o homem, a fim de se curar dessa não-informação permanente, gera a convenção máxima chamada *realidade*. Dentro dela pode apelar também para a vacina de opções: o deus, o mito, a razão, o materialismo etc. Qualquer coisa serve para fingir conhecer o leito do rio.

Mas a religião, a mitologia, o racionalismo, a ciência, a poesia e/ou toda arte são formas de conhecimento, não são fins em si próprios. A inversão do processo gera apenas o casulo em que se instalam os limites da estabilidade vivencial. A desinversão total, a eliminação de todos os dogmas (a destruição de ponteiros e agulhas), conduziria alguém ao que se entende como loucura. Por essa, o homem fica em estado de graça para incorporar vivencialmente o absurdo e conhecer o absoluto, o seu absoluto.

Assim sendo, tal qual o poeta, o louco pode inaugurar. Só que o poeta, como diz Fernando Pessoa, é um "fingidor", atua sobre a linguagem, fingindo-se à margem do mundo que a gerou. Insatisfação do criador em saber que tudo é relativo, mas que esse relativo, impalpável, dialético, é o absoluto. Cair no velho jogo: palavras, palavras, palavras. Ou voltando a Heidegger, na única explicação plausível (e ainda não explicada de todo) do assunto "o que nós ainda não pensamos". Ou Nietzsche: "o deserto cresce – maldito aquele que protege o deserto". Palavras, palavras, palavras... [*O Estado de S. Paulo*, 7.4.1970].

Poesia e História

A história da poesia, assim como a História em si, nunca foi uma só versão. Mesmo a memória de história funciona de acordo com determinadas perspectivas de uma época; por isso, a história é refeita constantemente, em face da revalorização de idéias ou estilos ou ao trabalho de pesquisa. É só lembrar, no caso da Inglaterra, os poetas metafísicos, que, tendo pertencido ao período elisabetano, ou pós-elisabetano, que, havendo representado um dos períodos mais inventivos e ricos da linguagem poética de todos os tempos – entre eles John Donne, talvez o maior poeta de toda a literatura em língua inglesa – só foram praticamente redescobertos quase três séculos depois, isso é, nesse século, graças em grande parte à acuidade de T. S. Eliot ou, ainda antes – não dentro de uma visão tão sistemática – por Ezra Pound, que, no seu *ABC of Reading*, colocava o notável "The Extasie", de Donne, entre os poemas básicos da língua. E o próprio Pound, com os seus erros e acertos, talvez o maior crítico pragmático da poesia moderna, criou vários capítulos novos, não só para a literatura em língua inglesa, mas de outros países. Foi assim que devolveu à crítica francesa a poesia de Laforgue e Corbière, dissecada em sua devida importância, ou que refrescou a memória dos italianos a respeito de Cavalcanti.

Da mesma maneira, a história da poesia brasileira refaz-se incessantemente. Até porque a inexistência praticamente de crítica literária no Brasil antes do século XX, tornou obrigatório que isso acontecesse paulatinamente.

Há pouco, Augusto e Haroldo de Campos consumaram a redescoberta de Sousândrade, o poeta brasileiro que, pelo *Inferno de Wall Street,* foi o mais importante para a sua época entre os que já tivemos. Pois Sousândrade foi revolucionário na forma (a montagem de palavras, a variação tipográfica, pluralidade de idiomas dentro de um mesmo poema ou as citações de autores) e no fundo (a visão infernal da dinheirocracia do mundo capitalista), numa época em que a irresponsabilidade estética, aliás, espichada até mesmo à nossa atualidade, valsava com Casimiro, ao som do sabiá de outro maranhense, literariamente muito menos ilustre, Gonçalves

Dias, e dos vários participantes do incrível Castro Alves. Comprova-se que o sr. J. G. de Araújo Jorge teve azar. Se tivesse vivido cerca de um século atrás, não seria apenas o grande sucesso, de leitura que é, além das fronteiras da Central do Brasil: estaria incluído em todos os livros didáticos e escolares, juntamente com os Casimiro, Gonçalves e Castros. Mas isso que aí está é o nosso sistema de ensino. Sousândrade não figura nos livros escolares, mas, por seu turno, os pobres alunos são obrigados a agüentar os versos de Gonçalves de Magalhães, tido como precursor, aqui, do romantismo, o que é uma informação oficializada, tão tola quanto arbitrária, pois Gonçalves Magalhães, na realidade poderia ser tudo, isso é, não foi nada. Por isso é até uma injustiça se falar hoje em dia tão mal dos parnasianos, pois esses pelo menos eram objetivos em sua fatuidade: cultivavam a forma. E vai se ver com certo cuidado, Bilac não é tão ruim assim, Vicente de Carvalho tem quatro ou cinco sonetos interessantes. Alberto de Oliveira, *idem*, *idem*. E Raimundo Corrêa não era certamente um mau poeta.

Também na área do nosso simbolismo, Augusto de Campos devolveu à história a excelente imagem do baiano Pedro Militão Kilkerry, que – caso, nessas classificações algo desnecessárias, Augusto dos Anjos não seja considerado simbolista – é o nosso maior poeta dessa escola, o único de estirpe mallarmaica. Diante dele, Cruz e Souza empalidece de fato e Alphonsus mais ainda.

Mesmo com relação ao século atual, a história vai sendo drasticamente reformulada. O movimento de 22 foi de suma importância no sentido de que, pela primeira vez, os poetas brasileiros se afinavam em bloco com a realidade. Começaram a ter uma perspectiva universalizante em clima dos fatos ocorridos no exterior e o verso livre constituiu uma lavagem cerebral na mentalidade então vigente de poesia-fôrma (quando devia ser a de poesia-forma). Mas também a partir de 22, menos de cinqüenta anos após, comprova-se que a história exige ser rescrita. De saída, logo o caso de Luiz Aranha Pereira, que exatamente parou de escrever poesia na época em que o movimento se desfechou. Luiz Aranha, só com um livro publicado, de nome *Cocktails*, com poemas esparsos em revistas, mormente a *Klaxon*, continua esquecido quando – embora, sem aquela quantidade física que se denomina corpo de obra – mediante uns poucos poemas, se revela um dos grandes do espírito 22. Assim são, como peças longas perfazendo uma espécie de época moderna mediante a técnica da montagem, a "Drogaria de Éter e da Sombra", o "Poema Giratório", e o "Poema Pitágoras", foi também o "Poema Pneumático" e mais alguns outros, recolhidos inclusive há muito por Manuel Bandeira, em sua antologia dos bissextos. Aranha lembra muito o Apollinaire de "Zone", e Pound e Maiakóvski. O próprio Mário de Andrade, que se detém bastante em sua poesia, no ensaio a ele dedicado ou em *A Escrava que não era Isaura*, não compreendeu, na época, as implicações daquela poesia.

E a figura de Mário de Andrade merece ligeiro volteio histórico. Relida hoje, a sua poesia cresce no tempo, enquanto sua prosa vai perdendo a contextura. A poesia de Mário ainda desperta a surpresa, com lances de montagem e ritmo. Está viva, aguda. Já a sua prosa, pela qual é mais saudado, não implica o mesmo. *Macunaíma*, rico no detalhe, continua como o grande e pretensioso fracasso estrutural. *Amar, Verbo Intransitivo* é um bom livro, tem atmosfera funcional, e nada mais. Nem seus contos mexem céus e terras.

O outro Andrade, Oswald, é da máxima importância. Longe – longe, melhor romancista do que Mário. E só agora está sendo reeditado, após um *black-out* tanto indesculpável, quanto inexplicável. Atualmente, tentar comparar Mário com Oswald, na prosa, é quase o mesmo como antigamente tentavam comparar o incrível mecejanense, José de Alencar, com o grande Machado. Estamos comentando, aliás, apenas em termos de relações: é evidente que Mário de Andrade é muito mais escritor do que Alencar.

Na poesia, Oswald também oferece uma dimensão muito importante. Incrível como, a respeito de 22, se fale tanto em Graça Aranha e Ronald de Carvalho e Oswald fique jogado na sombra.

É preciso – de uma vez – dar a devida importância a Noel Rosa ou Orestes Barbosa, e ver que eles são muito melhor do que um Augusto Frederico Schmidt. Assim é que Vinícius fez muito bem em cair no samba quando viu que a sua poesia (muito boa em todas as primeiras fases) tinha acabado. É preciso notar que existem poetas atuais, cuja obra está mal divulgada e estudada. É o caso da fase pré-concreta de Augusto e Haroldo de Campos e Décio Pignatari, cuja poesia versificada tem alguns pontos luminosos da língua, o mesmo ocorrendo com o que deixou Mário Faustino e com o Ferreira Gullar de *A Luta Corporal*. Esses cinco poetas, marcando uma geração que poderia ser a de 1950, com vanguarda ou sem vanguarda, engolem tranqüilamente seus antecessores de um quarto de século, com a exceção de João Cabral, Drummond, Bandeira e de *Invenção de Orfeu,* de Jorge de Lima. Décio Pignatari, ainda no âmbito da poesia dita discursiva, já era o nosso maior inventor que apareceu depois do início, noutra *água* estrutural, do ciclo cabralino. É preciso descoser o fundo da nossa história [*Correio da Manhã*, 18.12.1966].

Textos de Maiakóvski

Maiakóvski é um dos maiores poetas do século atual, ao lado de nomes como Ezra Pound, E. E. Cummings, Rilke, Valéry, Lorca, Apollinaire, Eliot, Dylan Thomas ou Fernando Pessoa. Foi um poeta de vanguarda, integrado inicialmente ao futurismo russo, e um dos que melhor soube conciliar a arte com a revolução, o engajamento com a torre de marfim inevitável. Sua atuação, no terreno criativo, também se estendeu ao cinema, teatro e cartazes. Mas também foi teórico, crítico, amiúde polêmico. O homem que inspirou em muito os formalistas, o homem que, na "Carta Aberta aos Operários", dizia "a revolução do conteúdo – socialismo-anarquismo – é inconcebível sem a revolução da forma: o futurismo", não poderia escapar ileso à intolerância política. Depois do seu suicídio, foi restaurado como poeta ultraverborrágico, em traduções prosaicas, até mesmo ridículas, em muitos outros países, e, talvez estrategicamente, esquecidos os seus textos teóricos, que jamais poderiam corroborar tais traduções. As dificuldades da língua russa e a perfilhação stalinista, realizada *post-*

mortem, completaram em definitivo a *imagem* de uma visão falsa e piegas. Vem de ser lançado o livro de Boris Schnaiderman, *A Poética de Maiakóvski* (*Através de sua Prosa*). Schnaiderman é um dos conhecedores mais profundos da literatura soviética. Além disso, a intimidade que possui com a língua russa permite-lhe realizar as traduções diretamente do original, sem aquela segunda mão muito comum, na qual muita coisa se perde. Schnaiderman faz uma análise do papel e importância de Maiakóvski. Depois seguem-se os textos do poeta relativos a poesia, cinema, teatro, arte na civilização industrial, além de *Eu Mesmo*, uma espécie de autobiografia em montagem de memória e comentários: "Sou poeta. É justamente por isso que sou interessante. E sobre isso escrevo. Sobre o restante: apenas se foi defendido com a palavra".

A leitura desse volume coloca-nos em dia com o pensamento do autor. É ver especialmente suas intervenções para constatar a lucidez do poeta. Por exemplo, quando prega a interpretação entre os métodos formal e sociológico, condenando as contraposições ou o cara-ou-coroa do engajamento simplório, aquilo que não "contradiz o marxismo, mas sim a vulgarização do marxismo". Importantíssimo também, em tal sentido, é o artigo "Operários e Camponeses não Compreendem o que Você Diz", publicado originalmente na revista *Nóvi Lef*, em janeiro de 1928. Nele, Maiakóvski explica o problema da comunicação do escritor com as massas, demonstra que é preciso saber organizar a compreensão de um livro – o artista é o produtor, a usina; posteriormente, as lâmpadas irão acender-se nas casas dos proletários.

"O caráter de massa deve ser o coroamento de nossa luta e não a camisa com a qual nascem os felizes livros de algum gênio literário."

Aí está, portanto, um livro do maior interesse. Maiakóvski, ao lado de Ezra Pound, talvez seja o maior poeta de fato participante do século XX. A sua leitura ilumina o debate poético e a história das verdadeiras lutas do escritor [*Correio da Manhã*, 31.12.1971].

As Antenas Pagãs

Dante e Confúcio estão presentes nos Cantos *do* miglior fabbro, *nos quais nada acaba ou se define, pois são universos complexos, de difícil tradução, um céu cheio de estrelas.*

Ezra Pound dizia que os artistas eram as antenas da raça. Isso tudo devido ao simples caso de saber que a intuição (carregada de informações díspares) dispensa as conclusões (vazadas no *dernier cri* de leguleios acadêmicos). Sabia que a mesma intuição não dispensa também o problema da Forma (que é o problema da arte – ou coisa que o valha). A sua grande importância foi a de criar um *turning point* em torno do que seria fazer (deus nos livre!) poesia. Basta ler o seu propositai *Mauberley* (do qual possuímos uma tradução magistral de Augusto de Campos) que era um adeus à poesia puramente refinada em requintes verbais. Pound, então, concentrou-se nos *Cantos*.

O que são, o que representam esses *Cantos?* Dizia Hugh Kenner, seu melhor definotólogo: "uma época sem enredo". Mas o que também representava, antes, o nosso Ezra com as suas máscaras? Um saudosismo, instigante saudosismo dos tempos em que era possível concluir alguma coisa. Depois de Einstein – ou da relatividade – impossível brincar com chaves de ouro. Quando vemos "poetas", aqui no Brasil, trotear em versões sobre Tancredo Neves, vem a pura vontade de espirrar; e nada mais – para isso ainda serve o corvo de Poe. Ou *Roque Santeiro*.

Os *Cantos* fornecem a mesma sensação de desconforto que a dos filmes de Jean-Luc Godard. Nada acaba; nada se "define", Mas, indagaria o contrafeito *bien pensant* com o gorro e as ceroulas do acaso: para que tudo isso se não se chega a "claridades"?; a exegese? Deixá-los brincar com as suas borlas. Num velho poema, Décio Pignatari já havia deixado tudo muito claro, ao "finalizar" a peça com o simples arremate: "os seios com que agora". E poderiam sair os sociólogos e estruturalistas da moda atrás do que "com que agora". Alguns, mais objetivos, pensariam numa omissão de revisores e impressores – ainda estão no agora de outrora.

Poeta participante

Os *Cantos* obedecem a uma concepção de montagem. É a visada do ideograma. Essa, a idéia básica de estrutura. Lá estão, recheando, Homero, Dante, Confúcio e Ovídio. No meio do caminho, os provençais, a história dos Estados Unidos, da China e, em parte, da Itália, da Inglaterra. Os *condottieri*, Churchill, filólogos, poetas, políticos, pintores, mandarins, meretrizes ou mulheres míticas, deuses etc. Tudo é sadio paganismo. Pound dizia que o Velho Testamento deveria ser substituído pelas *Metamorfoses,* de Ovídio. Com toda razão: a máquina e a decorrente tecnologia se encarregaram de demonstrar isso.

Fracasso? Ezra tentou uma última afirmação via *kulchur*. Tentou fazer uma série de poemas capaz de açambarcar uma digamos assim história ideológica da humanidade. Achava que merecia dar o seu plá – daí – seu adeus. Estava de antenas assestadas. Na língua inglesa, ainda viriam Eliot (seu discípulo pelo meio), Cummings, Dylan Thomas, Hart Crane, Wallace Stevens e mais um ou outro. Nesse mesmo segundo quarto do século atual, no Brasil, aterrissaram Drummond e João Cabral. O resto é literatura. Falamos, bem entendido, na chamada poesia em linguagem simplesmente discursiva, pois a poesia concreta está além da causa. Mas Ezra Pound, com seus *Cantos* foi o maior poeta "participante", anticapitalista, do século. Basta ler, por exemplo, os de números 12, 14, 15, 45, 48 ou 51, a fim de constatar a sua vontade de fogo.

Se a técnica, como dizia ele, era o teste da sinceridade, encontra-se no escorrer dos *Cantos* e, mais ainda, em toda a sua obra, uma multiplicidade de facetas do "melhor artífice". Da linha ao verso, do prosaico ao espacialismo de palavras ou frases ou letras, da escansão à liberdade, registros, relatos, cantares e contares. Difícil a tradução, no vaguear de um universo complexo de referências, seja de nome de pessoas eventuais, lugares, citações etc. Enfim, como dizia o não menos saudoso Fernando Pessoa, "tudo vale a pena se a alma não é pequena".

Continuando Pessoa: "Deus ao mar perigos e abismos deu / mas foi nele que espelhou o céu". Assim são os lances de Pound sobre o mar do poetar: os *Cantos:* um céu-oceano cheio de estrelas ou, mais certo, como ele gostava de dizer: os *punti luminosi* [*Folha de S. Paulo*, 27.10.1985].

Robert Desnos, Poeta da Palavra

"Somos os pensamentos arborescentes que floresceram nos caminhos dos jardins cerebrais." Cartão de visitas de Robert Desnos, um dos principais poetas da grande fase surrealista, que, dentro daquele movimento, sob o aspecto inventivo-experimental, talvez só encontrasse rival à altura na figura do próprio líder, André Bréton. Desnos, assim como também ocorreu com Éluard e Aragon, voltou-se depois para uma fase mais humanista engajada e, por isso, boa parte de suas antologias de poemas cinge-se especialmente a tal fase ou período mais caracteristicamente surrealista, dos poemas em prosa. Tudo isso devido à sua participação decidida na resistência francesa, que lhe acarretou prisão e morte no campo de concentração, na Tchecoslováquia, no campo de Teresina, recém-abandonado pelos SS com a proximidade dos aliados. Era 8 de junho de 1945.

Agora, na sua série de poesias em livros de bolso, a Gallimard relança *Corps et Biens*. E constitui publicação das mais importantes, pois encorpa alguns dos momentos mais eficazes da poesia de vanguarda nesse século, exatamente aquela fase em que os poemas projetam a transição entre dadaísmo e surrealismo. Inúmeros desses poemas, constantes de *Corps et Biens*, evidenciam uma pesquisa apurada do texto em si, e demonstram diversos recursos da verdadeira poesia moderna, ou seja, especialização e fragmentação de palavras, alterações incessantes, trocadilhos, montagens, variações tipográficas, poemas telegráficos, violentação da sintaxe e das regras gramaticais, jogos permutacionais etc. Desnos já tinha muito de alguns escritores de vanguarda em língua inglesa, como Cummings ou Joyce, e o que, nele ainda poderia ser considerado como metáfora, brotava de um imagismo dos mais arrojados, a fazer empalidecer as Lowells & cos. A começar com uma delas, *touchstone* de abertura do "Ford des argonautes", com adjetivação do substantivo: "les putatis de Maselle ont des sceurs océanes". Ou então em "L'ode a Coco": "pesadelo, seu bico negro mergulhará num crânio/ e dois grãos de sol sob a pele palpebrina / sangrarão na noite sobre uma colcha branca".

É difícil, num *approach* assim ligeiro, propiciar uma tradução adequada aos poemas mais inventivos ou radicais de Desnos, a começar também por esse – "Dialogue" – que é um modelo antológico de achado e concisão:

– Rien ne m'interèsse
– *Rien, en aimant, Thérèse*

Há uma peça que, somente o título, já confere a medida da criação, *P'Oasis* (poesia + oásis), na qual também avultam as frases intercaladas, com trocadilhos, letras dispersas, sinais gramaticais, números e até a transcrição de trechos de pautas musicais e a terminar com a indagação: "somos *cowboys* do Arizona com laboratório / ou cobaias mirando o horizonte como um labirinto?". Ao mesmo tempo, a "Chanson de chasse" fornece um *exhibit* do delírio assonante, alternativo: "La chasseresse sans chance / de son sein chote son sang sur ses chasselas / chansuble sur ce chaud si chaud sol / chat sauvage / chat chat sauvage qui vaut sage / chat sage ou sage sauvage..." e daí por diante. E encontrando uma comparação ainda mais radical a ser extraída do "Elégant cantique de Salomé Salomon" ("Où est Ninive sur la mammemonde?"), a terminar com a seguinte construção:

Aime haine / Et n'aime / haine aime / aimai ne / M N / N M / N M / M N.

"Au mocassin le verbe", uma mostra de outra espécie das distorções de Desnos, agora passível de tradução imediata:

Tu me suicidas tão docilmente. / Eu te morrerei, porém, num dia. / Eu conheceremos essa mulher ideal / e nevarei lentamente sobre sua boca. / E choverei na certa mesmo que eu / entardeça, mesmo que / eu faça bom tempo. / Nós amareis tão pouco nossos olhos / e cairá esta lágrima sem / razão, certamente, e sem tristeza. / Sem.

Em "Le bonbon", projeta-se uma experiência alto-sonorista, pela repetição calculada das palavras, mas sem perder a pista semântico-discurvisa:

Eu eu sou sou o o rei rei/ das montanhas/ tenho bons bons dodóis bons bons olhos olhos/ faz calor calor/ tenho nariz/ tenho dedo dedo dedo dedo dedo em em/ cada mão mão/ tenho dente dente dente dente dente dente/ e assim por diante.

Enquanto isso, um poema como "C'était un bon copain" constitui exemplo notável de fluidez do *cantabile,* digno dos grandes especialistas no ritmo versificado: "Il avait le coeur sur la main/ et la cervelle dans la lune/ C'était um bon copain".

Todavia, os poemas mais ainda rigorosamente antológicos de RD na escala do processo são aqueles dois sob o título de um nome misterioso, "Rrose Selavy", que, no entanto, sonoramente, já denota uma frase (*rose, c'est la vie,* por exemplo). O menor deles, com o adendo de uma vírgula e "etc". no título, é praticamente intraduzível. O som de todos versos é idêntico, mas o significado varia. Vale a pena transcrevê-lo na íntegra:

Rose aissele a vit./ Rr'ose, essaie là, vit./ Rôts et sel à vie./ Rrose scella vit./ Rrose sella vit./ Rrose sait la vie./ Rrose, est-ce, hélas, vie?/ Rrose aise héla vit./ Rrose, est-ce aille, est-ce elle?/ Est celle/ AVIS/.

Embaixo do texto, como espécie de inscrição e assinatura, surgem, em tipos bem mais avantajados, as letras S., E., C. formando um quadrado sobre "Charles Quint Faux Défunt" ("Carlos Quinto Falso Defunto").

O outro poema consiste numa forma de texto, delimitado em seus itens. São notações, frases contendo expressões do humor, trocadilhos, referências a outros poetas ou lugares ou lendas etc, numeradas, de 1 até 150. Cada notação não oferece continuidade linear, em seu significado, àquela que a antecedeu. Veja-se alguns exemplos delas, já, aqui, vertidos para o português: 4 – A solução de um sábio é a poluição de um pajem?; 6 – Rrose Sélavy inscreverá por muito tempo o cadastro dos anos no quadrante dos astros?; 10 – Rrose Sélavy pergunta a si se a morte das sazões faz tombar a má sorte sobre as mansões; 11 – Dê-me o meu arco bérbere, disse o monarca bárbaro; 27 – O tempo é ágil águia dentro de um templo; 41 – Benjamin Péret só toma um banho por ano; 96 – O ato dos sexos é o eixo das seitas; 119 – Prometheu a mim amor! 130 – Georges Limbour: Para os normandos o norte mente.

Essas seqüências, às vezes entremeadas com subtítulos, forjam uma enumeração caótica análoga àquela batizada pelo lingüista Leo Spitzer, ao se referir à sucessão de palavras. Só que em "Rrose Sélavy", se trata da enumeração de frases. Uma tensão de texto no encadeamento superficialmente aleatório, que, no todo, cria uma espécie de cartilha ou fabulário fragmentado, em que irisam-se as virtualidades dada-surrealistas. Robert Desnos abria uma brecha maior por onde se avolumariam outras experiências posteriores com as relações entre palavras. Como dizia Mallarmé, "a poesia não é feita com idéias e, sim, com palavras". RD soube explorar, na palavra, inúmeras de suas dimensões válidas para a criação: ajudar a libertar a poesia do estreito caminho puramente discursivo-metafísico [*Correio da Manhã*, 9.6.1968].

Re-Visão de Kilkerry

O volume que coloca em circulação a poesia do nosso simbolista Pedro Militão Kilkerry consiste em outra evidência do que ainda resta fazer no rebalizamento de nossa literatura. Augusto de Campos passou longo tempo a pesquisar intensamente o que poderia restar da obra de Kilkerry, freqüentando bibliotecas, consultando parentes e amigos do poeta, *in loco* na Bahia. O volume apresenta a mais farta documentação coligida, ou seja, fragmentos, manuscritos em fac-símile, a prosa e inúmeros artigos que o simbolista baiano publicou. Além disso, as traduções de alguns poetas franceses, realizadas, aliás, por quem, segundo testemunhos, conhecia diversos idiomas.

O que salta aos olhos, logo de imediato, é que, ao contrário dos expoentes oficiais do nosso simbolismo – Cruz e Souza e Alphonsus de Guimaraens – vinculados mais ao *cantabile* verlainiano e à imagética bem comportada de outros poetas menores da matriz daquele movimento, Pedro Militão Kilkerry é o nosso principal simbolista de estirpe mallarmaica e com traços visíveis da temática e estilo de Baudelaire. São metáforas arrojadíssimas, se levarmos em conta inclusive, o local (Brasil) e a época; é o jogo de assonâncias, o uso de palavras insólitas, em suma, uma fanopéia com alto grau de originalidade, vinculada a uma sonoridade peculiar. Por isso mesmo, muito mais dele, em vez de Alphonsus ou Cruz e Souza, quem se aproxima de Augusto dos Anjos.

Até mesmo a palavra obscena está presente em sua obra, que fosse por intenção ou simples intuição, cumpria assim a função salutar de livrar-se de velhos jargões, do lugar comum, enfim, de evitar "poetizar seu poema", como diz João Cabral de Melo Neto em seu antológico "Alguns Toureiros". Basta notar o vocabulário, os *enjambements,* a intensidade alusiva, o verbo e o som novos de um soneto, como "O Cetáceo", de uma modernidade a toda prova. Para a forma de mestres, como Petrarca, Rossetti ou Camões, nada melhor do que a revitalização com outras formas.

Kilkerry, agora, não apenas pode ser abordado pelas gerações mais recentes, como obriga, como Sousândrade, a refazer-se um setor de nossa história literária [*Correio da Manhã,* 17.3.1971].

Lorca: Minipoemas

De Góngora a Lorca, pode-se traçar uma reta direta: "beleza objetiva, beleza pura, livre dos anseios do pânico" – é o que prega o último em seu ensaio famoso a respeito da obra do primeiro. Lorca: isomorfismo entre sentimento e instrumento, fundo e forma, vida e arte. Vivência e consciência. Pujança de melopéia, riqueza de fanopéia, com o arrojo das formulações insólitas com esses elementos. E a linhagem do barroco não deixa de contribuir para a sua poética, que, por outro lado, elide qualquer apego ao desvario romântico. Em seus poemas, nada existe de implícito, no tema, que a forma não explique. O cunho surrealista de uma imagética peculiar, contida pela tendência racionalizada da organização. E, isso, conduz a uma índole tátil dos sentidos, à "emoção coisificada", típica também de um John Donne ou do nosso João Cabral de Melo Neto. Opção por uma técnica de nomeações de coisas, objetos e substantivos concretos a fim de exprimir sentimentos normalmente rotulados num critério de abstração. Exemplos:

Azul onde a nudez do vento vai quebrando / os camelos sonâmbulos das nuvens vazias.
E um horizonte de cães / ladra bem longe do rio.
Silêncios de goma escura / e medos de fina areia.
O vento dobra despido / a esquina da surpresa.
Ninguém sabia que martirizavas / um colibri de amor entre teus dentes.
Teu ventre é uma luta de raízes.
A verde lepra do ruído.
Meu beijo era uma romã / Aberta e profunda. / Tua boca era rosa / de papel. / O fundo, um campo de neve.

Ao lado, no entanto, do Lorca dos gitanos e toureiros, o Lorca dos sonetos, das casidas e das gacelas, temos a outra face, com um tipo de produção poética peculiar, talvez menos brilhante nos efeitos metafóricos, menos efusivo na dicção, porém de grande consubstanciação inventiva. É o Lorca do poema-pílula, da síntese, da peça-minuto, com recursos instigantes de pontuação e de *enjambement*, e usando o apelo às variações tipográficas e, também, à técnica de repetição; a pseudo-redundância que emite o peso funcional das palavras. São pelas forjadas sem concentração cronológica, sem atender ao imperativo da linearidade da sintaxe discursiva, e, como os orientais, aproximando-se da estrutura analógica. Montagem, associação de imagens, por simples justaposição. Talvez o melhor exemplo disso seja o poema "Remansos", abaixo transcrito:

Ciprestes. / (Água estagnada) / Choupo. / (Água cristalina) / Vime. / (Água profunda) / Coração. / (Água de pupila)

Aqui, ele foi longe, dentro de uma visão da vanguarda poética, que implica a abolição do caráter discursivo. Há uma disposição racionalizada no espaço – uma ordenação ideográfica de quatro palavras (substantivos), cada uma delas contendo, logo abaixo, a palavra água (também substantiva) qualificada por um adjetivo, a não ser na quarta e última nomeação, na qual o adjetivo qualificativo cede lugar a uma referência possessiva – de pupila; aliás, exatamente de acordo com a denotação animal da palavra coração. O referente vegetal está presente nos três primeiros substantivos – ciprestes, choupo e vime – que trazem a agregação de uma idéia mineral, variável pela qualificação dos adjetivos. No último caso, água vem subordinada à sua matriz possessiva, pupila, e perde a condição de agente de designação mineral, em favor da referência animal, em consonância com coração. Esse quarto binômio designativo, açambarcando o complexo animal, diferenciando-se os três anteriores, não constitui apenas um "arremate" conceitual ao minipoema; polariza semanticamente os outros três núcleos, inclusive na relação olho x imagem.

Por seu turno, o poema "Arlequim", pela sua concentração imagista, aliada à concisão, lembra em muito o haicai japonês. Imagens em justaposição, elidindo também a utilização do verbo:

> Teta lacre do sol. / Teta azul da lua. / Torso metade coral / meio prata e penumbra.

"Crótalo" traz a repetição da palavra título por três vezes, camada sonora a forjar efeitos de onomatopéia com o significado da mesma palavra. É uma das melhores *trouvailles* de Lorca neste tipo de experiência:

> Crótalo. / Crótalo. / Crótalo. / Escaravelho sonoro. / Na aranha / da mão / riscas o ar / cálido / e te afogas em teu trino / de pau. / Crótalo. / Crótalo. / Crótalo. / Escaravelho sonoro.

Outro poema, como "A Cruz", dá bem a idéia de um recurso de transferência de sentido por intermédio de uma visualização estática que se transforma num quadro em movimento – o que era fim tornou-se infinito no ato de a cruz mirar-se no açude:

> A cruz, / (Ponto final / do caminho.) / Mira-se no açude. / (Pontos de reticência.)

"Raio" se constitui praticamente noutro haicai:

> Tudo é leque. / Irmão, abre os braços. / Deus é o centro.

"Laranja e Limão" demonstra outras constantes do poeta: uma certa obsessão cromática e o processo de jogar com duas palavras numa seqüência de permutas posicionais, intercalando frases ou expressões:

Laranja e limão. / Pobre da menina / do mal amor! / Limão e laranja. / Pobre da menina / da menina branca! / Limão. / (Como brilhava / o sol) / Laranjas. / (Nas porcelanas / da água.)

"Réplica": outra miniatura poética, com outro exemplo da transferência imagem x som: tomadas cineverbais:

Um pássaro tão só / canta. / O ar multiplica. / Ouvimos por espelhos.

Em suma, "Pórtico", *exhibit* do complexo imagem-montagem-paisagem:

A água / toca seu tambor / de prata. / As árvores / Tecem o vento / e as rosas tingem-no / de perfume. / Uma aranha / imensa / torna a lua / em estrela.

Lorca da natureza viva, dinâmica, ainda vivo como instigação para se chegar ao mínimo múltiplo comum da poesia, entendê-la como linguagem, como informação de estruturas e, não, de "conteúdos" (esses, sempre abstratos) [*Correio da Manhã*, 5.9.1968].

E. E. Cummings em Português

E. E. Cummings – dez poemas

No prefácio desse volume, o tradutor Augusto de Campos analisa e situa a importante posição de Cummings, em face de uma evolução de formas da linguagem poética:

Na poesia de Cummings as palavras não são dissociadas de seu significado, nem as letras valem por si sós. A atomização dos vocábulos tem em mira efeitos construtivos de sinestesia do movimento e fisionomia descritiva. Sob a aparência epidérmica de idiossincrasia e anarquismo, a fotografia cummingsiana é, paradoxalmente a correção de uma ortografia inane para a poesia, de uma *mortografia*, ao mesmo tempo que uma das mais sérias tentativas de fazer funcionar dinamicamente o instrumento verbal, reduzindo a um mínimo – como nota Theodore Spencer, – a distância entre experiência e expressão.

Esse trecho da introdução ressalta com previsão a autêntica atuação de vanguarda do poeta norte-americano que, juntamente com Mallarmé ("Un coup de dés"), Pound e Joyce, integra o elenco básico de autores estabelecidos pelos criadores do movimento de poesia concreta.

Os dez poemas selecionados, cada um descerrando em seu nexo estrutural algumas constantes e peculiaridades da "inventiva" cummingsiana, são: "i will be", "MEMORABILIA", "twi-is-Light bird", "o pr", "r-p-o-p-h-e-r-s-*s-a-g*-r", "go (perpe) go", "birds there", "inven", "brIght", "un e fea".

Alguns desses poemas constituem verdadeiros desafios no terreno tipográfico e a sua perfeita execução implica num trabalho de grande mérito. O próprio Cummings, em permanente correspondência com o tradutor, examinava as provas do livro e indicava as correções, num permanente interesse em preservar, até ao mínimo detalhe, o consumar de uma meticulosa organização espacial, o que faz essa edição tornar-se, como ele mesmo atesta, a única em que os poemas lançados obedecem *in totum* a sua concepção original, sem conter o menor erro. Numa das últimas páginas, aliás, vem estampado um fac-símile de suas anotações e correções do poema *r-p-o-b-h-e-s-s-a-g-r* justamente um dos que mais trabalho e atenção exigem, com vistas a uma precisa transcrição. Trata-se do poema do gafanhoto (*grasshopper*), em termos de estrutura, um dos mais importantes do autor, pela adequação isomórfica entre as linhas de movimento do plano semântico e de visual (fisognômico-expressionista), quando à medida do salto, as letras embaralhadas se recompõem e formam a palavra gafanhoto.

Em todas as traduções, pode-se também constatar, no confronto bilíngüe propiciado pela edição, a prova da compreensão de Augusto de Campos com relação à estética de Cummings e o esmero de seu trabalho – uma verdadeira pesquisa de pinça no sentido de utilizar vocábulos e sílabas com equivalência funcional aos que foram originalmente empregados [*Tribuna da Imprensa*, 4.6.1960].

A Obra de W. H. Auden

Wystan Hugh Auden é considerado um dos maiores poetas de língua inglesa nesse século. Escreveu também ensaios e peças, essas em colaboração com Christopher Isherwood, mas a poesia é o seu principal *status*. Os críticos mais voltados para a vanguarda ou para a criatividade em si certamente preferem a polêmica ou a invenção, em Pound, a mestria ou a imagética telúrica, em Eliot, a dicção e metáforas neo-elizabetanas, em Dylan Thomas ou Hart Crane, a síntese e as sutilezas rítmicas, em Marianne Moore ou William Carlos Williams, e, principalmente, os recursos de renovação especial-tipográfica ou fisiognomia vocabular, em E. E. Cummings.

Porém Auden – à margem da ebulição recriadora e, consoante as mutações de sua forma de pensar, mais preocupado com a temática do momento – permanece como um dos grandes *versemakers* da época. Aliás, é essa a crítica básica que fazem os adversários de sua obra: seria mais um versejador do que um poeta. Nem tanto ao mar, nem tanto à terra.

W. H. Auden (é assim que assina seus livros) nasceu em York, em 21 de fevereiro de 1907, foi educado em Christchurch, Oxford, e tornou-se professor. Durante cinco anos lecionou num colégio de meninos, em Malvern. Em 1930 publicou seu primeiro volume de poemas e considerava T. S. Eliot como seu mestre.

Os anos de 1932-1933 foram os das antologias *New-Signatures* e *New-Country*, quando publicou seus poemas juntamente com outros poetas de tendências ideológicas semelhantes como Stephen Spender, Cecil Day Lewis, John Lehmann e William Empson, esse último também um dos maiores críticos modernos (*Seven Types of Ambiguity*).

Era o período de uma geração não só marcada pelos efeitos da Primeira Guerra Mundial, como pelas reivindicações sociais, dada a ascendência do marxismo. Mas também Freud. Auden, escritor de esquerda, ao consumar poeticamente a sua crítica político-social ("the English revolution / is the only solution", ou então, "hunger allows no choice /to the citizen or the police / we must love one another or die" – a fome não permite escolha / à polícia ou ao cidadão / devemos amar uns aos outros ou morrer), também absorveu os princípios da psicanálise.

Em 1938, foi para a América e naturalizou-se norte-americano. Em 1948, ganhou o Prêmio Pulitzer com seu livro. *The Age of Anxlety* – aí, já fundava os seus interesses psicológicos e sociais com a *Angst* típica do existencialismo de Kierkegaard. Em 1956, tornou-se professor de poesia em Oxford. A fase final de sua vida assinalou uma transição religiosa para o episcopalismo.

Algumas de suas principais obras: *Poems* (1930); *The Orators* (1932); *Lock, Stranger* (1936); *On the Time Being* (1944); *Collected Poems* (1945); *The Age of Anxiety* (1948); *The Shield of Achilles* (1955); *Collected Essays*.

Na obra de Auden, comprova-se o domínio métrico, técnico, a leveza do seu *contabile*, a discreção formal coadunada com uma dicção em busca do *mot juste* flaubertiano. Daí, em vários momentos, conseguir alcançar aquilo que é alvo permanente de muitos poetas: a "emotion recollected in tranquility" (*emoção captada na serenidade*), da qual, um dos exemplos máximos, antológicos, é o poema "Oxford" – "and ahe is of Nature; Nature / can only love herself" ("e ela é da Natureza; a natureza / só a si própria pode amar").

Outra característica sua é a de ser um poeta com personalidades como tema, como se fossem, tais poemas, ensaios literários em forma epigramática. Lá estão, como motivo de seus versos, Voltaire, E. M. Foster, Melville, Matthew Arnold, Edward Lear, Freud, Pascal, Rimbaud, Henry James, Ernst Toller ou aquele que, além de ser também uma de suas influências, foi a figura mais importante do simbolismo na Inglaterra: William Butler Yeats.

Em memória desse último, *post-mortem*, Auden escreveu alguns de sues versos mais antológicos: "Oh, all the instrumens agree; / the day of his death / was a dark cold day" ("Oh! Todos os instrumentos acordam / o dia de sua morte / foi um escuro dia frio").

Para o ensaísta G. S. Fraser, Auden é mais um poeta de definição do que de imagem. Já Alfred Alvarez compara-o com uma espécie de poeta-jornalista, que soube unir o sensacionalismo ao enfoque social: "Enquanto Eliot transformou a sensibilidade de sua época, Auden captou o tom da sua". O mesmo Alfred Alvarez, apontando para a sua objetividade que não penetra nas coisas, disse que ele escreveu muito, como se o fizesse enquanto estava vestindo-se para o jantar.

Em seus ensaios, dedica-se a elaborar modalidades de máximas ou aforismos, a fazer lembrar a ironia de Oscar Wilde, no prefácio ao *Retrato de Dorian Gray* – exemplos: "alguns livros são imerecidamente esquecidos, nenhum é imerecidamente lembrado" – "O prazer não é, de modo algum, um orientador critério infalível; mas é o menos falho" – "o interesse de um escritor e o de seus leitores nunca são os mesmos; e se, em dada ocasião, ocorre a coincidência trata-se de um acidente feliz".

Tido como o poeta inglês mais famoso da década de 1930, Auden, apesar das transições e da superação temática, ganhou com galas o seu posto na história da literatura. Encanto e competência [*Correio da Manhã*, 24.10.1971].

A Arte como Tinturaria

> **A MÃO DO ARTISTA**
> Autor: W. H. Auden.
> Idéia: Textos inspirados por teatro, literatura e música, de um dos maiores poetas do século XX.

Um livro de grande interesse para iniciados em criação e estética, *A Mão do Artista* já começa bem com a bela capa, vazada em *ad marginem*, de Paul Klee. E somente tropeça em alguns problemas de tradução, logo de saída no tocante ao título. No original, lê-se *The Dyer's Hand*; não sabemos qual o motivo de transformar *dyer* (tintureiro) em "artista". Necessário respeitar a intenção significante do autor.

Wystan Hugh Auden – nascido na Inglaterra em 1907, naturalizado americano em 1946 e falecido em Viena em 1973 – é um dos maiores poetas de língua inglesa do nosso século. E assim como outros grandes, como Pound e Eliot, foi um poeta culto, excelente ensaísta, conhecedor de fôlego da técnica de transformação histórica do verso, tal se pode comprovar pelos seus estudos sobre D. H. Lawrence, Marianne Moore e Robert Frost, constantes desse livro. Sem falar em Shakespeare, presente em vários textos, seja mediante o teatro ou a poesia. E, novamente, outro reparo: por que, nesse volume, não foram apresentados *todos* os originais dos poemas ou trechos dos poemas traduzidos? Afinal, nem sempre quem adquire a obra traduzida ignora a língua original...

Auden é um dos melhores poetas da vertente da "emotion recollected in tranquillity" (emoção lembrada / recobrada na tranqüilidade), quem muitas vezes sacou alto, em poemas como "Oxford": "And nature can only love herself" ("E a natureza só pode amar a si própria"). É com essa serenidade de criador que investiga e analisa as criaturas de seus pares no universo estético. No seu caso, nada dos tanques pesados de uma terminologia pseudocientífica de "estruturalistas" ou de "pós-modernistas" mais recentes (aquela história shakespeariana de som e fúria significando nada). Ele foi contemporâneo do *new criticism*, que era mais objetivo, mas sempre resguardou o seu olhar com a modéstia e o cuidado. Entra num assunto e, em *crescendo*, desvenda tendências e alegorias, descerra meditações paralelas. Pois é também um pensador.

A Mão do Artista contém escritos sobre literatura, teatro e música. Já mencionamos os poetas abordados e vale, ao mesmo tempo, chamar a atenção para o seu breve e instigante ensaio a respeito de Franz Kafka. Os dois primeiros sobre *Ler e Escrever* são importantes, especialmente o segundo, no qual comenta a diferença entre poesia e prosa. Mas os momentos talvez mais surpreendentemente gratificantes são aqueles de música e ópera, destacando essa última. Observações agudas de um leigo confesso: "Todo dó maior atingido com segurança põe por terra a teoria de que somos fantoches do destino e do acaso"; ou "a glória da ópera é o espetáculo"; ou esse alerta ao coro: "Ópera não é oratório". Auden: um encontro com a inteligência [*IstoÉ*, 13.10.1993].

Neruda: Lirismo e Luta

Existem muitas lacunas na galeria dos Prêmios Nobel de Literatura. Muitas vezes, ele é inadequado ou surpreendente. Nunca o seria, no entanto, no caso de Pablo Neruda.

Hoje em dia, fala-se muito no Neruda marxista, engajado, participante. Ajudou a criar um mito que, sob o aspecto criativo, foi extremamente deficitário para muitos seguidores. Pois a grande poesia participante, de fundo político (a de Maiakóvski, de Pound, do mesmo Neruda ou do nosso Carlos Drummond de Andrade) não brota apenas da intenção. Se fosse assim, tornaria a caber a velha indagação "para que poesia?". Não só da vivência, imediata ou espiritual – nasce o essencial: técnica, competência e, obviamente, talento ou invenção. O resto ficou sendo o resto.

Neruda soube imprimir a sua grandiosa dicção – uma espécie de oratório altamente metafórico – ao engajamento. É só lembrar:

> Generales / traidores: / Mirad mi casa muerta, / mirad España rota; / pero de cada casa muerta sale metal ardiendo / en vez de flores, / pero de cada hueco de España / sale España / pero de cada niño muerto sale un fusil con ojos / pero de cada crimen nacen balas / que os hallarán un día el sitio / del corazón.

Dele soube dizer outro poeta, como Aragon: "há em sua poesia essa força que faz cair as muralhas com canções". Ou García Lorca: "a poesia que serve para nutrir esse grão de loucura que todos levamos dentro de nós e que muitos matam a fim de colocar o odioso monóculo do pedantismo livresco, sem o qual é imprudente viver". Enfim, o poeta que lembra Espanha – ponto de partida de sua arte engajada, já era um dos grandes poetas líricos em língua espanhola. Foi influenciado por Walt Whitman e pelo surrealismo, era dotado de retórica e hermetismo, daquelas imagens incisivas e insólitas, típicas da sua língua, lembrando bastante, de Lorca, não só o *Cancioneiro Gitano*, mas as *casidas* e *gacelas*. O amor como grande tema. Seja lírico, *à la* Ronsard, neste trecho antológico: "Yo estaré tan lejano que tus manos de cera / ararán el recuerdo de mis minas desnudas / comprenderá que puede nevar en Primavera / y que en la Primavera las nieves son más crudas". Ou quando voa na evocação: "para mi corazón, basta tu pecho / para tener libertad bastan mis alas". Ou erótico – o cantador da "Canción del Macho y de la Hembra", o que fala assim: "me recibes, como al viento la vela".

E nada melhor para exprimir a influência do surrealismo, do que neste trecho, aqui traduzido, de *Residencia en la Tierra*:

Os jovens homossexuais e as pequenas amorosas / E as grandes viúvas que sofrem delirante insônia / E as jovens senhoras, grávidas há trinta horas / E os gatos roucos que cruzam meu jardim em trevas / Como um colar de palpitantes ostras sexuais / Rodeiam minha residência solitária / Como inimigos organizados da minha alma / Como conspiradores em traje de dormir / Que, como sinais, trocam longos beijos espessos.

É preciso impedir que os ventos eventuais abafem a lírica de Neruda, que sempre soube da luta, mas também do "ofício ou arte severa" [*Correio da Manhã*, 26.9.1971].

Drummond no Processo

> *Como um segredo dito / no ouvido de um homem / do povo caído na rua.*

Quando começou a poesia brasileira? A pergunta é pertinente se, em vez de critérios meramente geográficos, formos nos ater à utilização do instrumento idiomático (da língua) na perquirição da linguagem (sistemas de códigos), que é a função maior do poeta. O primeiro grande poeta brasileiro, geograficamente considerado foi, sem dúvida, Gregório de Matos. Mas tirante a inspiração temática, era um poeta português, da mesma forma que alguns dos nossos excelentes barrocos, que, em lugar da Academia dos Esquecidos, poderiam ter participado da Fênix Renascida ou do Postilhão de Apolo. Idêntica perspectiva pode ser extraída da leitura de Tomás Antônio Gonzaga.

É durante o período do romantismo que se pode iniciar a detectar a atuação da língua, já tomada em seu brasileirismo (apesar da influência do indianismo europeu). E o processo poético nacional começou historicamente em rara altura. Ele não se deve, estruturalmente, nem aos ardores de Castro Alves, aos soluços de Casemiro ou às saudades de Gonçalves Dias. Muito acima deles estava o maranhense Joaquim de Sousa Andrade – Sousândrade, que, inclusive, mesmo sob um ponto de vista internacional, já trazia elementos para o processo de uma linguagem que apenas começariam a atravessar o crivo de sistematização durante o século atual. Intelectual de cultura cosmopolita, liberto do aconchego conformista a um lirismo piegas, ele, em seu longo poema, *O Guesa Errante*, utilizou recursos tipográficos, de montagem de palavras e de inserção ou citação de termos ou trechos de Wall Street, um anticapitalismo *avant la lettre* – que de Ezra Pound. O nosso parnasianismo apesar do *métier* de alguns dos representantes (Bilac, Raimundo, Alberto de Oliveira etc.) foi uma página em branco. E o mesmo se diria do simbolismo, não fosse a figura quase desconhecida e solitária de Pedro Militão Kilkerry – o nosso único simbolista de estirpe mallarmaica – ou de Augustos dos Anjos, uma espécie de maldito primitivo, um dos nossos poetas mais originais.

Até o lance decisivo do modernismo, em 1922, a lista básica era, portanto escassa; Sousândrade, Kilkerry e Augusto dos Anjos, e isso, devido a um corte diacrônico feito retrospectivamente no processo pelos poetas e críticos da geração atual, principalmente aqueles alistados na vanguarda. Não se pode, em paralelo, dizer que as raízes da poesia de 22 fossem essencialmente brasileiras. Elas traduzem a importação do *vers libre*, mas que – os meios nossos da época – refletiam o escândalo. O ponto alto europeu do *vers libre* era "Zone", de Apollinaire. Aqui começamos também por cima, com "Pitágoras" ou a "Drogaria do Éter e da Sombra". Mas o *vers libre* trouxe mais facilidade para que o contexto idiomático realmente brasileiro agisse sobre a poesia. A imitação dos modelos importados já não era, pelo menos, direta. Mário e Oswald de Andrade desenvolveram a sua respectiva obra poética. Manuel Bandeira fundou aquele lirismo pessoal. Todavia o grande poeta de 22 no sentido de uma apropriação isomórfica da ótica pessoal, correlacionada com a abertura do *vers libre,* seria Carlos Drummond de Andrade. Veio depois para superar os seus antecessores, assim como João Cabral de Melo Neto viria depois para – adotando principalmente o critério de palavra puxa palavra – superá-lo na intensidade do texto, Drummond ficou sendo, no entanto, o grande poeta nacional vivo.

O esquema cronológico da expressão de sua obra pode talvez ser assim simplificado: 1) lirismo/humor; 2) náusea/pessimismo/anarquismo; 3) engajamento/humanismo; 4) meditação, ou existencial/filosófica ou sobre o próprio fazer poético. As fases não são rigorosamente demarcadas, existem interpenetrações, mas cabe o registro pela freqüência.

Num método de fixar "essência e medulas", vamos procurar traçar o CDA básico, isso é, extrair o sumo de uma obra extensa. Apesar da luta pela objetividade, o *parti-pris* – evidentemente – não pode fugir a sua dose subjetiva na escolha, a contraditar inclusive com algumas seleções já organizadas pelo poeta. Ele Drummond essencial vem em ordem também cronológica.

1) "Construção" ("Um grito pula no ar como foguete / vem da paisagem de barro úmido, caliça e andaimes hirtos. / O sol cai sobre as coisas em placa fervendo. / O sorveteiro corta a rua / E o vento brinca nos bigodes do construtor"). Esse poema curto, numa montagem de frases isoladas e quase heterogêneas, lembra o exemplo da enumeração caótica lançado por Leo Spitzer. O título é algo irônico em relação à construção caótica. Exemplo do CDA 22.

2) No Meio do Caminho ("No meio do caminho tinha uma pedra..."). É uma das peças mais famosas no contexto da obra. A técnica da repetição incessante que cria a própria monotonia a que se refere o tema, pela nomeação repisada do objeto novo que despertou a retina: a pedra no caminho. Desde esse ponto, CDA já era um poeta conscientemente preocupado com a linguagem.

3) "Quadrilha" ("João amava Teresa que amava Raimundo..."). A dança verbal do desencontro, em outro poema prosaico/sintético que, posteriormente, João Cabral readaptaria.

4) "Epigrama para Emílio Moura" ("Tristeza de comprar um beijo / como quem compra jornal"). Uma das pedras de toque dentro da concepção tradicional. Aí, já começava o "travo da amargura" que habitou a grande fase da obra.

5) "Soneto da Perdida Esperança" ("Perdi o bonde e a esperança"). A forma soneto adaptada ao linguajar modernista, em que as nomeações concretas e abstratas se mesclam na dicção intencionalmente descontraída. Uma das coisas mais tipicamente CDA.

6) "Em Face dos Últimos Acontecimentos" ("Oh! Sejamos pornográficos / (docemente pornográficos) / Por que seremos mais castos / Que o nosso avô português?"). Pe-

quena obra-prima no toque humor-sarcasmo, que marca as antologias.

7) "Elegia 1938" ("Trabalhas sem alegria para um mundo caduco"... "porque não podes sozinho dinamitar a ilha de Manhattan"). Aqui se poderia marcar o início do período engajado: a náusea, o comunismo, a solidariedade com o trabalhador, embora ainda seja um ponto menos intenso do período.

8) "O Lutador" ("Lutar com palavras / é a luta mais vã // entanto lutamos / mal rompe a manhã"). Meditação a respeito da atividade do poeta – "a poesia não é feita com idéias e, sim, com palavras", Mallarmé. A redondinha menor ajuda ao efeito do fluxo desejado, poema-chave na época (1941).

9) "José" ("E agora, José? / a festa acabou / a luz apagou / o povo sumiu"). Outro CDA típico, dos mais conhecidos.

10) "Procura da Poesia" ("Não faça versos sobre acontecimentos"... "A poesia (não tires poesia das coisas) / elide sujeito e objeto"). Outra perquirição do fazer poético. A partir do conselho inicial, contra aquela facilidade de achar "inspirações", vem, no final, a determinação lúcida de elidir um logicismo clássico da língua.

11) "A Flor e a Náusea" ("Olhos sujos no relógio da torre"... "Porém o meu ódio é o melhor de mim / Com ele me salvo / e dou a poucos uma esperança mínima"... "Uma flor nasceu na rua! / Passem de longe, bondes, ônibus, rio de aço do tráfego / Uma flor ainda desbotada / ilude a polícia/rompe o asfalto"... "É feia. Mas é realmente uma flor / furou o asfalto, o tédio, o nojo e o ódio"). Talvez o maior poema de Drummond, no verso livre exprimindo a essência do seu estar (pelo menos o estar da época) diante do mundo e dos acontecimentos. O ápice do discursivo, da dicção prosaica.

12) "Nosso Tempo" ("Este é o tempo de partido / tempo de homens partidos"... "O poeta / declina de toda responsabilidade / na marcha do mundo capitalista / e com suas palavras, instituições, símbolos e outras armas / promete ajudar / a destruí-lo / como uma pedreira, uma floresta, um verme"). Um dos poemas mais furiosamente engajados, *exhibit* de CDA na trincheira.

13) "Morte no Avião" ("Acordo para a morte / Barbeio-me, visto-me, calço-me"... "Caio verticalmente e me trans-

formo em notícia"). Peça das mais conhecidas, sendo que o verso final quase ficou lexicalizado.

14) "Telegrama de Moscou" ("Aqui se chamava / e se chamará sempre Stalingrado / – Stalingrado: o tempo responde"). Um dos melhores exemplos do engajamento, com o *touchstone* final.

15) "Canto ao Homem do Povo Charlie Chaplin" ("como um segredo dito no ouvido de um homem do povo caído na rua"... "Há uma cidade em ti que não sabemos"... "O Carlito, meu e nosso amigo, teus sapatos e teu bigode / caminham numa estrada de pó e esperança"). Um dos maiores texto de Drummond. Dentro do temário Chaplin, nem o grande Maiakóvski consegue ultrapassá-lo. E aquela idéia do segredo ao homem do povo traduz a catarse verbal que melhor reflete o temperamento do poeta.

16) "Desaparecimento de Luiza Porto" ("Pede-se a quem souber / do paradeiro de Luiza Porto / avise sua residência/ à Rua Santos Óleos, 48"... "Está inerte / cravada no centro da estrela invisível / Amor"). Junto com "Chaplin" e "A Flor e a Náusea" forma a grande trinca da obra CDA, antes da virada em "Claro Enigma". Saindo da técnica do anúncio em jornal, abre-se ao fim, numa épica da pungência do cotidiano. E a palavra final (estrela invisível) – Amor – sai do lugar comum e ganha o peso rilkeano.

17) "Composição" ("É sempre a chuva / nos desertos sem guarda-chuva"... "O mais é barro esperança de escultura"). Ironia metafísica numa construção típica do poeta.

18) "Visão 1944" ("Meus olhos são pequenos para ver"). *Cantabile*, guerra-solidariedade, algo à la Eluard, mas como um exemplo antológico do domínio, àquela altura, que possuía do verso.

19) "Confissão" ("Não amei bastante meu semelhante / não catei o verme nem curei a sarna / Só proferi algumas palavras / melodiosas, tarde, ao voltar da festa").

20) "Tarde de Maio" ("Como esses primitivos que carregam por toda a parte o maxilar inferior dos seus mortos assim te levo comigo, tarde de maio"). Abertura em pedra de toque.

21) "A Mesa" ("Dentro não pressentias / como o branco pode ser / uma tinta mais diversa / da mesma brancura... alvu-

ra / elaborada na ausência / de ti, mas ficou perfeita / concreta, fria, lunar / Como pode nossa festa / ser de um só que não de dois?"). Poema longo, com esse final que é um dos pontos altos da linguagem de Drummond.

22) "A Máquina do Mundo" ("E como eu palmilhasse / uma estrada de Minas pedregosa / e no fecho da tarde um sino rouco / se misturasse ao som dos meus sapatos / que era pausado e seco"). Perquirição filosófica em admirável decassílabo, um poema que se vai juntar ao nível daquela trindade do maior CDA.

23) "Relógio do Rosário" ("Mas na dourada praça do Rosário / foi-se no som a sombra. O Columbário / já cinza se concentra, pó de tumbas / Já se permite azul, risco do pombas"). Notável no ritmo, no uso funcional dos enjambements.

24) "Elegia" ("Ganhei (perdi) meu dia / E baixa a coisa fria / também chamada noite"). Um belo poema, o único que se destaca, acima, no pior livro de Drummond, *Fazendeiro do Ar*.

25) "Massacre" ("eram mil a atacar / o só objeto / indefensável"). A palavra o objeto. A partir de *Lição de Coisas*, CDA volta-se para a apropriação de técnicas "concretizantes" na estrutura discursiva de seus poemas.

26) "Isso E Aquilo" ("O fácil o fóssil / o míssil o físsil...") A repetição exaustiva de palavras rimando-se uma a uma até chegarmos ao ptyx mallarmaico.

27) "Minimini" – incluído na série Vers de Circonstance do livro *Versiprosa*, reflete CDA em grande desembaraço no silabar instigante – competência.

Esse respigar retrospectivo não se pretende mais do que isso: ponto de partida para tentar analisar a suma, o núcleo, o cerne CDA – e ver-se como o poeta em luta com a palavra em busca da linguagem, acerta e erra. Drummond, juntamente com Mário e Oswald de Andrade e João Cabral de Melo Neto, é o poeta do processo nosso nesse século, antes do *turning point* do concretismo. De qualquer forma, o "algo mais" que a poesia nos dá, em matéria de sugestão e emoção, naquele tempo em que ainda era normal criar em verso ou meramente com a linguagem discursiva, deve muito a ele [*Correio da Manhã*, 10.12.1967].

Mário de Andrade, Poeta

Existem três Mário, três facetas do Mário de Andrade em nossa literatura: o crítico, o romancista, o poeta. A tendência da crítica, do ensaísmo e do historicismo é a de dar mais importância ao Mário nº 1 e ao nº 2, em detrimento do terceiro. No primeiro caso, existe uma importância indescritível, apesar dos erros e desfoques que se possa detectar em sua obra de crítico. Mário de Andrade era o que se poderia denominar um intelectual, aquele que, ao lado de suas especializações ou vocações, se interessava pela cultura de um modo aberto, geral. Foi crítico interessado, importava livros, discutia, formava grupos – enfim, personalidade evoluída e cosmopolita, intelectualmente dentro de seu tempo. No segundo caso, o romancista, também pairava uma aura. Justa? *Macunaíma* é um fracasso com F maiúsculo, mas um fracasso saboroso na superfície. *Amar, Verbo Intransitivo* tem atmosfera, algumas situações, mas é, na sua despretensão, um ócio menor. Um outro Andrade, o Oswald, no romance ou – para sermos mais radicais – na prosa, o supera cada vez mais com o tempo, seja em uso de língua, seja em estrutura. O *João Miramar* está aí, reeditado nas livrarias, à vontade para todos. Mesmo no conto, talvez o prato forte de Mário, o tempo vem sendo algo implacável em sua erosão. Veja-se, por exemplo, *Nusia Figueira, Sua Criada*, dando a impressão de um desvelo maneirista, assim como outros contos; ou então aqueles que morrem pela boca da anedota. Enfim, hoje, além de Oswald, pensando em Machado, Guimarães Rosa, Graciliano Ramos ou Nelson Rodrigues, muito difícil pensar na prosa de Mário em termos de primeiro time.

Mas há uma terceira hipótese, o Mário poeta. Aí – sim – não é surpresa para quem o lê, de fio a pavio, o seu texto acompanha o tempo, ou se insere no tempo da história. Até hoje, não se fez uma revisão a sério da poesia completa de Mário de Andrade, de ponta a ponta: coisa que não exigiria muita paciência, pois MA esfuzia na linguagem, empurra o leitor com a sua técnica de montagem e talvez como ninguém haja sabido dar o espírito de 22 no verso livre, lavrando o coloquial, o cotidiano e a flitada na retórica. E também o humor. Ou o poema-pílula. E Mário de Andrade possui também o seu grande poema – "O Carro da Miséria" – assim como João Cabral o tem com a "Fábula de Anfion", por exemplo, Drummond com "A Flor e a Náusea", Haroldo de Campos com a "Cyropédia", Sousândrade com "O Inferno de Wall Street", Luís Aranha com o "Poema Giratório", Décio Pignatari com "O Jogral e a Prostituta Negra", Mário Faustino com o "22 de Outubro", Augusto de Campos com "Ad Augustum Per Angustia", Ferreira Gullar com "O Galo", ou Vinícius de Morais com as *Cinco Elegias*. Dentro da relatividade, já é muito ter e encontrar o poema-chave, o poema-substância, em suma, o *Waste Land* particular. Isso não ocorre ao lermos a obra completa de muitos poetas considerados "grandes", maiores do que ele, como Manuel Bandeira, Jorge de Lima (*Invenção de Orfeu* é só longa e altamente desigual, com grandes altos e baixos), Cecília Meireles, Cassiano Ricardo, Oswald de Andrade (grande no radicalismo da despoetização antropológica), Augusto Frederico Schmidt, Murilo Mendes. Estamos usando o termo grande como sinônimo da alta manifestação estética.

O corpo de obra de Mário, em sua respeitável extensão, reserva inúmeras peças antológicas e – o que é de se notar – arriscando-se bastante ao publicar muito, teve um saldo expressivo no perde-ganha da luta com a palavra. São vários os livros de poemas que publicou: *Paulicéia Desvairada*, *Losango Cáqui*, *Clã do Jabuti*, *Remate de Males*, *O Carro da Miséria*, *A Costela do Grão Cão*, *Livro Azul*, *Lira Paulistana* e *O Café*. Muitos livros, mas também muito o que ler.

É só começar um *travelling* ligeiro e mais ou menos cronológico pela obra de MA para irmos encontrando às múltiplas conchas dos *touchstones* (pedras de toque) ou dos poemas que merecem ir para as antologias.

1) *Paulicéia Desvairada*. A começar pelo insólito da dedicatória do autor a ele próprio, em 14.12.1921, o seu prefácio, em que instaura o desvairismo. Nesse livro, logo de saída, citar a "Ode ao Burguês", também, de saída, muito mais agudo em sua "participação" do que maior parte da ourivesaria retórica-lamuriosa que se faz agora: "Eu insulto o burguês! O burguês-níquel, / o burguês-burguês! / A digestão bem fei-

ta de São Paulo! / O homem-curval o homem-nádega! / O homem que sendo francês, brasileiro, italiano, / é sempre um cauteloso pouco-a-pouco!". Nesse poema, os pontos de exclamação obedecem a uma repetição intencional ao longo de todas as frases. Com a epígrafe mallarmaica, *une rose dans les ténèbres*, o poema "Tristura" ("E tivemos uma filha, uma só... / Chamei-a Solitude das Plebes..."): montagem, fanopéia, colagem, distorção funcional. A seguir, o mais do que antológico "Domingo", 22 típico – vanguarda, crítica ética e social, anarquismo, linguagem aguda, com o fabuloso "e também as famílias dominicais por atacado / entre os convenientes perenemente...", além da dinâmica da imagem-montagem: "Central. / Drama de adultério. / A Bertini arranca os cabelos e morre. / Fugas... Tiros... Tom Mix!"). Quanto mais a citar? "O Domador" ("Lânguidos boticellis a ler Henry Bordeaux/ nas clausuras sem dragões dos torreões..."); "Anhangabaú" ("Prurido de estesias perfumando em rosais /o esqueleto trêmulo do morcego..." – distorção rococó das imagens, em contraste com o cotidiano); "Noturno" ("o estelário delira em carnagens de luz"); "Tu" – "Oh! Incendiária dos meus aléns sonoros" – um exemplo frisante de uma constante de Mário, a distorção, o desfocamento caricatural do lirismo; enfim, "As Enfibraturas do Ipiranga", denominado por ele como oratório profano, uma farsa virulenta nacional-social!, teatralizada, a peça mais ambiciosa, desigual, marcante de *Paulicéia Desvairada*.

2) *Losango Cáqui*. Logo o primeiro poema, "Máquina-de-escrever" (B, D, G, Z, "Remington") é uma meditação sobre a mecanização do escrever, considerações em torno das letras. Vários poemas especializados, a precisão de montagens e justaposições, como exemplo do poema VII, que termina com Rua dos Involuntários da Pátria. "O Alto" é uma peça típica da vanguarda na fisiognomia do movimento, perturbada pela piada ao término. Porém, habitualmente, ocorre a invenção: Mário tinha a piada bem acionada pelo *mot juste*. "A Escrivaninha" é uma demonstração exemplar de ritmo de dicção em versos de oito sílabas. O poema XXXVII é pedra de toque do poema-pílula prosaíco: "Te gozo!... / E bem humanamente, rapazmente. / Mas agora esta insistência em fa-

zer verso sobre ti". "Toada sem Álcool" é um Mário quase *à la* Fernando Pessoa. Quanto a "Rondó do Tempo Presente" é o testemunho visual-sincopado daqueles *twenties*: "Século Broadway de gigolôs, boxitas e pansexualidade!".

3) *Clã do Jabuti*. Dedicado a Manuel Bandeira, o longo poema "Carnaval Carioca" é um dos pratos fortes da obra de MA ("A fornalha estala em mascarados cheiros silvos"), nos carnavais líricos de Bandeira ("Você também se foi rindo pros outros / Senhora dona ingrata / Coberta de oiro e prata"). "Viuvita" traduz outro exemplo do poema-anedota. Mas melhor *exhibit* ainda nesse sentido é o "Coco do Major" a história versificada do major Venâncio da Silva que guardava as filhas "com olho e ferrolho". Na faixa participante é o "Acalanto do Seringueiro", a era da borracha sob um prisma não-intelectualizante do escritor que termina o poema na especialização.

4) *Remate dos Males*. Logo a destacar, o longo poema, "Danças", espacializado, ligeiras variações tipográficas, o posicionamento das palavras, tudo conduzindo a uma tentativa de movimento figurativo do tema-título, numa peça perfeitamente defensável em seu acabamento, mormente tomando-se em consideração a época em que foi realizada. "Amar sem Ser Amado, ora Pinhões" é outro poema longo de Mário de Andrade a merecer registro: a linha "Cobière-Laforgue" muito bem captada no toque 22; ritmo, na fusão do enjambement com a rima-surpresa: "Fumo... Assombrações ...Não te / Largo mais, Iara do Tietê", "Cantiga do Ai" consiste noutra carga crítica contra o lirismo ou romantismo *fin de siècle*: todos os versos compõem uma seqüência de lugares-comuns e exclamações, simetria rompida e recondicionada semanticamente pelo verso final destoante – "Moçada se amando no imenso Brasil!..." – gaiato, prosaico, piada contra piedade. "Lenda das Mulheres de Peito Chato" é, no todo, desigual, mas tem uma das pedras de toque de Mário, com o verso conceitual-proverbial: "Casar é uma circunstância / Que se dá, que não se dá / Porém amar é a constância".

5) *O Carro da Miséria*. Um dos melhores livros com um poema só de MA. Sátira aguda, deboche, necrofilia, versos insólitos como estes: "És virgem / Virgem nasceste virgem

morreste ôh soneto / Vejo tua estrela morta no teu corpo frio / Onde os restos fazem ninho". A crítica concentra na palavra valise: "cibalização cristã". Virulência: "Não foram esses heróis, heróis revolucionários / Que ficaram heróis herói revolucionários / Martirizados pelo encalhe do café / Não foram esses heróis vestidos de farda e farsa / Capazes de vencer na luta pizzico-física / Crentes ainda de corage e covardage / Que fizeram vosso dia / Não nasceu o salvador". Ou então o desfecho que vale a pena transcrever na íntegra: "Oi Tu Misemiséria / Tens de parir o que espero / Espero não! Esperamos / O plural é que eu venero / Nasce o dia canta o galo / Miséria pare vassalo / Pare galão pare crime / Pare Ogum pare cherém: / Pois então há de parir / Nossa exatidão também". Possivelmente o grande poema de MA – épica verbal participante, política e humanística. Há de tudo: fanopéia, ritmo ágil, violentação sintática, piada boa, *touchstones*.

6) *A Costela do Grão Cão*. "Momento" é uma experiência algo surrealista dentro da versatilidade do autor. "Luar do Rio", de dezembro de 1938, dá a impressão de influência de Drummond, enfim o volume menos interessante da obra de MA.

7) *Livro Azul*. A renitência paulatina com os poemas longos que não eram o forte do criador de *Macunaíma*. Outro livro mais fraco.

8) *Lira Paulistana*. Recuperação do fracasso. Há um bom poema *à la* Fernando Pessoa: "Vaga um céu indeciso entre nuvens cansadas / Onde está o insofrido? O mal das almas /Quase parece um bom na linha das calçadas / A palavra se inutiliza em brisa calma" – contraponto entre o concreto e o abstrato, entre a imagem e a meditação; competência. Ou então: "Na rua Aurora eu nasci / Na aurora de minha vida / E numa aurora cresci". Ou mais a ação-gozação participante: "Plutocrata sem consciência / Nada porta terremoto / Que a porta do pobre arromba / Uma bomba". Também vale mencionar o poema sobre o Rei dos Reis, com o eco bizarro no ótimo contraponto sonoro-caricato. Enfim, "Meditação sobre o Tietê" um dos seus poemas mais longos, mais famosos, com grandes achados, alta dicção, verso desembaraçado, fazendo um eco anterior ao "Rio de João Cabral", ou com essa outra variante vibrante da forma-flor: "São formas...

Formas que fogem, formas / individuais, se atropelando, um tilintar de formas fugidias / Que mal se abrem, flor, se fecham, flor, flor, informes, inacessíveis".

9) *Café*. Teatro-poema. Outro esforço participante de Mário, muito mais agudo, virulento, com todos os laivos de pieguice grandiloqüente em seu estouro dada-futurista do que o academicismo flor de laranja dos "participantes" que, hoje, operam metáforas elaboradas. *O Café* é muito discutível em sua liberdade formal, mas marca a inquietação, a abertura do escritor até o fim da vida.

No perde-ganha nacional, poucos poetas se comparam a Mário de Andrade. E pela sua atualidade, a sua obra poética não pode permanecer espremida na lombada de um livro de biblioteca apenas como pasto de consultas e citações eruditas [*Correio da Manhã*, 11.6.1967].

Mário Faustino

Poeta, tradutor, divulgador de Ezra Pound, crítico impiedoso aberto à vanguarda, o piauiense Mário Faustino não admitia entre seus critérios de análise a amizade ou a conveniência. Morreu aos 32 anos, deixando a meio pensamento e obra. Agora, 23 anos após o acidente aéreo fatal, é editada uma seleção dos seus melhores poemas.

O poeta e sua hora

"Existencial narciso mais que fisionômico espelho-indiferente mira-se nas calendas: seis e vinte, vinte e seis voltas vem de re volucionar em torno de seu próprio ser e sol."

O trecho acima, reflexo pessoal, cartão de visitas da dicção e versificação criadora de Mário Faustino – abertura do poema, cujo título é uma data – "22.10.1956" – data em que saudava os seus 26 anos de existência.

Era também a época na qual, aqui no *Jornal do Brasil*, acelerava a sua grande trajetória, não só de poeta, mas de renovador da crítica de poesia, de ensaísta, tradutor, lançador de novos autores. A sua página, "Poesia-Experiência", logo se transformou num ponto de referência obrigatória para quem se interessasse pelo assunto. E o SDJB marcou em definitivo uma presença instigante e renovadora dentro do panorama da literatura e das artes, com a publicação dos produtos dos movimentos de vanguarda, em especial, a poesia concreta e, depois, a poesia neoconcreta. Enfim, o que havia de "prafrente" também no romance, artes plásticas, cinema, teatro.

Mário, de certa forma, encarnou a alma de quase tudo. Não se encaixava como poeta de vanguarda, porém aceitava, debatia compreendia o que estava formulado nos movimentos. O seu fazer, aliás, absorvia o que lhe parecia assimilável da obra dos inventores. Veja-se o que fez no seu "Soneto" (Bronze e brasa na treva: diamantes), no qual os decassílabos são especializados, a fim de conferir uma segunda variante rítmica à mais exercitada das formas fixas em diversas línguas. Ou então as experiências em outros poemas, como o já mencionado "22.10.1956", "Cavossonante Escudo Nosso", "Ariazul" ou "Marginal Poema 19".

Do grupo de poetas de nossa geração que promoveu sistematicamente a divulgação da obra de Ezra Pound aqui no Brasil, foi o mais poundiano de todos: não apenas na teoria, mas principalmente na prática. E foi nesse sentido que se transformou no maior crítico militante de poesia em nossa literatura. Vários autores, até então habituados ao elogio fácil e à promoção nas colunas tidas como literárias, desfrutantes, desfrutários e/ou desfrutáveis no transe da permuta de encômios no âmbito de suas curriolas, encontraram seu Waterloo na crítica de Mário. Foi uma espécie de choque cultural: os vates laureados, os velhos medalhões não estavam habituados a isso. Não me lembro de qualquer um que haja polemizado com ele, embora MF oferecesse o flanco da sua própria poesia.

Seu longo artigo sobre a poesia concreta e o momento poético brasileiro, publicado em fevereiro de 1957, agitou os arraiais. Nele, examinava a obra e a atuação daqueles que considerava os melhores poetas da época (Drummond, Bandeira, João Cabral, Cecília Meireles, Murilo Mendes, Vinícius, Jorge de Lima, Cassiano Ricardo), em comparação com os vanguardistas (Augusto de Campos, Décio Pignatari, Haroldo de Campos e Ferreira Gullar) e procurava mostrar a importância do movimento concreto. Apresentava exemplos de poemas em verso desses últimos a fim de evidenciar a capacidade que possuíam para gerar uma situação, pelo menos, crítica. Mas as suas especulações estéticas, a partir da condição básica de poeta, giravam em torno de todas as modalidades de manifestação. Discutia, debatia, interessava-se sobre cinema, teatro, balé, música erudita ou popular, artes plásticas, arquitetura. Assim como, de imediato, colocava observações ou comentários ao lado dos nossos poemas, fazia o mesmo com inúmeros livros que lhe passavam pelas mãos. Lembro quando me devolveu o volume das obras completas de Cassiano Ricardo, então recém-editadas, que pedira emprestado a fim de consumar um longo ensaio – quando, para espanto e escândalo de muitos, considerava Cassiano um "diluidor" (consoante a classificação de Ezra Pound, o diluidor ficava abaixo do inventor e do mestre). Dias depois, ao remexer as páginas do livro, verifiquei que ele havia escrito a lápis, nas folhas finais que estavam quase em branco, um miniensaio a respeito do teatro na atualidade – texto que começa a pairar como raridade.

Colocava nas nuvens o *Rashomon* de Kurosawa, vibrava no balcão nobre do Teatro Municipal, emitindo seus "bravo!" "bravissimo!", fosse ao término de uma ária de ópera ou diante do Ballet Bolshoi ou do *pas-de-deux* do *Cisne Negro* com Rosela Hightower e Sergei Golovine. A euforia como um estar privilegiado. E oralizava como poucos os versos em várias línguas. A fita de rolo, com Mário recitando Fernando Pessoa, Rimbaud e Pound, se perdeu num absurdo caso de acaso. Ficou uma crônica de Carlos Heitor Cony ("O Poeta e a sua Voz"), no *Correio da Manhã*, recordando essa mesma voz pouco depois de o poeta haver morrido no acidente aéreo em Lima: "Súbito, um silêncio cai sobre todos nós e o gravador começa a girar". E surge a voz... "Pode ser a voz do próprio Pound, que há o *Envoi* gravado pelo poeta. Mas a voz é outra. E no silêncio que é feito para nós – ou por nós – a presença de Mário Faustino [...] O silêncio explode em nossas nucas e vergamos cada vez mais, à espera de que a fita acabe e tudo volte a ser como antes. Mário – presença física que se toca e que mutila nossas nucas – volta à noite de breu do poema e nos deixa tranqüilos e sofridos".

Não conseguiu firmar o nobre pacto / Entre o cosmos sangrento e a alma pura. / Porém, não se dobrou perante o fato / Da vitória do caos sobre a vontade / Augusta de ordenar a criatura / Ao menos: luz ao sol da tempestade. / Gladiador defunto mas intacto / (Tanta violência, mas tanta ternura) / Jogou-se contra um mar de sofrimentos / Não para pôr-lhes fim, Hamlet, e sim / Para afirmar-se além de seus tormentos / De monstros cegos contra um só delfim, / Frágil porém vidente, morto ao som / De vagas de verdade e de loucura. / Bateu-se delicado e fino, com / Tanta violência, mas tanta ternura!

Mário Faustino dos Santos e Silva nasceu no Piauí (22.10.1930). Ainda na adolescência, mudou-se para Belém e, aos 16 anos, começara a publicar seus poemas e crônicas. Ali também principiou a vida de jornalista. Estudos de língua e literatura inglesa nos Estados Unidos, voltou ao Brasil, trabalhou na Superintendência do Plano de Valorização Econômica da Amazônia, tornou-se alto funcionário da ONU e professor da Fundação Getúlio Vargas, onde nos conhecemos e fizemos amizade, em 1956. Ele acabara de publicar um livro de poemas de alto nível, *O Homem e sua Hora*. Entrei numa sala – Mário datilografava com a velocidade de praxe – perguntei se era do Pará – respondeu que sim – perguntei se conhecia um poeta chamado Mário Faustino – respondeu rindo: "sou eu". Pano. Dias depois, entro na sala do diretor da Escola Brasileira de Administração Pública, Benedito Silva, que, imóvel, ouvia Mário a recitar trecho de *MacBeth*. Pano. Assim era o poeta com suas horas de arroubo, de amor à arte.

A vida cosmopolita, o seu interesse por tudo em volta, identificava-o também como animal político. Discutia política diariamente e foi editorialista desse jornal. Dizia-me numa carta de 29 de março de 1960, enviada de Nova York: "Tudo vai bem por aqui, em suma – mas conto os dias que me separam da volta. Esse Brasil-Macunaíma, barroco e louco, cada vez mais me atrai. Daqui desta distância caminha cada vez mais para a esquerda (felizmente, não a esquerda estalinizante) e vejo que o caminho do Brasil tão grande amado é a neutralidade socialista".

Menos de três anos após, em 27 de novembro de 1962, a morte que era uma presença (ou premonição) freqüente em sua obra decretou a hora. O avião em que viajava para cumprir missão jornalística (Cuba, México, Estados Unidos) estourou em Cerro de las Cruces – Lima – Peru. Seu corpo, destruído, perdido. Eram 32 anos apenas; uma biografia que caminhava para as alturas, cortada cerce. Mas o que legou já não é pouco; o que instigou foi muito [*Jornal do Brasil*, 8.6.1985].

Fé no Verbo

DIZER
Autor: Júlio César Prado Leite.

Conheci Júlio César Prado Leite, em 1951, quando, vindo de São Paulo, incorporou-se ao terceiro ano da Faculdade Nacional de Direito, tornando-se meu colega de turma. Alguns meses depois, ficamos amigos, num encontro casual, diante do maior artista desse século: Charles Chaplin. Local: saída do cinema Vitória, onde, entre risos, lágrimas e até discursos, havia sido reprisado *Luzes da Cidade*. Daí então, estamos até hoje.

Foi Júlio César, naquele mesmo ano, quem me introduziu na obra poética de Augusto de Campos (*O Rei menos o Reino*), Haroldo de Campos (*O Auto do Possesso*) e Décio Pignatari (*O Carrossel*). Cerca de dois anos depois, apresentou-me a Augusto e, a partir daí, veio tudo mais. Conheci Haroldo, Décio e Ronaldo Azeredo e passei a fazer parte do movimento de poesia concreta que eles lançaram em 1956, Enfim, do *noigandres*.

Júlio escrevia contos (um deles foi publicado no SDJB em 1957) e poemas. Mas esses últimos, deixava-os pelas gavetas; alguns, abrigados em meus arquivos. É o exemplo de "Ó Górgona, de Serpes Incontidas" (com cerca de 40 anos) ou de "Blaublick", com seu belo decassílabo final: "ó vil homem da noite em vida posto!". Esse longo ineditismo foi de certa forma causado pela sua incessante atividade de jurista, político e advogado, com projetos de leis, pareceres, ensaios publicados em nível nacional e internacional.

Agora, chega afinal o seu "Dizer": "O que vem na sua voz / está na origem do verbo / eis o vero reverbero / da luz que se sente a sós". Aqui está um *exhibit* do que é predominante na poética de Júlio: as assonâncias e aliterações, rimas e rimas internas, uma palavra à nascer da oura ou, às vezes, emerge um conceito original. Exemplos e exemplos, como "Clave" ou "Solitude" ("Mas me dói a alacridade / do falar contínuo em solitude / que do próprio sol a claridade").

Navega a vida em *esperânsias*. O que aguardávamos era que o poeta viesse a dizer em público o que, há muito, já dizia na discrição de algumas amizades. E assim abriu-se a tenda. Daí em diante, cabe o porvir, ou seja, fé no verbo e pé na tábua: "assim se fecham os tempos/ assim se abrem as manhãs" [*Jornal do Brasil*, 28.3.1988].

O Poeta Pós-tudo

Jornal do Brasil – O que acha da tese relançada por Afonso Romano de Sant'ana de que a obra de um poeta fascista só pode ser fascista?

JLG – O que eu acho dessa mania de quem não leu ser contra, fazer gracinha, esse esquerdoidismo? Acho que o Afonso não leu Pound, e se leu, leu pela rama. É claro que Pound foi fascista. Errou como tantos que acreditaram em Hitler – ou na própria revolução. É esse estruturalismo que acabou com a nossa crítica, o cara faz a crítica sem ler o livro, a crítica da crítica. E agora vem com essa de fascismo. Pound foi mais engajado que Maiakóvski, que encontrou um ambiente revolucionário pronto. Pound, não. Lutou contra banqueiros, contra poderosos donos de jornais e toda sorte de aproveitadores. Pound é o poeta mais revolucionário do século [Trecho de entrevista ao *Jornal do Brasil*, 9.1.1988].

Poesia Aqui e Ali

O que é poesia? O século XX, com a Segunda Revolução Industrial e a era da reprodutibilidade em massa, tornou a recolocar a questão em termos fundamentais. Daí, a quantidade de ismos surgidos. Pelo menos, serviram para mostrar que a arte do verso, não era a única das artes poéticas. Pois esse mesmo verso entrou em crise – não no sentido de dizer que ele acabou, mas que sua perspectiva artesanal é outra.

Como vai a poesia? "A poesia vai bem, obrigado". Esse blá-blá-blá, em certas entrevistas de um coloquialismo pseudo-informal – baforadas de euforia em volta do óbvio – apenas tenta disfarçar a impotência de alguns medalhões para enfrentar o problema. Para a ignorância, a falsa modéstia cai sob medida. E não adianta citar os clássicos: eles vão bem, obrigado.

Como os modernos que, sem se terem afirmado como vanguardistas, souberam forjar o grande dizer, aquele dizer que faz pensar, a "emotion recollected in tranquility": Rilke, Auden, Eliot, Valéry, Fernando Pessoa.

Então, de onde vem a poesia? Retornemos ao fazer inaugural (*poiesis*): pode vir de tudo.

Será, por exemplo, exclusivamente prosa o teor de dois textos ("Noosfera" e "Phaneron") de Décio Pignatari? Ali, o processo de concepção de texto mostra-se mesmo no rio de Heráclito, quando qualquer lei racionalista entra em pane. Aléias da *álea*. Aliás, se, como diz Whitehead, o processo é a permanência do infinito nas coisas finitas, estamos diante de um Pignatari pré-socrático.

Não há título. Ou melhor, há sim: é o pequeno retângulo preto sobre a capa retangular branca. Trata-se do terceiro dessa modalidade que se pode chamar de livropoema, que Ronaldo Azeredo vem publicando. Vira-se para a primeira página – uma folha transparente apresenta um retângulo maior (equivalente a um oitavo de página) a encerrar, inteiramente esmaecido, como que poluído, um trecho de paisagem. No papel couché, à medida que avançam as páginas, os pequenos retângulos pretos passam a multiplicar-se, como enxame, até que a figura (o preto) se transforme em fundo. Sempre intersecionada, entre cada folha, aparece a página transparente com o retângulo de um oitavo, variando apenas a localização desse e o trecho de paisagem esmaecida. No fim, a surpresa. O que era o óbvio para o ser humano, tornou-se resplandecente: a contracapa em cores, com o azul do rio e o verde das montanhas. A única coisa não-racional do livro. Mas, para ter chegado a isso, todo o processo foi racionalizado: a luta do computador (os pequenos retângulos) contra a paisagem, ou a luta da máquina contra a natureza. Essa, aliás, não tem nada a ver com razões superiores, é amoral, como diz Auden: "só pode amar a si própria". Enquanto que quem inventou a desumanidade foi o próprio homem... [*O Estado de S. Paulo*, 27.1.1974].

4. POESIA CONCRETA

Uma Nova Estrutura

A poesia concreta é uma poesia de invenção constante por nela ser, exatamente, a consumação estrutural, a "mensagem" do poema. Esse formula uma função e se esgota nisso. Não consiste em símbolo de nenhuma opção subjetiva do autor, por meio de qualquer tema inspirado diretamente por seu particular sentimento do mundo. A triagem racionalizante dos elementos de composição a que o exprimir de uma função exige, elimina fatalmente toda possibilidade de plasmar o ato criativo numa atitude individualista, ser a contextura da peça uma gama de "sentimentos indefiníveis", de "imagens transcendentes". O poema é um dado tipo de processo e, alcançado tal objetivo, liqüida qualquer pretensão de ser repetido a título de alguma outra variante conteudística. Em conseqüência, não inaugura uma fórmula artesanal a ser permanentemente aproveitada. Uma só fórmula-matriz que se basta. Portanto, cada poema surgido *a posteriori* deve constituir forçosamente em nova invenção.

A arte concreta, isso é, não-icônica, segue um desenvolvimento paralelo àquilo que Jean Ladrière, na sua *Filosofia da Cibernética*, e em oposição ao critério clássico de uma distribuição vertical da realidade, chama de "uma representação horizontal do real": "A imagem de um mundo de objetos repartidos em alguns grandes reinos organizados hierarquicamente não corresponde mais do que a uma apreensão qualitativa ainda muito superficial". Essa teoria cederá lugar continuamente a uma representação mais funcional que não se interessa tanto pelo aspecto exterior das coisas quanto pelo seu modo de funcionamento. A linguagem dessa representação será cada vez mais matemática e poder-se-á fazer corresponder às diferentes zonas de comportamento, diferentes zonas de estruturas matemáticas.

O poema abaixo, de Décio Pignatari, dentro das rigorosas concepções racionais de estrutura, abre novas perspectivas de encarar a problemática, mediante o emprego até então inusitado dos elementos-chave que elaboram um jogo de relações.

caviar o prazer
prazer o porvir
porvir o torpor
contemporalizar

Desprezando o valor do efeito sonoro como recurso primordial de imediata agenciação estrutural e também, ao mesmo tempo, recusando qualquer reiteração de caráter visual, por uma propositada neutralização do uso substantivado da função espaço (a não ser uma necessária disposição ordenada que a própria lógica das relações implica), elabora um poema cujos elementos operam inteiramente no plano semântico.

Numa primeira tomada de contato, observa-se a justaposição de três breves orações sem sujeito e de, na última linha, uma palavra montada, *contemporalizar*, isso é, composta a partir de sílabas e segmentos diversos de várias palavras e que lhe conferem um significado particularmente amplo, gerado pela imposição de uma plurivalência semântica (contemporizar, contemplar, temporalizar, temporizar, oralizar). Esse tipo de palavra composta remete-nos diretamente ao artesanato joyceano: o *steelyringing*, de *Ulisses*, ou o *silvamoonlake*, de *Finnegans Wake*, por exemplo.

A originalidade do poema, entretanto, não reside só e principalmente na convocação dessa palavra, que, aliás, se reporta, em si mesma, a um critério de construção pertinente à ultrapassada fase do concretismo poético, denominada orgânica ou fenomenológica. Está na utilização de outras palavras-elementos. Essas apresentam uma reversível dualidade de funções gramaticais: verbo e substantivo – agente e objeto. Sempre dispostas, duas a duas em cada linha, e separadas pelo artigo *o*, elide-se naturalmente a ambigüidade no momento da aplicação: a que vem antes é sempre verbo, e a que vem após, sempre substantivo. A seguir, na linha imediata, cumpre-se a reversão: a palavra que era utilizada acima como substantivo (em segundo lugar), repetida em colocação oposta, passa a atuar como verbo. E o circuito de conversões corre até *contemporalizar* que, justamente, em termos de função, exprime a ambigüidade dos dois casos, pois, simultaneamente verbo e substantivo, invoca um constante retroativamento do mencionado circuito. Paralelamente, constitui o instante de máxima rarefação, o perfeito índice de concentração isomórfica dos elementos.

O desdobramento cronológico das nossas quatro conjugações, com a volta à primeira no sufixo da palavra composta, reafirma a qualidade do fluxo-circuito verbal-substantivante. Caviar, prazer, porvir e torpor; curioso notar que, com exceção da segunda, todas as outras são apenas substantivos na língua portuguesa. Contudo, o modo de relacioná-las entre si e a técnica da repetição, trazendo a forte incidência dos sufixos, desperta logo a sensação de um perene acionamento verbal.

Se, aparentemente, essa recorrência aos verbos pode proporcionar a impressão de um apelo a um nexo de causalidade de feição discursiva (princípio-meio-fim), tal impressão permanece, todavia, somente na aparência mesma. A estrutura do poema não é adjetiva a uma expressão, ela é, como no caso das outras peças concretas, uma estrutura-conteúdo, substantiva. O poeta concreto usa a palavra em seu máximo poder de abstração, quer dizer, nula no tocante a qualquer possibilidade de referência à realidade em si própria a fim de transmitir uma função. Ocorre que, no exemplo dessa criação de Décio Pignatari, não se trata apenas da palavra abstraída de qualquer lastro de invocação subjetiva, mas também da frase. Frases infinitivas, cujos níveis semânticos inter-relacionados regulam-se ao mesmo tempo em propulsão uniforme. E aí está a riqueza de uma nova conquista no terreno da estrutura, do incentivo ao leitor na procura daquilo a que Von Ehrenfels[1] denominava Gestaltqualität.

Por outro lado, "caviar o prazer", dentro dos desígnios da arte concreta, traz maior contribuição no ampliar as perspectivas para a idéia de uma obra participante de fato, em virtude da clareza e imediatidade dos seus efeitos, que em nenhum instante invocam a extrema necessidade de um ângulo de visão intelectualista a fim de apreendê-los e caracterizá-los [*Correio da Manhã*, 31.10.1959].

Reto, Direto e Concreto

Quando o recente movimento vanguardista na poesia se denominou como concreto, não queria, com isso, alegar pejorativamente que todos os poemas, até então compostos, eram abstratos. A causa de certas nomeações, via de regra, está muito mais vinculada à ênfase imprimida a um dado termo em situação. Sob uma visão generalizante, desde Homero, passando por Dante, Baudelaire ou Eliot, todos são concretos; até mesmo o mais ingênuo dos bardos provincianos. Hoje em dia, a especulação filosófica já chegou a essa conclusão, lapidarmente enunciada por um dos maiores pensadores de nossa época, Ernst Cassirer: a linguagem e a ciência são abreviações da realidade e, a arte, uma intensificação da realidade; enquanto a linguagem e a ciência dependem de idêntico processo de *abstração*, a arte pode ser descrita como um processo contínuo de *concreção*. Daí, todo artista cria concreções. São as chamadas formas simbólicas ou, então, os objetos virtuais, assim denominados com o fito de diferenciá-los dos objetos reais, de consumo utilitário, ou das formas da natureza.

---

1. Maria Christian Julius Leopold Karl, Barão Von Ehrenfels (1859-1932), filósofo austríaco célebre por ter introduzido o termo Gestalt ("forma", "figura") em psicologia e por sua contribuição à teoria dos valores.

No campo estético, a origem do termo *concreto* vem das artes visuais e quem primeiro o empregou, há mais de trinta anos, foi o pintor Theo Van Doesburg. Posteriormente, o seu uso consolidou-se na intenção de distinguir, dentro da arte abstrata ou não-figurativa, a sua vertente do racionalismo geométrico ou formas puras, da vertente oposta, subjetivista ou de sensibilismo. Desse modo, a missão do artista não mais seria a de retratar anedoticamente, com maiores ou menores deformações expressivas, fatos e coisas da natureza ou do universo que nos rodeia e, sim, deduzir por decomposição, e até a abstração pura, as formas constantes desse mesmo universo e plasmá-las espacialmente num ritmo puramente visual. Piet Mondrian, o maior nome de pintor-teórico no período inicial do abstracionismo e fundador do movimento neoplasticista, dizia que o maior tema não era a evocação da luz, solar ou luminosa, ou qualquer sentimento profundo do autor, mas, sim, o conflito da linha horizontal com a vertical: "isso está em toda parte e significa a vida".

Se, nas artes plásticas, o primeiro alvo de destruição era o figurativismo, na poesia concreta, o objetivo primordial era liquidar com a sintaxe discursiva a fim de daí partir para uma reconstrução por um método diferente de compor – ideográfico ou por justaposição. Verdade é que a sintaxe discursiva já tinha enfrentado grandes ou pequenas escaramuças de alguns "ismos", correspondentes a vanguardas de maior ou menor duração: dadaísmo, futurismo, *sonorismo*, letrismo etc. Por outro lado, o surrealismo, a corrente que, até então, galvanizara maior número de adeptos e mantém a sua permanência, no auge da evidência da sua própria fundamentação irreal e anti-racional, acabava ou distanciava irreparavelmente o poder alusivo da linguagem. Se um poeta como Garcia Lorca, mediante o seu insólito e vigoroso arsenal metafórico fala, por exemplo, em "camelos sonâmbulos das nuvens vazias", apesar de toda e qualquer dificuldade de apreensão para o leitor, existe uma inobjetável intenção alusiva, há um referente e um referido. Já, por seu turno, quando André Bréton fala em "meu revólver de cabelos brancos", temos o surrealismo em seu ápice, dentro das conseqüências de tornar alienante qualquer tentativa de formular um esquema de referências.

Foi partindo dessas constatações relativas ao discurso e que estava, forçosamente, levando a quase totalidade dos melhores poetas a uma autêntica torre de marfim, fechando cada vez mais as possibilidades de comunicação, que o grupo *noigandres* (Augusto de Campos, Décio Pignatari e Haroldo de Campos) elaborou o elenco básico de autores, de cuja obra decorreria, numa visão de conjunto, a instigação para criar um novo tipo de estrutura poemática, de tendência eminentemente construtiva e, assim, em termos opostos ao espírito surrealista e de outras correntes. Esses últimos já tinham dado por encerrada sua tarefa meramente destrutiva.

Os quatro mencionados autores são Mallarmé, Joyce, Ezra Pound e Cummings. Mallarmé, o maior vulto do simbolismo francês, poeta de extremos requintes artesanais para o verso, até hoje, de difícil acesso à compreensão, mesmo dos mais iniciados. Mallarmé, com seu último poema, "Um Lance de Dados", quebrou com a continuidade linear do verso, fragmentou a linguagem discursiva, utilizou o espaço em branco de folha de papel e as variações tipográficas como elementos criativos. E o poema funcionava mediante o manuseio de páginas, cada qual com a sua necessária consumação gráfica. Era a grande arrancada. Depois, James Joyce que, levando ao máximo de intensificação o princípio da *palavra-valise* de Lewis Carroll, acionou inventivamente toda uma nova morfologia. Trata-se de novas palavras, formadas por meio de justaposição ou aglutinação de duas ou mais palavras, como por exemplo, *ninfantil* = ninfa + infantil. Em seu último romance, *Finnegans Wake*, ele impeliu esse processo às mais drásticas conseqüências, construindo uma obra de estrutura circular, que começa pela parte final de uma frase, cujo início está no fim do livro e que, segundo alguns exegetas, pode ser lida a partir de qualquer página, até outra vez chegar a ela.

Ezra Pound, talvez o maior crítico pragmático da era moderna, revolucionou toda uma geração com suas idéias saneadoras, algumas discutíveis, mas tendo o mérito de sacudir a literatura inglesa do marasmo em que se encontrava. Fez valiosas traduções, dos clássicos até os modernos, e ressuscitou inúmeros poetas estrangeiros em seus próprios países de origem. Como poeta, adotando os critérios ideográficos do chinês, transplantou-os para a sintaxe ocidental e, dessa maneira, elaborou a sua maior obra – os *Cantos* – à base de justaposição de fragmentos discursivos e, por sua vez, cada canto em justaposição ao outro, vai-se formando o seu *cosmos* peculiar. Quanto a Cummings, deu, isoladamente, diversas estocadas contra o verso: empregou a variação tipográfica, as palavras-valise, e o espaço e os recursos gráficos como elementos de composição.

Muitos outros poetas apresentam vestígios "concretizantes" em sua obra, como Lorca, William Carlos Williams ou Dylan Thomas e, aqui no Brasil, também vários escritores formados no movimento de 1922 oferecem a sua contribuição isolada para a nova perspectiva.

Ao mesmo tempo, condições atuais de infra-estrutura, parecem solicitar o tipo de comunicação da arte concreta: a Revolução Industrial, com seu desenvolvimento até a automação, a cibernética; a descoberta da lei da relatividade, a passagem de uma perspectiva mecânica para uma eletrodinâmica. São novas condições socioeconômicas de vida e comportamento e que, indiscutivelmente, influem nos meios de comunicação – forma e informação.

O movimento de poesia concreta foi lançado em São Paulo, em dezembro de 1956 e, logo depois em fevereiro de 1957, transferiu-se para o Rio, no Ministério da Educação. A repercussão foi ampla, e, como de hábito, surgiram as interpretações fantasiosas e o escândalo: manchetes, conferências, polêmicas. Alguns intelectuais de direita achavam que era brincadeira de meninos malcomportados e os de esquerda tachavam-nos de reacionários. Enquanto isso, o *Jornal do Brasil* abria seu suplemento literário, no qual os concretos continuavam a desenvolver suas teorias e apresentavam poemas. Posteriormente, Ferreira Gullar e Reynaldo Jardim desligaram-se do movimento por discordar do seu sentido e fundaram o grupo neoconcreto.

O concretismo poético não se estendeu apenas pelo Brasil. Também no exterior. Já na época de seu lançamento, havia, na Europa, um poeta suíço-boliviano, Eugen Gomringer, que praticava um idêntico tipo de poesia e também acedeu conferir a suas experiências o nome de poesia concreta. Depois, o movimento não só encontrou eco nele, porém estabeleceu focos na Alemanha, Áustria, Suíça, França e até no Japão. Duas importantes exposições já foram levadas a efeito no exterior: uma no Museu de Arte Moderna de Tóquio e outra em Stuttgart (Alemanha), patrocinada pelo filósofo Max Bense.

Os poetas concretos, a par do movimento, desenvolveram intensa atividade cultural, divulgando e traduzindo diversas obras teóricas e artísticas de autores estrangeiros, bem como, há pouco, descobrindo a inestimável importância de um poeta nosso – Sousândrade – soterrado, sob o epíteto de louco ou extravagante, há bem mais de cinqüenta anos. Isso se verificou já no *Correio Paulistano*, em que, durante cerca de um ano, foi mantida uma página de vanguarda denominada *invenção*, criada sob o interesse e o estímulo do poeta Cassiano Ricardo, que permitiu a reabertura de uma dialética entre as constantes de 22 e do concretismo. Essa página seria substituída por uma revista, dentro do mesmo espírito.

O poema concreto visa, naturalmente, a forjar um novo tipo de sensibilidade. Não se trata de desprezar o nível semântico das palavras e apenas se preocupar com a consumação gráfica, como muitos pensaram. O que a palavra diz é preservado, mas condicionado primordialmente à situação estrutural dessa mesma palavra, num jogo de relação no qual também entram, dependendo do poema e da maior ou menor ascendência, os aspectos óticos e sonoros. É um puro problema da forma que se ergue; contudo, aqui, não se deve entender forma como fôrma, formato ou formalismo e, sim, como estrutura, ou melhor, um dado processo deduzido entre elementos empregados e suas respectivas relações. Não é um tipo de arte expressiva, na qual o artista cunha imediatamente o seu temperamento, porém uma modalidade funcional, quando ele procura deslindar uma atual cosmovisão por meio de uma comunicação simplesmente estrutural e de alcance geral. Clareza e concisão. Para o futuro, resta unicamente saber se essa participação de fato, a que se propõe, é uma utopia ou se a especialização crescente do mundo moderno, em lugar de criar compartimentos estanques, permitirá ao homem, devido à sua própria intensificação, que chegue intuitivamente a vislumbrar com mais facilidade o caráter puramente formativo ou processualístico das coisas [*Correio da Manhã*, 6.6.1962].

Poesia Concreta – Síntese Teórico-histórica

1) Haroldo de Campos: a poesia concreta visa a ser uma composição de elementos de linguagem, organizados éticoacusticamente no espaço gráfico por fatores de proximidade e semelhança.

2) O poema concreto impõe uma estrutura verbivocovisual (isso é, semântica, sonora e visual, na qual, em termos criativos, os aspectos gráfico-visuais e sonoros podem ter igual ascendência comunicativa ao semântico).

3) A poesia concreta quer colocar em cheque a linguagem discursiva como único meio básico de criação dentro daquilo que ainda é miseravelmente considerado como "literatura".

4) A Segunda Revolução Industrial com a automação, a cibernética, a teoria da informação e os meios modernos mais rápidos de comunicação (telex, telegrama, telefone, rádio, televisão, anúncios luminosos, propaganda etc.) forjaram uma infra-estrutura que recondiciona a criação.

5) Elenco de autores básicos que, segundo os organizadores do movimento, permitiram que uma visão concretista de poesia: a) Mallarmé, com "Un coup de dés" – o problema do acaso aliás uma das questões mais instigantes da ciência, hoje em dia; b) Ezra Pound – com os *Cantos*, adaptação da sintaxe analógica da linguagem ideográfica, na montagem dos blocos de versos; c) James Joyce – *Finnegans Wake*, a palavravalise, *portmanteau* (como em Lewis Carroll), microestrutura de um romance circular, no qual o tema principal é a própria linguagem; d) E. E. Cummings: fragmentação do verso, sinestesia expressionista, fisiognomia espacial, com jogo posicional de letras e/ou palavras e mesmo sinais gráfico-gramaticais.

6) Outros autores importantes, a contribuir para uma visão do problema não só da poesia, mas do texto moderno; (poesia e revolução, "não há arte revolucionária sem forma revolucionária"), Apollinaire (*Caligramas*, "é preciso que a

nossa inteligência se habitue a pensar sintético-ideograficamente em vez de analítico-discursivamente"), William Carlos Williams (espacialização, poemas-sínteses), Federico García Lorca, Gerard Manley Hopkins e, muito em especial, a contribuição de outros movimentos de vanguarda nesse século, como dadaísmo, futurismo, surrealismo, letrismo, sonorismo etc., principalmente os dois primeiros. No Brasil, a grande linhagem da invenção sai de Sousândrade e vem, através de 22 (Luís Aranha, Oswald de Andrade, principalmente [o poema-pílula, exemplo "amor/humor"], Mário de Andrade), até João Cabral de Melo Neto, um corpo estranho e superior dentro da geração sonerrosetista de 1945.

7) Em 1952, é publicado o livro *Noigandres 1*. Em 1954, sai *A Luta Corporal*, de Ferreira Gullar. Em 1955, *Noigandres 2*, com os primeiros que podem ser considerados concretos, de autoria de Augusto de Campos. Em 1956, *Noigandres 4* – livro-cartaz de poemas concretos, e mais o livro de poemas neoconcretos de Ferreira Gullar e *Um e Dois*, de José Lino Grünewald: um: verso; dois: concreto. Em 1962, *Noigandres 5*, antologia do verso à poesia concreta. Em 1962 sai o primeiro número da revista *Invenção*.

8) Âmbito internacional: em 1953, é editado, na Suíça, o livro *Constelações* do poeta suíço-boliviano Eugen Gomringer. Hoje existem movimentos na França, Alemanha, Escócia, Inglaterra, Tchecoslováquia, Suíça, Japão etc. [Centro Brasileiro de Estudos Internacionais – Curso de Poesia Brasileira do Século XX, novembro de 1966].

Função das Vanguardas

Não é preciso estar dotado de grande acuidade para notar que, nesse século de espocar de vanguardas na arte, os melhores críticos, em média, são sempre os próprios criadores e não os oficiantes-especialistas da crítica. Muitos críticos reagem quando o seu arsenal metodológico é perturbado ou sacudido por um novo processo. E – amiúde – surgem com aquela lengalenga letárgica, a alegar que o artista está distante do povo, "incompreensível para as massas" (como se o próprio crítico, mormente aqueles que cultivam o *close-reading*, também não o estivesse).

Saindo para o campo específico da literatura, é só lembrar: Ezra Pound, talvez o maior crítico de poesia do século XX; T. S. Eliot, ele próprio uma descoberta poundiana, que foi o reveiculador da poesia metafísica, um grande analista do teatro elisabetano; Maiakóvski, cujo pequeno tratado *Como Fazer Versos* constitui peça de alta instigação; e não há como esquecer as páginas de crítica ou teoria de um Fernando Pessoa, um Valéry, um Cummings, ou – para chegar ao Brasil – um Oswald, um Mário de Andrade, um Manuel Bandeira e os poetas concretos. A tempestade das vanguardas parece que não dá tempo ao enrijecimento de métodos, ou aos sistemas universitários como dispositivo capaz de aferir o novo.

No caso da poesia concreta, o que vem ocorrendo aqui é a repetição do fenômeno. Houve de tudo em matéria de incompreensão, de susto, desde o falecido Olegário Mariano, que denominou-a de "flor da civilização da raiva", até um *reviwer,* que, há tempos, anunciou a sua morte devido a uma instrução da Sumoc[2]. Claro: problemas da falta de instrução. Exatamente no exterior, o concretismo se alastrou amplamente.

Aqui, também, com referência ao concretismo, surgiu a velha alegação de alienação, distanciamento do povo, do leitor. Outros culpam o cientificismo, como se arte fosse um privilégio de alienação da realidade. Não é preciso muito, já Wordsworth, no seu prefácio às *Lyrical Ballads*, fazia notar que o poeta estava sempre pronto para seguir os passos do homem de ciência, não apenas em relação aos efeitos gerais indiretos, mas lado a lado, impregnando de sensação os próprios objetos científicos. Da mesma forma, muitos críticos elogiam o arsenal teórico dos poetas concretos, mas condenam os poemas, inclusive por serem "pequenos", "muito curtos".

E Safo, e o haicai? São os pequeninos pânicos, diante das vanguardas. No entanto, um homem como Sartre (na ala esquerda, sempre mais lúcido do que o academismo de um

2. Superintendência da Moeda e do Crédito (criada pelo Governo Vargas em 1945).

Lukács[3]), durante o Congresso de Escritores de Roma, realizado em 1965, já soube, magistralmente, definir o papel da vanguarda, como nesse trecho que transcrevemos.

Se fosse obrigado a dar as características rigorosas de uma verdadeira vanguarda, eu diria que uma vanguarda real pressupõe que o escritor não se limita a usar a linguagem, mas que ele próprio a cria ao escrever. Criar a linguagem e, não, jogar com ela, criá-la e, nisto, doá-la ao seu país. Esse trabalho de linguagem sobre a linguagem tem, como objetivo, enriquecer a língua, a fim de exprimir uma nova visão do real, visão essa que o escritor partilha com o conjunto de seus compatriotas, mas a qual faltavam palavras para se tornar consciente. Isto faz pressupor um mundo novo e, sem dúvida, caótico. Um escritor de vanguarda encontra-se em dialética com culturas que o contradizem e, então, ele deve, seja libertar-se agressivamente, seja decidir conscientemente de conduzi-las. Essa espécie de escritor não se define mais mediante variações diferenciais e, sim, por verdadeiras contradições. Tem de criar um público. Encontra, diante dele, homens prontos a tomar consciência de sua própria *Weltanschauung* através das palavras escritas.

Essa, a autêntica luta literária dos fortes. Para os fracos, o pasto do sucesso. E fracos não foram Mallarmé, lecionando inglês, ou com o deboche de alunos escrevendo "azul, azul, azul" (final de um poema seu) no quadro-negro, Maiakóvski, enfrentando o Proletkult[4], Ezra Pound, desterrado por idéias destemidas, ou Joyce, no autodesterro, inventando a linguagem.

Não se trata de homens fortes em torre de marfim. Mas é necessário ir ao cerne da realidade e, não, dançar em sua superfície, como os versejadores participantes, que lambem o prato da glória dos verdadeiros revolucionários (e claro que não nos referimos ao general Castelo Branco) e dos verda-

---

3. Georg Lukács (1885-1971), filósofo e crítico literário húngaro. Sua principal obra talvez seja *História e Consciência de Classe*, baseada em Hegel e Marx. Ficou conhecido como criador dos princípios teóricos de uma estética marxista, que expressou em ensaios sobre Büchner, Keller, Raab, Goethe, Hegel etc. Sua *Teoria do Romance* tem por modelo a ficção realista do século XIX e a prosa de Thomas Mann, que o autor opôs ao experimentalismo radical de James Joyce. Severo crítico das vanguardas estéticas, polemizou também com Sartre, tomando partido contra o existencialismo, o que ficou registrado no livro *Existencialismo ou Marxismo?*.

4. Primeiro teatro operário e oficina popular, na Rússia leninista de 1920. Bogdanov, fundador do movimento *Proletkult*, pretendia criar uma nova

deiros criadores do passado. E a ida ao cerne da realidade da informação e de seus meios induz, inclusive, a notar, junto com Walter Benjamin, a alienação do objeto único e sua "aura", a notar que o que é válido socialmente é o reproduzível. Porém se a quantidade é qualidade, não é só a quantidade de reproduções que norteia o artista (tal quantidade é apenas condição *sine qua non* para operar a informação). Hoje, se só é válido o reproduzível correspondente a um mínimo às massas, há que extrair o mínimo múltiplo comum dos fatores de originalidade da matriz, pois muita coisa reproduzível há que representa o tal ópio alienante das massas. É só ligar a televisão. A informação útil sempre pressupõe uma estrutura de contexto original. O mundo tem a sede de surpresa: o comportamento funcionalmente original faz "o grande sujeito", assim como a criação funcionalmente original faz o artista.

O belo é o funcional e a palavra *função* já encerra uma conotação social. O *leitmotiv* do belo é o social, venha hoje ou daqui a um século a eclosão, a descoberta pelo público de uma determinada obra. O poeta criador pode dizer: "minhas emoções são coletivas, mas o meu criar não é maciço, massamorfado, pode ser individual ou de equipe, mas tem de forjar estímulos novos". E, mais original seja a informação, surgirá o espaço-tempo de sua assimilação, se ela funciona de fato. Do seu conta-gotas, caem relações morfológicas, românticas, visuais, palavras e palavras, novas, renovadas e a língua será

---

e autêntica cultura proletária. Rivais entre si, dois movimentos, o futurismo e o Proletkult, se outorgavam a função de porta-vozes da arte revolucionária, mas se os primeiros viam como revolucionária a arte na qual tanto a forma quanto o conteúdo falassem em revolução, os membros idealizadores do *Proletkult* que, curiosamente, não pertenciam à classe operária, identificavam arte revolucionária à arte autenticamente proletária, e acusavam os futuristas de burgueses decadentes. Ao Partido Bolchevique, que preferia os artistas que não tomassem partido e preferissem permanecer neutros e apolíticos, perturbavam as inquietações de grupos como futuristas e *Proletkult*. Por meio do escritor Gorki, uma fração da *intelligentsia* russa aderiu à Revolução, ganhando em troca casa, roupa, comida, bolsas e empregos. Assim é que, sem jamais terem aderido entusiasticamente à Revolução, esses intelectuais e artistas prosseguiram o seu trabalho, conseguindo muitas vezes bons cargos burocráticos.

a voz do seu estar. Pois, se o nome não cria o homem, ele discrimina seres e coisas, denota que todos não são iguais.

E o problema – de qualquer forma – não é o de se cogitar uma obra que irá durar cem ou mil anos, se será entendida hoje, amanhã ou somente pelos marcianos. A questão da vanguarda é a de denunciar um repertório superado de signos, que dificulta socialmente o melhor acesso do homem ao objeto, que emperra as relações dinâmicas. A linguagem no campo social, incorporada como peça essencial da conduta, do estar, do comportamento, da percepção do indivíduo, não é um fim em si mesma, é instrumento. Pois seria loucura que um poeta de vanguarda desejasse que os homens abdicassem da língua, da ambiência idiomática, em favor de seu restrito repertório poemático. Há uma função para tudo. E o paradigma do funcional é o de que nada é absoluto ou chave mestra da existência. A inter-relação das funções é a *ratio* estrutural do cosmos.

Há dez anos, o concretismo surgiu na poesia e, assim como outros movimentos – dadaísmo, surrealismo, futurismo – serviu, pelo menos, para denunciar a alienação do discursivo, como base única e fonte do poema. Há dez anos não se vislumbra, no verso, nenhum grande livro lançado. Os últimos poetas do verso foram os próprios concretistas... Isso, Mário Faustino, em 1957, soube demonstrar num artigo que escreveu por ocasião do lançamento da exposição concretista do Rio de Janeiro.

A poesia concreta cumpriu – externamente – essa função. Mas existe uma função interna – a do próprio poema. Esse, logo de início, não se pretende poesia ou arte de expressão, como o poema lírico. Traduz uma espécie de metapoesia ou fragmentos da função da linguagem (não, da língua). Dispensa a comparação entre maior ou menor. Mas essa metapoesia que disseca a linguagem não denota apenas um hedonismo funcionalista. Vai ao cerne dos critérios de economia de comunicação. E se – nele – no poema – tais critérios se encerram na gratuidade essencial do ato criativo, servem para gerar estruturas claras, adotadas pelos meios de comunicação de massas. E – nisso – por si só, a poesia concreta já foi efetivamente participante [*Correio da Manhã*, 5.2.1967].

5. BRINCANDO NOS CAMPOS DA FILOSOFIA

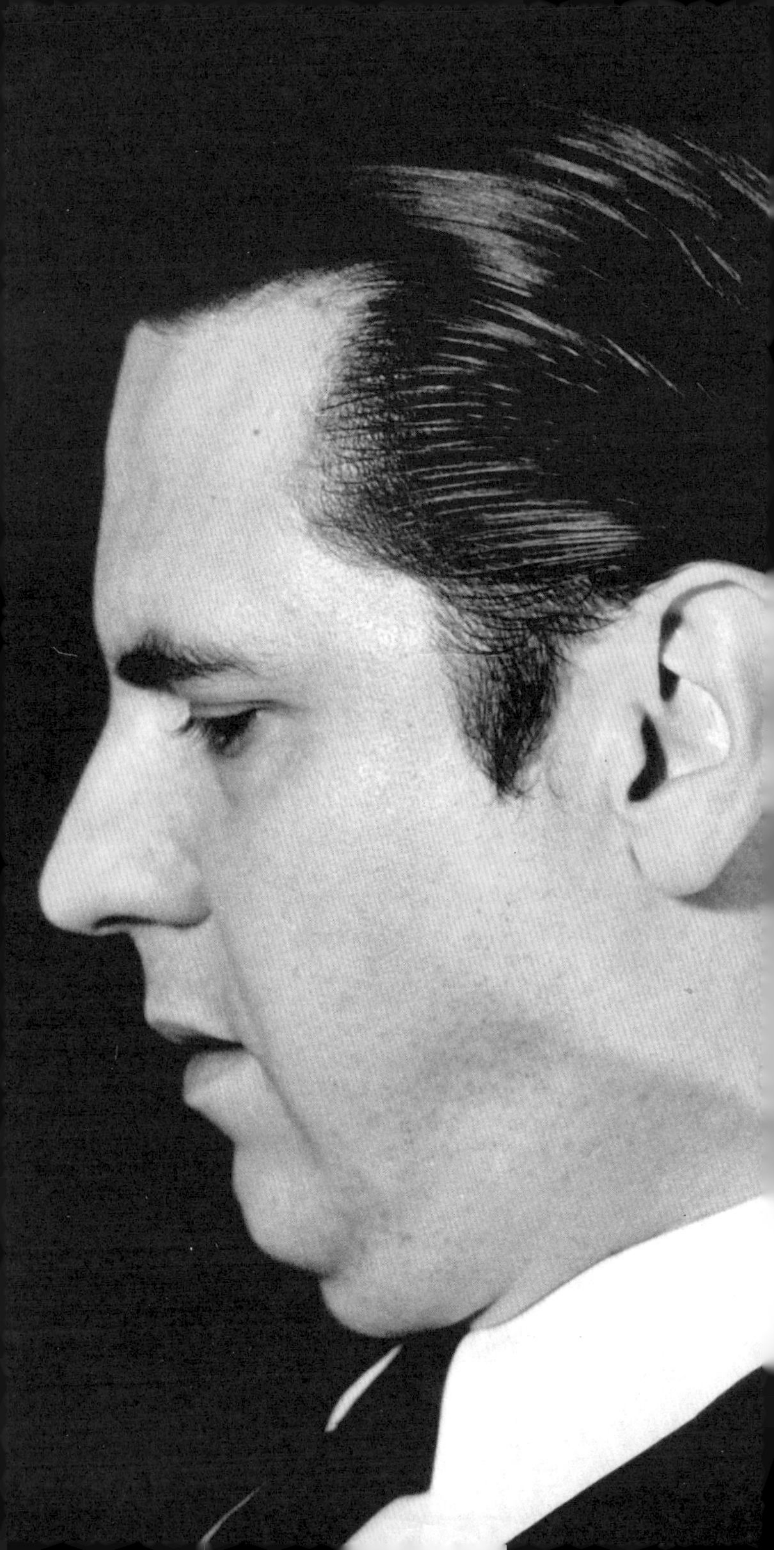

Escapismo e Participação

A poesia de Maiakóvski era considerada obscura e, com respeito a isso, ele assim argumentava, em seu artigo de 1928, "Os Operários e Camponeses não te Compreendem":

> Ainda não ouvi, para se vangloriar, ninguém dizer: – Como sou inteligente, não compreendo a aritmética, o francês ou a gramática. Mas o brado eufórico – eu não compreendo os futuristas! – ecoa há quinze anos, cai e se ergue novamente, excitado e jubiloso. Com base nesse grito, fazia-se carreira, enchia-se os auditórios e surgiam chefes de verdadeiros movimentos.

> Um simples – nós não te compreendemos – não constitui um veredicto, [...] Há uma especulação e uma demagogia a respeito da incompreensão.

Quando o maior poeta soviético da revolução (e que, nela, também participou física e pessoalmente) assim se exprime, está induzindo, de imediato, uma diretriz para encarar o chamado problema da participação. Coloca um elemento básico para a questão: a amplitude das especulações do artista, a sua faculdade em sistematizar pesquisas (de modo análogo, por exemplo, ao cientista, no laboratório), chegando amiúde, à intensificação. Essa jamais colide com a idéia de participar: ao contrário, consiste numa decorrência natural, é o próprio ato participante em constante estágio de apuração. Contudo, a lucidez de Maiakóvski foi a de um raro. Muito comum e forçosamente sintomático, em face do isolamento, da dificuldade de comunicação com a sociedade em que o artista mesmo autonomeado participante, desde algum tempo, vive e convive, é a angústia existencial, o posicionamento individualista. E, geralmente, nas épocas em que se aguçam as crises político-econômico-sociais, ele geralmente, tende para a denominada "participação" como uma espécie de derivativo simbólico do fuzil – paliativo da hora contra um isolamento que não procura, mas é forjado pela suas próprias condições de trabalho. Trata-se do escapismo, inconsciente ou não, de quem se encontra em situação e, aí sim, não atua no sentido da coletividade. Como se denota, malgrado a maior ou menor dosagem das boas intenções, é uma atitude pessoal. Mesmo porque, havendo vontade de participar, essa somente pode ser entendida no seu sentido estrito, isso é, a comunicação direta e imediata com as massas. Mas se o artista por exemplo, em lugar de se cingir ao amor, vai ater-se à política, essas mesmas massas irão encontrar idênticas dificuldades em penetrá-lo, inclusive por ser o novo tema mais restrito, vamos dizer, menos universalizante. Surge, daí, a segunda hipótese. O artista dá o pulo para trás, vai facilitar, vulgarizar a sua linguagem, quer dizer, retorna, à redondilha maior, ao sonetão derramado, à pintura ou desenho figurativo, a esculpir melancólicos jangadeiros ou astronautas eufóricos. Mas será negar o próprio processo, aquilo que Whitehead, lapidarmente, denomina "the imanence of the infinite in the finite". Enquanto isso, gritam em volta dele os cartazes, os luminosos, telegramas, rádio, TV, fotografia, cinema ou, já as máquinas de texto do filósofo Max Bense. Será negar a própria solicitação do campo do comportamento, do que realmente se dá à percepção, em nome de uma falada balela: a literatura marxista. Mas como literatura marxista? Então, assim, poderíamos ter uma literatura cartesiana, uma literatura aristotélica, uma literatura sofista, pois, como o faz notar Merleau-Ponty, em seu prefácio de Signes, Marx já é um clássico. O homem não é apenas, ele existe – e aqueles que envergam Marx, tendo em vista somente os seus interesses vinculados ao logicismo histórico da luta de classes, estão a apresentá-lo mutilado, estão fornecendo muletas que o pensamento daquele filósofo repele, "necessário evitar, antes de tudo, o colocar-se novamente a sociedade como uma abstração frente ao indivíduo. O indivíduo é o ser social [...] O homem é um ser existente por si próprio, quer dizer, um ser genérico". É o mesmo Marx falando – e quando ele também fala no "intersubjetivismo humano concreto", já se situa na raiz da fenomenologia. E Merleau-Ponty, em seu ensaio "Marxismo e Filosofia", bem demonstra como o materialismo do autor de *O Capital* traduz o pensamento de que todas as formações ideológicas de uma dada sociedade são complementares a um determinado tipo de praxis, quer dizer, a maneira pela qual essa sociedade estabeleceu o seu vínculo fundamental com a natureza. "Constitui a idéia de que a economia e a ideologia permanecem ligadas interiormente na totalidade da história, assim como a matéria e a forma numa obra de arte ou num objeto percebido. O sentido de um quadro ou de um poema não fica destacado da materialidade das cores e das palavras, ele não é criado nem compreendido a partir da idéia. Não se compreende a coisa percebida senão depois de se tê-la visto e nenhuma análise, nenhum relatório verbal, podem substituir essa visão". Da mesma forma, o "espírito de uma sociedade já vem implícito em seu modo de produção porque este último já constitui um dado modo de coexistência dos homens...". E Merleau-Ponty, no mesmo ensaio, reportando-se a Hegel, recorda a acepção de *O Capital* como uma *Fenomenologia do Espírito* concreta. Com as implicações trazidas pela descoberta da lei da relatividade, a perspectiva de uma perquirição via fenomenologia rasgou largamente o seu horizonte. E as contingências de uma realidade atual, sob o âmbito da relatividade, induz exatamente que o homem moderno afere, ou vai aferir, relações e, sob um diverso acondicionamento de sua experiência, cria toda uma diferente gama de proposições e concepções, já desvinculadas do critério antigo de hierarquização dos valores absolutos que vigoravam sob a égide da mecânica de Newton. Daí, torna-se válido, hoje, orientar o conceito do belo no sentido do funcional, pois a palavra função denota a primazia de um contexto de relações puras na caracterização e/ou qualificação dos dados providos pelo conhecimento. Quando Cassirer, em seu estudo sobre Einstein, aponta essa transmutação da perspectiva mecânica para a eletrodinâmica, está colocando às claras as raízes radiais do novo acondicionamento. E quando Merleau-Ponty – *Phénoménologie de la perception* – demonstra a inexistência do pensamento, tomado como uma entidade isolada, está instaurando os novos prismas para a compreensão do fenômeno da linguagem: "A denominação dos objetos não vem após o seu reconhecimento – ela é o próprio reconhecimento". [...]

> A palavra não é um "sinal" do pensamento, quando se entende por isto um fenômeno que anuncia um outro, como a fumaça anuncia o fogo. Ambos só admitiriam essa relação exterior, se fossem propiciados tematicamente; na realidade, estão envolvidos, um no outro, o sentido é captado dentro da palavra e, esta, constitui a experiência exterior do mesmo. [...] A significação devora os signos. [...] O pensamento não é nada "interior", não existe à margem do mundo e das palavras. [...] Os sentimentos e as condutas passionais, assim como os termos, são inventados. Mesmo aqueles que, como a paternidade, pareciam insertos no corpo humano, são, na verdade, instituições. [...] A palavra é o excesso de nossa existência sobre o ser natural.

Delineia-se o diálogo radical – Física (relatividade) x Filosofia (fenomenologia) – e voltamos, nesse ponto, à esfera da especialização. Nave espacial, a bomba nuclear ou o foguete balístico exigem uma especialização crescente. Todos conhecem os efeitos, os resultados, mas o processo é do entendimento de uma minoria especializada. O público compreende o foguete, bomba ou a neve especial simplesmente porque acontecem num espaço vital e não constituem uma forma simbólica inaugural; são materialmente utilitários. Não se conhece o processo, porém o resultado final é um dado válido em si, não só porque pode ser visto, ouvido ou tocado, mas devido à ampla e constante divulgação do fato – a informação permanente. Já a obra de arte não possui o espaço vital como a sua realidade significante – ela vigora num espaço virtual e a maior definição do seu sentido corresponde à assimilação de efeitos além da realidade concreta. Com a galopante evolução da ciência, o comportamento do homem diante de seu campo de experimentos não é mais uma expectativa de caráter mágico. Mas se remontarmos a séculos atrás e rememorarmos o evento de Caramuru, veremos que, num ato simbólico inaugural, os índios "virtualizaram" um efeito vital – devido a estarem desprovidos do mínimo de informações que permitiam ao indivíduo civilizado não se surpreender com o rito. De Caramuru para *O Ano Passado em Marienbad*, temos, analogamente, a mesma espécie de reação. Cassirer quando estipula, em *An Essay on Man*, que o homem é um animal simbólico, deseja provar que a sua atividade cognitiva é um fato biopsicologicamente irreversível. E a sua capacidade de formulação simbólica vai se transformando em dialética com o campo perceptivo. Apenas que a referida evolução científica, incidindo sobre o complexo de vivências humanas – trazendo a decorrência da evolução dos materiais e o acúmulo das notações abstratas que conferem a normatividade desse progresso – contaminou a obra de arte – que foge cada vez mais do alcance do conceito de expressão. Tal conceito liga-se fundamentalmente ao artesanato – esse mesmo artesanato que, como assinalou Décio Pignatari, entra em crise com a Segunda Revolução Industrial. Aqui é que, diante de uma perspectiva mais totalizante, vislumbra-se o *turning point* da própria civilização, em face da hegemonia produtiva da máquina. Repensar a própria idéia de revolução constitui uma solicitação constante, porque a mera troca de classes dominantes é, por si só, uma abstração demasiado vaga, um facilitário para o idealismo em disponibilidade. E aqui também pesa a atuação do artista – do produto estético – pois a sua obra é fruto do transformismo paulatino das vertentes do humanismo. E o chamado compromissado, pois está, de imediato, atento à infra-estrutura de materiais que irá proporcionar novos elementos para a criação.

Assim, a revolução do artista, por meio da obra, é a de um humanista e não de um político. É a escavação da sensibilidade em novas camadas, que passarão a ser sobrepor aos valores consagrados quando esses, superados por toda uma cadeia de contingências, mal atendem às instigações do processo. Na visada de uma dialética total, abrangida pelo posicionamento fenomênico, sob o racionalismo da função, está a derrocada futura dos vértices absolutos para os quais convergem os sistemas de qualificações superpostas, em que certas noções, como pecado, virtude, a moral apriorística, a caridade na sua acepção entitativa etc., são vícios renitentes de um decadentismo flagrante. "Piedade, esse monstro atarefado" (Cummings), "Piedade matou minhas ninfas" (Pound): do templo da próxima civilização serão expulsos os arcanjos do bem e os gênios do mal [*Correio da Manhã*, 13.2.1963].

Mitos Políticos

A denotação do termo mito pode ser entendida como uma presentificação da cosmologia, pelo emprego do método afetivo de representação simbólica. As palavras ou imagens míticas, envidando propiciar representações do que se denomina verdade, escapam às limitações dos seus significados literais. Ou enfim, como explica Ernst Cassirer, mediante uma forma simbólica, traduzem um esforço de captar a realidade.

Foi, aliás, esse filósofo quem, na sua última obra, *O Mito do Estado*, proporcionou um dos melhores enfoques históricos e epistemológicos do problema dos mitos políticos. Logo no princípio desse livro, Cassirer faz notar a obviedade da preponderância do pensamento mítico sobre o pensamento racional e alguns de nossos modernos sistemas políticos. Fazendo, a seguir um levantamento crítico das várias teorias relacionadas ao assunto, ou seja por exemplo, o animismo de Tylor, o famoso *The Golden Bough*, de Frazer, a antropologia de Lévy-Bruhl, a mitologia comparada da escola de Max Mueller, que considerava o mito uma mera doença da linguagem, a sociologia de Herbert Spencer, a psicologia das emoções de Ribot, ou as descobertas de Freud, chega a conclusões sobre a impossibilidade de encarar a questão, em todos os seus aspectos, mediante o instrumental privativo de determinada ciência. Pois aquilo que também se define como uma objetivação da experiência social do homem não é por esse aferido consciente e intelectualmente como um símbolo, mas como a própria realidade. Implica em determinados ritos, levando à catarse emocional e coletiva. Depois de Thucydides – "o primeiro a abordar a concepção mítica da história" – Cassirer passa em revista a luta contra o mito no desenrolar cronológico das teorias políticas, interpretando, nesse sentido, Platão e o mundo grego, o universo da Idade Média, a importância do *Príncipe*, de Maquiavel, a primeira *ars politica* ("*O Príncipe* não é um livro nem moral, nem imoral; é simplesmente um livro técnico"), o "contrato social", de Rousseau, a época da Ilustração, o pensamento de Carlyle, com as primeiras tentativas de trocar o culto de deus pelo do próprio homem ("a forma medieval da hierarquia, transformou-se na forma moderna de *hero-archy*"), isso é, o culto ao herói, a teoria das raças de Gobineau, e enfim, uma das fontes supremas do pensamento moderno – Hegel – com as alas *direita* e *esquerda* de sua filosofia.

E, ao comentar as técnicas dos mitos modernos, Cassirer, morto ao terminar seu livro, sob o impacto do fantasma de Hitler, denuncia os ritos dessa magia social – e que, em muitos casos, pode inferir uma doença incurável da democracia – pedindo a atenção para o conhecimento profundo dessas técnicas do inimigo, pois a filosofia já se mostrou incapaz de, sozinha, enfrentar o mito, imune a este à simples racionalidade dos argumentos. O que aquele autor prega é justamente a identificação máxima da *ratio* funcional entre os homens, os políticos e os votantes, a fim de evitar uma espécie de neobarbarismo, dos totalitarismos que asfixiam o desenvolvimento e a desenvoltura ético-social do indivíduo. Trata-se exatamente da perspectiva – podemos dizer – apolínea, em contraposição ao exaltado *parti-pris* dionisíaco de Nietzsche. Este último, no seu *Nascimento da Tragédia*, entende que toda cultura que haja perdido seu mito, perdeu, ao mesmo tempo, a sua criatividade sadia e natural. Ao estudar as constantes do mundo grego, Nietzsche conclui que uma nação se atrofia, quando emerge nas solicitações do raciocínio lógico (no caso da civilização grega, essa decadência teria sido acionada por Sócrates) e perde a grandeza do culto dionisíaco. Essa, a sua visada alógica e amoral. E, por outro lado, embora os seus ataques e a sua denúncia do cristianismo ainda possuam, hoje em dia, maior atualidade do que na época, não há por que negar que certas modalidades de afluxos emocionais, irracionais, tenham mesmo permitido caracterizar aquela ponte que foi, dele, ao espírito nacional-racista do nefasto hitlerismo. A negação de Nietzsche da piedade, afirmada direta e ostensivamente na *Genealogia da Moral*, encontrou um eco deturpado, por exemplo, nos campos de concentração do nazismo. Pois a apropriação do que seria a dinâmica ética e estética de um neopaganismo, na era da Segunda Revolução Industrial, da automação, da conquista espacial, enfim da hegemonia da máquina, transformou-se numa desapropriação primitiva, delirante, já que tal aferição deve tomar em consideração – e, não ingenuamente renegar – as conquistas do humanismo propiciadas pelo cristianismo, *Donner un sens plus pur aux mots de la tribu* – esse mandamento de Mallarmé conferido aos poetas indica genericamente qual a vereda do racionalismo sensível, que, sem abdicar da criação e renovação permanente, vacinaria a linguagem contra os germes do mito. É, discriminando os campos especializados, mais do que todas, precisaria a linguagem política dessa purificação.

Enfocando agora a questão, em termos do nosso processo político-ideológico, não será difícil ver como o *appeal* irracional do mito perturbou o desenvolvimento de uma razão democrática. É bom notar, estamos tão-somente procurando isolar e colocar em foco os fatores míticos, reconhecendo mesmo que a interferência de seus impactos, em certas contingências importantes, chegaram até a contribuir como vigoroso aríete contra estruturas econômicos obsoletas, contra a imensa desigualdade de classes, a sacudir conservadorismo dominantes. A prática moderna do que se denomina *democracia*, com os regimes e sistemas vigentes (voto, direto ou indireto, independência de poderes, liberdades individuais e de pensamento, o máximo de afastamento possível das Forças Armadas dos centros de decisão política e administrativa etc.) por motivos já fartamente estudados, ainda não possui, entre nós, uma tradição de aperfeiçoamento paulatino, a mesma democracia, em suma, não detém aquelas raízes do uso e costumes com a profundidade necessária. Ora, isso implica no perpassar constante de uma *ratio*, de um *animus* habitual de preservar as regras do seu jogo, fundadas naturalmente por um estar dentro do fato político, sem precisar do esforço de uma consciência autovigilante de cada um, de suas atitudes de contenção.

Assim sendo, essa imaturidade faz com que a democracia esteja ameaçada, tanto pelos totalitarismos que venham, de cima para baixo – vamos dizer, a tirania não consentida – ou por aqueles, emergindo de baixo para cima, das massas impelindo seu representante único para as cúpulas. Não é apenas um fenômeno dos países menos desenvolvidos essa falta de imunização popular quanto à inoculação da magia, no excesso de rituais alegóricos na busca de identificação pessoal ou de grupos com homens, tendências e partidos. A medida apenas é da quantidade, condicionados os seus índices pelos graus de desenvolvimento material e estrutural de uma dada nação.

Depois da revolução de 1980, cuja principal importância, num estar dentro da sociedade, talvez seja a eliminação radical da superposição de castas – até então, ainda animada por resquícios do colonialismo e da escravatura – para transformá-la em (ao mesmo tempo em que denunciando automaticamente a) superposição de classes, regida pela superposição de grupos econômicos, começou a nascer a mítica do sr. Getúlio Vargas. O período da ditadura consolidou a sua imagem sobre o mapa de todo o país, preparando a grande arrancada emocional sobre a coletividade, em 1945. Na realidade, quando foi deposto pela primeira vez, logo depois, retirado em Itu, já estavam em circulação diversas modalidades de objetos consolidando o fetichismo getulista, além do queremismo e *slogans*, como o famoso "ele voltará". Tal desejo retornista ia de encontro à impopularidade do governo Dutra, quando, inclusive, passadas as fanfarras da vitória na guerra, brotava o antiamericanismo, conseqüência daquela consciência crescente do que se convencionou chamar de antiimperialismo. A avalancha Vargas foi irresistível, a vitória foi avassaladora sobre seus adversários eleitorais. Nos comícios, bastava anunciar a sua saudação de sempre – "trabalhadores do Brasil" – para acionar uma descarga catártica na massa. E depois, no poder, acuado por pressões externas e, inteiramente, pelas denúncias do "mar de lama", quando tudo parecia levá-lo, enfim, ao desgaste do prestígio popular, sobreveio o derradeiro lance – matou-se, deixando uma carta-testamento. Deixou aberto até hoje o foco da catarse. Daí, a mística do cadáver e aquela permanente identificação com o trabalhador (já passando do pai para os filhos) na toada do ritual, nos moldes de culto litúrgico – o herói político. A imagem mítica do cadáver ficou tão forte, tão dominante, principalmente à vista do eleitorado das classes mais pobres, que quase todos os políticos de maior evidência, independentemente de idéias ou partidos, com maior ou menor disposição, embarcaram no cadáver para chegar à boca das urnas: é o caso dos srs. Ademar de Barros e Jânio Quadros, rivais tradicionais, do sr. Juscelino Kubitschek, do sr. João Goulart, que se apossou do título de herdeiro de Vargas, do sr. Leonel Brizola, parente do herdeiro, e até mesmo, em certas ocasiões, do sr. Carlos Lacerda, acusado como principal responsável pela conjuntura que levou o ex-presidente ao suicídio. E – há pouco – assistiu-se ao sr. Negrão de Lima, com todo o chapéu gelô embarcando no cadáver disparando eleitoralmente na Guanabara. Aliás, a seu modo, todos os políticos acima citados procuram a identificação popular na base das representações emocionais, no apelo irracional, deixando de lado os programas de governos: é só lembrar a desinibição do sr. Ademar de Barros, os trejeitos e atitudes insólitas do sr. Jânio Quadros, a serviço de uma espécie de messianismo expressionista – ou, recordando um caso menor, mas não menos exemplar, o sr. Tenório Cavalcanti, de capa e metralhadora, recebendo, há cinco anos, mais de 220 mil votos na Guanabara.

Essa alegoria, essa liturgia de identificação simbólica com a verdade, é que justamente transforma a mera liderança política em mitologia política. Quando o eleitor reage apenas em termos de liderança, ele está contido no âmbito de um racionalismo dialético, mesmo quando esteja, em dados momentos dotado da consciência de que apenas um governo forte pode solucionar os problemas do país. Mas, tomado da alienação diante do mito, ele é capaz de apoiar qualquer aventura, quaisquer oscilações ideológicas do objeto do seu culto, em favor dessa catarse. É fácil, sob tal ângulo, dar um exemplo brasileiro, entre o que separa a tendência de liderança e a tendência mítica. O sr. Miguel Arraes, caso amanhã resolva deitar um manifesto apoiando o marechal Castelo Branco, perderá provavelmente quase todo o seu eleitorado, pois o ex-governador sempre agiu mais na faixa da liderança. Já, em oposto, o sr. Jânio Quadros, naquela sua época de ascensão delirante, poderia trocar de idéias e aliados ao seu belprazer, porque conservava a maioria do eleitorado, e ainda arrebanhava parte daquele de novas áreas.

Se, em paralelo, o marechal Castelo Branco é impopular, o motivo disso não reside apenas no plano econômico-financeiro do sr. Roberto Campos ou pelo mero fato de abrir luta contra o Congresso (nos meses em que exerceu a presidência, o sr. Jânio Quadros, por exemplo, encontrava respeitável ressonância popular em sua luta contra esse Congresso). Falta-lhe a empatia da identificação com as massas, a carranca do Executivo não encontra um elo de fundamentação simbólica que a torne convincente. E aqui, as conseqüências se agravam, nessa atualidade nacional. Quanto mais pressionar e arrochar as liberdades, em favor da execução de um plano administrativo e de uma ideologia, de uma espécie de francomaçonaria de militar de gabinete de seu governo, em paralelo, se transformando numa fábrica de Brizolas. "Os corruptos e subversivos não voltarão", diz o ministro da Guerra, sem notar que, todavia, quanto mais amplia a imobilização democrática, mais apoio popular estará dando aos *corruptos* e *subversivos*. E, se esse governo optou pelo racionalismo dos métodos, estruturalmente estribados na política do sr. Roberto Campos, maior a sua responsabilidade, já nem diremos em face da democracia, mas do que se entenderia por uma civilização brasileira. Pois, a continuar assim, ampliando-se o terror, o medo, a insegurança, o público recorrerá maciçamente ao antídoto da irracionalidade da fé: a fé nos carismas, nos messiânicos, enfim, no primitivismo ideológico.

Só com a prática integral – madura ou ainda imatura – da democracia, é que a possibilidade de diminuir a política primitiva dos mitos poderá efetivar-se. Caso contrário, desabase o irracionalismo compulsivo e poderemos passar a viver ao toque de várias marchas da família com Deus pela liberdade, quando a verdadeira liberdade, a liberdade essencial de cada um – a velha eudemonia de Platão – é aquela que, na realidade, prescinde do culto à Deus ou à família [*Correio da Manhã*, 31.10.1965].

Produção Reprodução Formação Informação

Crise é uma palavra-recorrência comum no século XX. Da política até a moda, passando pelas chamadas artes, crise é a contingência. Mas a sua raiz constitui um problema de tempo – de consumo de tempo dentro do espaço vivencial. A crise profunda é a da permanência, do caráter duradouro dos gostos, tendências ou escalas de valores. O que hoje interessa, move ou comove, pode estar, amanhã, definitivamente arquivado. Poder-se-ia dizer que há uma crise do *appeal* ao contemplativo, esse mesmo tipo de estado de espírito que fundou os haicais de Bashô ou a disposição de Proust em consumir um longo tempo em busca do tempo perdido.

A teoria da relatividade consiste no suporte básico para os signos de uma linguagem filosófica moderna, que procura imprimir e explicar temas como a descontinuidade, a destruição da razão ou a supremacia de motivação do subconsciente sobre o consciente. A cibernética, por seu turno, abre um horizonte de especulações – temerário para erigir-se conceitos e postulados, à medida que nos aproximamos dele, mas, de qualquer maneira, um horizonte distante daquele que até há pouco era delineado pelo encadeamento mecânico da realidade artesanal. Pois o homem criou deus ou monstro, a máquina, o objeto que pensa, feito estruturalmente à sua imagem. E se ele condiciona ainda o comportamento da máquina, não deixa de sofrer o refluxo desse comportamento artificial. As relações homem-máquina, o seu perscrutar permanente constitui uma contingência radial para se procurar entender a motomotivação do mundo. E também discernir a crise.

Entre as principais máquinas (nem precisam ser das mais adiantadas) existem aquelas de reprodução, especialmente as que facultam a reprodução em massa: a máquina fotográfica, a máquina de filmar e o projetor cinematográfico, a rotativa, a gravadora, o fonógrafo etc. Foram essas mesmas máquinas e outras que geraram socialmente a existência daquilo que se denomina, hoje em dia, nos centros mais industrializados, o "consumidor de cultura". Pois com as técnicas de reprodução em massa, a cultura no sentido mais restrito do termo deixou de ser uma especulação de ínfima minoria. E quando essas técnicas de reprodução maciça fundam uma nova mentalidade do que possa ser *criação*, aquela antiga característica essencial da ontologia da arte – a gratuidade – vem a se desvanecer. O artesanato pelo artesanato, como um foco de expressão isolada, individual, perde a sua razão de ser. O artesanato pode ser funcionalmente válido, num primeiro estágio, de criação de matrizes para a impressão. Mas cessa aí a sua hegemonia. Cessa também a velha mitologia do objeto único, que, como diz o ensaísta Walter Benjamin, diante dos métodos de reprodução, perde a sua aura. E o que significa perder a aura? Significa, em primeiro lugar – sob o ponto de vista econômico – perder o seu valor monetário, como investimento, raridade, instigação aos leiloeiros e sustento hoje em dia artificial das galerias de arte. Hoje, a editora Skira, por exemplo, nos propicia Matisse, Monet ou o Quatrocentos inteiro. E as pessoas que vão ao Louvre, ao Museu de Arte Moderna de Nova York ou à Tate Gallery reclamam que, amiúde, os originais, os míticos originais, decepcionam em face da magnificência das reproduções. Mas não deve haver decepção, pois, diante da realidade, é só convir – sem lances de escândalo – que o Gauguin da Skira pode ser melhor do que o próprio, ficando o pintor com as glórias e flores da inauguração histórica.

O objeto útil insere-se em nossa atuação vital vivencial. O objeto gratuito cai na alienação. O cinema – por ter nascido no cerne da Segunda Revolução Industrial – é a arte mais importante do século. Vai matando os lazeres de leituras de romances, um gênero do ramo *prosa* que não pode – materialmente – proporcionar o comportamento do homem como o cinema o faz. E por falar em prosa, a velha distinção prosa x poesia (está assolada pela crise do verso) perde também a sua razão de ser em favor da concepção funcional de texto. O texto tipográfico, o texto gráfico ou sonoro o semântico. Aliás, quem desenvolveu mais exaustivamente o tema foi o filósofo Max Bense, autor de vários livros e ensaios a respeito da teoria do texto. O professor Bense não se limita a isso. Em Stuttgart, utiliza o computador a fim de medir o índice de informação das obras artísticas e literárias, segundo a medida de entropia, que reverte a uma visão estética, na qual a qualidade é quantidade e não mais ou não só o hedonismo de outrora. O seu computador já informou a respeito de obras tão complexas como as de Hegel ou Hoelderlin, ou tão simples como a poesia concreta lançada pelo Brasil.

Mas a máquina não permanece no estágio de fornecer um laudo crítico sobre os textos. Ela cria textos, programados pelo homem, que, nesse caso, será o programador, que, segundo o mesmo Bense, diante da evolução da máquina, será o verdadeiro artista *literário* do futuro. Nesse sentido, as suas excelentes publicações da série *rot* apresentam, a par de ousados trabalhos teóricos, várias experiências de textos de vanguarda, ou ainda como frutos da criação direta dos escritores, ou já como produto do computador.

Como diz Abraham Moles, a memória é aleatória. E por isso, o homem-artista não pode ter a capacidade de controle sobre os elementos formativos como o possui o computador. E mesmo no gênero dos textos topográficos, em que se forja um aleatório consciente, uma probabilística artificial, melhor o fará a máquina regulada pelos dispositivos de acaso. Pois o acaso é um dos grandes temas da arte moderna e da filosofia sobre o seu fazer. Mallarmé desejava elidi-lo e chegar ao absoluto, embora, em contraposição, exista a beleza da interferência do acaso.

Mas, de qualquer modo, é necessário terminar com a chantagem do *humano* na obra de criação. Os amadores ficam arrepiados quando ouvem falar na máquina ao lado da arte. Os versejadores, por exemplo, ululam lancinantemente contra a perda do emprego sentimental, enquanto os editores protestam contra a dissolução dos produtos que vendem. A reação admite e forja mesmo a moda; porém rebela-se contra modificações que poderão perturbar seus mecanismos que estimulam uma dada espécie de consumo. Se à medida, se as perspectivas ajustam-se em critérios de aferição quantitativa, não se farão, em contraposição, afirmações absolutas. Por exemplo: o verso está morto; ou: o poema não mais se fundamente na linguagem discursiva. Não; podem surgir as exceções, uma capacidade muito peculiar de instigação. Mas ao notarmos a versalhada maciça que se fabrica, não só no Brasil, mas em toda parte, constatar-se-á um tipo de alienação instrumental. E o moribundo romance? E os inefáveis contistas? Ver, viver, escrever, escreviver. Isso, entretanto, exige ou as limitações adstritas ao instrumento de determinada especialização (o ensaio, por exemplo) ou a intuição de uma capacidade de síntese que diga algo de novo acima da especialização. Normalmente, o amadorismo científico do escritos que quer descrever diretamente estados de alma, ou os costumes de uma sociedade, poderá igualar-se à obra dos grandes psicólogos ou psicanalistas, dos *grandes sociólogos* ou antropólogos?

Apesar da máquina fotográfica, também não se dirá que a pintura, em si, está morta. A própria e assim chamada nova figuração e principalmente a pintura de crianças trazem sempre surpresas formativas. O que se depreende, contudo, é que, frente ao avanço dos meios de reprodução, o suporte de um objeto único para os signos irá, dia a dia, tornando-se inautêntico e obsoleto. A informação sempre se transforma, mas a comunicação sempre evolui numa tendência ampliadora, no mundo da máquina. E, por isso mesmo, a criação, possua uma informação mais ou menos desgastada, deve-se condicionar à amplitude comunicativa. E o grande paradoxo: no fundo, a chamada pintura abstrata visava a denunciar a sua própria aura de objeto único, denunciando o quadro, porém por ela fabricaram-se os altos preços no mercado de arte, conduzidos pelas galerias.

O artesanato, assim, cada vez mais deixa também de ser um fim e si mesmo, em todos os setores de atividade nos quais impere a industrialização e, por conseguinte, a evolução das reproduções. O artesanato passa a ser, quando necessário, uma etapa ou ainda etapa final no tocante à criação de matrizes. E paulatinamente essa mesma criação de matrizes vai-se condicionando à interferência direta dos meios de reprodução. A crise, portanto, em primeira instância é a da mentalidade artesanal. Em segundo lugar, do individualismo, do *genialismo*, pois a obra, cada dia mais, vai exigindo uma equipe (como o cinema). Mas como as novas contingências marcham a par com a evolução da ciência, não há realmente crise, mas sim estágio de superação, com os inconformados ou interesses contrariados [*Correio da Manhã*, 15.3.1966].

Hans Magnus: Poesia e Política

Hans Magnus Enzensberger, além de poeta, é um dos ensaístas mais inteligentes, entre os modernos escritores alemães. O seu livro, *Einzelheiten*, publicado em 1962 (editado, depois de três anos, na França, sob o título *Culture ou mise en condition?*), lembra bastante a modalidade de enfoque do *Mythologies*, de Roland Barthes, quando assesta as suas antenas para inúmeros fenômenos do cotidiano burguês, alguns mitos da vida industrializada, além de assuntos mais "clássicos".

Dentre os ensaios de Hans Magnus, destaca-se um pela acuidade com que observa problemas ainda dos mais debatidos hoje em dia, com todos os focos de intolerância, dogmatismo e faccionalismo: "Poesia e Política". Que pretende dizer, demonstrar nesse trabalho? A partir das relações entre uma e outra, fazer notar que a política da linguagem e, não, aquela que submete a linguagem já naturalmente revolucionária do poeta a *clichês* de qualquer *ismo* ideológico.

Enzensberger começa o seu estudo reportando-se ao passado mais distante, ao mundo grego: ou a Platão e sua *República*. Para ele, a questão dos meios de comunicação do poeta constituírem uma razão de Estado ainda é um dos pesadelos ocidentais. Em suma, "o cristianismo, o feudalismo, a monarquia absoluta, o capitalismo, o fascismo, o comunismo adaptaram a doutrina de Platão às suas necessidades". Os poemas mais antigos tentavam perpetuar a lembrança dos deuses e dos heróis. Era a época em que o problema da poesia encarnava-se praticamente no caráter formativo do mito, até porque – no mundo grego – a vida e a arte também se confundiam, não se fazia, inclusive, a distinção entre materialismo e espiritualismo, que o mundo cristão, principalmente, se encarregou de fixar.

A seguir, HM afirma que somente no mundo romano, especialmente com Virgílio e Horácio, o poder da poesia de eternizar aquilo que é perecível emergiu com as suas implicações políticas. Começara a época da retórica e, daí, no mundo cristão, viriam as sucessões de formas como a loa ou o panegírico.

Podemos acrescentar que, na realidade, enquanto, a partir dos trovadores provençais, aquilo que correspondia à idéia de lirismo se intensificava, o poema de louvor aos reis, conquistadores, enfim, aos detentores do poder, prosseguia sua marcha. A questão é fácil de ser explicada. Não era apenas a submissão necessária do poeta aos donos do poder que levava a isso, como no caso de Walther von Vogelweid que, em vinte anos, saudou poeticamente três imperadores. O fato é que a mitologia política não tinha a mesma formação que hoje detém, a partir do desenvolvimento da Revolução Industrial. Se, hoje, o sentimento mítico das massas repousa numa dada pessoa e procura levá-la ao poder, antigamente o mito fixava-se no cargo (isso é, reinado, império etc.), e, em decorrência, quem ocupava o mesmo cargo já ganhava aqueles foros de culto irracional, emocional. Por isso, no cabedal sem fim das peças na base do *ofertório*, – das quais, inclusive, dada a fundamentação mítica, exalava a autenticidade – não existia normalmente a subcorte bajulatória nem, então, o falso condicionamento ideológico de muitos poetas modernos autonomeados de participantes.

No caso da literatura alemã, Hans Magnus marca até Kleist a fase de existência de sentido no panegírico aos soberanos. Depois, diz, todo poema dessa espécie volta-se contra o seu autor.

Chegando à época atual, mostra a dificuldade do elogio ou da vituperação poética. Mesmo no caso de um autor da estatura de Brecht, em sua opinião, os poemas mais fracos são aqueles contra Hitler ou os que saúdam Stalin ou Lênin. Afirma que "a crítica literária, uma vez transformada em sociologia da literatura, cessa de enxergar o seu objeto e apenas vê o que lhe é exterior..." Da mesma forma, observa agudamente que a crítica marxista sempre retoma os cânones burgueses de julgamento literário, contentando-se simplesmente em mudar-lhes o funcionamento. E por que ligar tanto Marx à crítica literária, quando a literatura lhe era um interesse paralelo e – jamais – a sua especialização? Nota HM que, enquanto Marx e Engels detinham-se no exame do drama de Ferdinand Lassalle, *Franz von Sickingen*, não disseram sequer uma palavra a respeito da importantíssima obra de Büchner, surgida no mesmo período. Enfim, a seguir mostra no que deu a famosa e deturpadora teoria do realismo de Georg Lukács, que, para prová-la na prática, atirou os pobres Romain Rolland e Theodore Dreiser contra Proust, Joyce, Kafka e Faulkner, sem notar o desafio ridículo, "onde simples peões são colocados em contraposição a reis e rainhas". E prossegue: "Enquanto a sociologia literária ortodoxa ainda pode, com efeito, e mal ou bem, encontrar acesso ao núcleo de um romance ou de um drama, pelos elos da ação, a poesia, de saída, exclui essa modalidade de apreensão". "Nenhum outro acesso lhe é possível, a não ser aquele que atravessa a linguagem em si [...] Por causa disso, Lukács ignora a poesia."

"A poesia e a política" – diz Hans Magnus – "não são domínios e, sim, processos históricos, a primeira se desenrolando na área da linguagem, a segunda na área do poder". "Ambas, igualmente, estão em ligação direta com a História [...] Concebida como sociologia, a crítica literária desconhece ser a linguagem quem funda o caráter social da poesia e, nunca, a sua implicação nas lutas políticas."

O trabalho de Hans Magnus constitui uma das melhores denúncias, em termos dialéticos, da alienação "participante" que não serve, nem à poesia, nem a qualquer revolução autêntica. A burocratização acabou gerando o realismo socialista na União Soviética e – no mundo burguês – só permite algum sucesso de vendas a certos poetastros, que, sem trabalhar com a linguagem, iludem alguns incautos com o seu heroísmo verborrágico [*Correio da Manhã*, 19.3.1967].

Importância e Processo Estético

O processo estético, examinado pela faixa cronológica, se caracteriza pelo transformismo, isso é, estruturas em mutações no campo virtual, ao contrário do processo científico, cuja cronologia de efeitos da criação implica a evolução no terreno material. Não se pode dizer, por exemplo – dados os séculos de distanciamento – que Eliot seja maior poeta do que Petrarca, ou vice-versa, como se pode, sob o crivo do utilitarismo dos bens de consumo, legados pela descoberta científica, dizer que o avião a jato é melhor do que o teco-teco. Mas se inexiste evolução no processo estético, quanto aos seus efeitos catárticos, de estesia ou de instigação ao pensamento, pode-se afirmar que Petrarca, em relação ao seu tempo, foi mais importante do que Eliot, assim como Santos Dumont é pelo menos tão importante como a equipe que, pela primeira vez, adaptou as turbinas de jato aos aviões.

Aí está um ponto em que se debate dialeticamente a aceitação da obra de arte ou literária em si mesma e a compreensão da sua genealogia formativa dentro do tempo. A aferição da "importância" implica um corte diacrônico pelo processo. Ela independe da sensibilidade, tendências emotivas, ideológicas, filosóficas de quem consome estesia. Aqui não se trata dos subjetivos critérios de valoração de primeira instância perceptiva, mas de atestar os inventores (termo lançado por Ezra Pound), aqueles que inauguraram o uso de novos elementos para o fazer ou, mesmo, reestruturaram todo um fazer (seja música, teatro, cinema, poesia, prosa, pintura, arquitetura, dança etc.).

Tomemos um exemplo, dentro das artes plásticas, no século atual, e vamos cotejar o que representa a obra dos dois maiores pintores: Klee e Mondrian (outros, para o caso, podem preferir Picasso a Klee – é uma opção). Klee é mais *pintor* do que Mondrian, no sentido lato de aferição de sua obra, enquanto esse último foi indubitavelmente mais importante pelo que passou a representar o seu despojamento estrutural, não só para a própria pintura, mas também para a arquitetura, a escultura ou as artes gráficas, paginação, publicidade etc. A pintura de Klee é até uma pintura de invenção, no detalhe, na riqueza de elementos novos, na libertação da linha em favor de um anedótico muito peculiar, em que, inclusive, a maior originalidade talvez seja aquela de o título ou nome do quadro não traduzir mera etiqueta ou sinal da obra, mas, na realidade, um signo que se incorpora ao sistema de signos da informação visual. Em suma, o título de um quadro seu, geralmente, possui a ambivalência, material, de ser sinal, índex da obra, e virtual, por ser elemento que se integra, embora literariamente, à sua estrutura. Quem aceita Klee penetra com empatia em seu mundo, encontra a estesia pura, o encantatório ou sumo para o espírito.

Mondrian não nos proporciona nada disso – pelo menos o Mondrian da fase básica, na qual o seu nome se firmou. O vangoghismo inicial de Mondrian é outra coisa. A pintura dele pode ser chamada uma pintura de tese, pois ela encerra uma meditação sobre a própria razão de ser daquela arte. A rarefação estrutural das cores básicas, do tema básico da pintura, que é o cruzamento da linha horizontal com a linha vertical ("isso significa a vida") recondicionou todo o comportamento criativo na vertente racional das artes plásticas. É uma obra de decomposição via reconstrução. Abriu caminho para muitas coisas ou começou a denunciar, inclusive, o fim da pintura, tomado o quadro como objeto único, de cunho hedonístico. Mondrian talvez fizesse mais falta às artes plásticas do que Paul Klee, porém isso jamais levará a inferir – consumado um corte sincrônico no processo – que é *melhor*.

Na poesia, dá-se o mesmo. Tomemos o exemplo de Sousândrade, o maior poeta brasileiro do século passado, e João Cabral de Melo Neto, maior poeta brasileiro do século atual. Em matéria de importância, o Sousândrade do *Inferno de Wall Street* estava pelo menos meio século adiante dos seus contemporâneos, embora – faça-se a ressalva – essa importância não haja sido concreta ao nível do impulso no processo, porque só descoberta há alguns anos, por Oliveira Bastos e Augusto e Haroldo de Campos. Aqui, o trabalho dos Campos, ao reeditarem e analisarem exaustivamente a sua obra, serviu para corrigir, para operar uma espécie de retroalimentação do processo ideal.

No século atual, João Cabral é o melhor poeta (novamente, uma opção pessoal: alguns poderão preferir Drummond, outros ainda podem ser mais surpreendentes, preferindo Bandeira, ou mesmo, Jorge de Lima, como era o caso de Mário Faustino). Mas não se dirá que foi o mais importante, embora a carga de invenção dos seus poemas na técnica do novelo que se desenrola rigorosamente. Oswald de Andrade, no lance de "despoetizar" o poema, foi mais radical, foi também mais radical em alguns achados sintéticos – embora esteja longe de João Cabral, como capaz de comunicar aquele algo mais que a poesia (e, não, a Shell) nos dá.

Essas distinções são ainda mais intensas no cinema com o seu pouco mais de meio século de vida. De Griffith a Godard, passando por Eisenstein, Hitchcock, Orson Welles, Antonioni e outros, está a linhagem da invenção, da importância (sem querer dizer que, vários filmes desses cineastas, em si, deixem de ter a sua validade como espetáculo). De Chaplin a 007, passando por René Clair, pelos musicais da Metro, pelos *westerns*, está a linhagem do espetáculo, do cinema em si, dispensada a pesquisa diacrônica.

Mais duas coisas a serem acrescentadas ao assunto. Em primeiro lugar, não deixa de haver, sem dúvida, um critério subjetivo para a fixação do importante – depende da posição em que cada um se coloque a fim de situar o transformismo. Para Mallarmé, por exemplo, Poe era um poeta importante. Para Ezra Pound, nem Poe nem Mallarmé eram importantes, em seu elenco de autores inventivos. Apesar, contudo, da subjetividade de opções pela importância, ela marca uma opção maior que une a todos: a opção crítica e racional vinculada à opção pela forma, em contraposição à opção hedonística ou simplesmente emocional, típica do consumidor ou do crítico impressionista.

Em segundo lugar, fazer notar que mesmo esses critérios permanecem condicionados por mutações de infra-estrutura. Assim é que, com o advento da segunda revolução industrial, o processo apresenta modificações mais rápidas das condicionantes estruturais do objeto estético, embora nada impeça o fluxo e refluxo acidental. Por isso mesmo, espocaram tantas vanguardas no século atual. Pois os movimentos de *avant-*

garde significam sempre uma tendência (mais válida ou menos válida, conforme o caso) de destruição de um sistema e/ ou de reconstrução. Pode-se mesmo afirmar que o chamado artista sério, hoje em dia, vive numa contingência de vanguarda, ou – pelo menos – tem de se situar em relação a ela. Isso, por seu turno, tumultua a noção de importância no presente, desligada do retrospecto histórico. A própria noção de arte ou a obsessão pela arte torna-se acadêmica e – aí mesmo – vai ficando válida a expressão de Décio Pignatari de que "a arte é um preconceito cultural". Válida – quer dizer – no sentido de que, liquidada a era do artesanato, fica difícil falarmos em "belas artes" (quando, agora, o belo é o funcional) ou em sete artes (quando a dita sétima, o cinema, já engloba a todas as outras e é, por isso, mais importante do que todas elas, em face da sua riqueza de materiais e o aspecto de comunicações de massas). Quantos textos publicitários, por exemplo, sob o aspecto gráfico ou verbal (ou mesmo cinematográfico) não são melhores do que textos considerados "literários" ou "artísticos"? É só ir ao terra a terra da prática e verificar que um texto da Volkswagen é geralmente dotado de maior informação estética do que os poemas-praxis de Mario Chamie, as obras completas de Castro Alves ou José de Alencar, quase todo. Verificar que a capa da edição de um dos Penguin Books de Françoise Sagan, é muito melhor do que o recheio, isso é, a prosa da Sagan. Ou, enfim, quantos poetas "participantes", ou consagrados ou já academizados são melhores do que o sambista Noel? Talvez os dedos das mãos sejam suficientes para responder. O maior poeta atual da França é o *chansonnier* Georges Brassens.

Hoje é importante penetrar nessa realidade (os Beatles são mais importantes do que Villa-Lobos) para assimilar a desimportância de uma cultura que não mais expressa a realidade. Ou ver que, por causa da polivalência, do princípio da descontinuidade, a literatura barroca interessa muito mais à época atual do que a clássica, como fonte de formas. É só ver no próprio barroco brasileiro, tão mal conhecido, e que, agora, a edição compilada por Péricles Eugênio da Silva Ramos, para a Melhoramentos, traz um pouco de luz. Lá está o interessante *labirinto cúbico*, que, aliás, não chega a ser um poema concreto, como julga tolamente um divulgador de livros,

Aguinaldo Silva, ao dizer em sua virgindade cerebral que o autor – Ayres de Penhafiel – fez um poema mais avançado do que os concretos. Perdeu-se, no labirinto da asneira, pois se estivesse informado de alguma coisa saberia que o movimento concreto já divulgou dezenas de poetas pré-concretos, desde o grego Simias de Rhodes, e exatamente para mostrar a tradição de se apreender a palavra também como um dado físico. Por isso, quando em sua *jocobtusidade* diz que a barba dos concretistas vai crescer, é preciso ter cuidado para que as suas orelhas não cresçam.

Estabelecer uma tradição da importância, uma linhagem de autores importantes, segundo a tendência de um período, é o trabalho das vanguardas mais sérias. Isso é feito há mais de dez anos pelo movimento concreto em sua faixa de atuação cultural, uma cultura realmente engajada [*Correio da Manhã*, 16.4.1967].

Dogma e Dialética

Dogma e dialética são dois pólos opostos, como manifestação de conhecimento. Quando o primeiro procura substituir a segunda, torna-se forçosa a queda de algo nefasto que poderia ser qualificado de unilateralidade repressora. Pois a pragmática rejeita o dogma; esse só encontra a sua validade dinâmica na expressão criativa de uma gratuidade essencial.

Pode-se focalizar a questão sob a perspectiva do uso da linguagem verbal. Para tanto vamos recorrer a dois pólos de atividade lingüística, fundamentalmente heterogêneos entre si em matéria de efeitos e objetivos. Poesia e discussão. Com a angulação do comportamento do *homo ludens*.

Discussão é dialética. A técnica do jogo é simples: uma pessoa tenta convencer e provar a outra que o seu entendimento sobre determinado assunto está correto e que, por conseguinte, o do interlocutor não está. Predomina o relativismo essencial do lançamento das premissas (que envidam conduzir a uma conclusão lógica), ou seja, cada uma delas tem de ser firmada em fatos e eventos notórios e o encadeamento racional é obrigatório para todas. Não existe a validade funcional para a afirmação gratuita. Se, por exemplo, no meio da discussão, A diz para B que esse último se está portando como "um pavão latejante", a metáfora, brilhante ou de mau gosto em nada contribuirá para o resultado. Será, no máximo, um aprimoramento voluptuário ornando a argumentação. Mesmo porque, se o debate descambasse para a veracidade da assertiva, seria muito difícil, ao emitente da imagem, provar que o seu contestador é um povão, ainda mais latejante.

Já na poesia, ocorre o contrário: saímos do pólo do relativismo total para aquele do absolutismo do dizer. É aquela idéia de Heidegger de fundar – o poeta inaugura, cria dogmas, dirige-se, em primeira instância, à sensibilidade. Assim será lícito ao poeta X iniciar o primeiro verso do poema, exclamando: "sou um pavão latejante". Numa segunda etapa, o intelecto pode filtrar aquilo que quis dizer o poeta (dentro do mecanismo lógico da linguagem discursiva) por detrás de tal metáfora. Mas, aí então não existirá aquela unilateralidade repressora no dogma poético, porque a sua verdade é apenas a da coisa em si e não irá procurar afivelar-se a outras coisas. Escapando do mundo utilitário dos objetos, devido à sua gratuidade essencial, só atuará sobre esse na segunda instância, quando já houver incidido a filtragem intelectual que permite o encadeamento lógico do fato novo (o dizer inaugural) aos antigos, já incorporados aos hábitos da língua usual.

Na discussão, é o jogo intelectual que aflora logo na instância inicial. Não há a arma da metáfora. O método referencial, enunciativo, navega no léxico. Quanto maior a racionalidade do relacionamento de coisas – de parte a parte – "melhor nascerá a luz", para usar o refrão surrado.

O primado do dogma no controle do universo estrito dos fatos conduz à entropia do humanismo, é conferir à fantasia do poeta um efeito imediato. No terreno mais subjetivo, da autoprojeção individual, leva à loucura. No campo mais objetivo, da política, por exemplo, ou autoprojeção coletiva, leva à ditadura. Por isso, em todos os regimes democráticos a lei controla os donos da verdade e não esses a ela. Já se sabe; a lucidez reflete um estado permanente de dúvidas. É o estar antidogmático. A certeza eterna põe o eu no centro do mundo: é poético, mas, na prática, antidialética, leva às trevas de todos, em torno da estrela absoluta do nada [*Correio da Manhã*, 10.9.1969].

Hora e Vez do Diabo

A crise do humanismo cristão, identificada também a chamada crise de valores, não pode ser compreendida ou explicada por meio de generalidades como vício, corrupção, desigualdade etc. etc. *Hippies*, terroristas, passageiros das drogas estão aí, como efeitos de coisas mais complexas e concretas.

Examinar crises e questões dessa natureza, na base do moralismo, é o mesmo que se arremessar, no escuro, contra o muro das limitações. Porque o moralismo esquece a relatividade – não relaciona os fatos, pensa em qualidade, em lugar de quantidade.

Ou melhor, substitui a dinâmica estatística da quantidade de eventos, pelo valor dogmático, estático, da nomeação qualitativa que dá a cada um deles, consoante a bateria de conceitos.

Em lugar da observação estatística e dialética (montagem dos dados), o pingue-pongue moralidade x moralidade – a primeira estribada em valores qualitativos absolutos, imutáveis, a segunda, na inversão ou negação, absoluta imutável, desses valores. Quando, por exemplo, um escritor, como Oscar Wilde, dizia que não há livros morais ou imorais, e, sim bem ou mal escritos, estava a propugnar pelo distanciamento crítico do amoralismo. Porque o amoralismo é marco inicial de qualquer especulação ética, dando sempre hegemonia aos meios e, não, aos fins. Os meios são o instrumento (e, daí, a linguagem), mudando-se os meios, mudam-se os fins. Os meios são concretos; os fins, abstrações. O imoralismo diz que os meios justificam os fins; o moralismo diz o contrário, os fins justificam os meios.

Ora, o instrumento não é uma coisa neutra, desligada daquilo que vai expressar ou sobre o qual vai atuar. Está representado em sua própria obra. Assim sendo, a crise, alteração ou derrocada de um sistema de meios leva também àquela dos fins; ou das fontes de onde emanariam os conjuntos de princípios éticos.

Se o humanismo cristão está em crise, não é porque ele seja incapaz, em si, de nortear princípios éticos. É porque ele, por si só, é incapaz de se nortear com os novos meios, em suma, já não atua sobre a realidade de modo tão intensivo: máquinas, automação, Freud, Einstein, discos voadores, enfim, uma nova linguagem global do processo. Então, da violência, do imoralismo (e isso é pleonasmo, pois a violência é a alma da imoralidade) resulta como típico de um período de transição, de um sistema de meios para outro, em que o pêndulo é a perplexidade do homem. Se, no momento, Deus está mais inacessível e é hora e vez do diabo, a dialética (ou o processo), pelo retrospecto, manda concluir que voltaremos ao leito normal do rio [*Correio da Manhã*, 11.9.1970].

Fim do Racionalismo

Dois eventos-parábolas paralelos: a) Caramuru chega aqui, atira e espanta os índios; b) o final de *2001* de Kubrick e Clarke, quando o astronauta pára além das galáxias, vê coisas do passado, vê-se a si próprio noutras idades e, na fecundação com o monólito, transforma-se no bebê cósmico. O materialismo simples explicaria os dois casos, dizendo que, no primeiro, os índios, cientificamente mais atrasados, desconheciam a pólvora e cederam ao misticismo, e que, no segundo, o desconhecimento nosso a respeito da realidade, fora da Terra, permite todas a fantasias da ficção.

Elementar, mas incompleto. O que está em jogo a ontologia do que se chama fenômeno, não tanto o natural, mas o paranormal. E, aí, o apelo místico não é assim uma posição alienante, como se pode julgar apressadamente; trata-se de um ímpeto natural de se tentar atingir a raiz do fato, pelo menos tangê-lo – é uma forma de conhecimento, como o são a arte, a psicanálise etc. etc. E tão concreta que sempre existiu no ser humano, animal simbólico, e só se extirpa com o seccionamento do cérebro.

Se o mito pode ser definido como a concretização de uma verdade coletiva, o misticismo seria a concretização de dúvidas essenciais, individuais ou coletivas, até mesmo a incerteza sobre essas dúvidas. São fenômenos impossíveis de entendimento pelo raciocínio e causalidade lógica. Nem pela religião; essa institucionaliza a atividade mística, que é dinâmica, dialética, não-lógica, tornando-se o ato de crer um ritual formalista, a impedir a verdade da procura. Aqui, porém, é outra questão filosófica, da religião, véu sobre a verdade, como necessidade coletiva.

Foi o próprio e extraordinário desenvolvimento da ciência, no século atual, que liquidou com o racionalismo clássico, na função de núcleo central das formas válidas de conhecimento. Aí estão coisas como a topologia e a parapsicologia, toda a arte em suma, a fim de mostrar que, se a inteligência sempre percebe relações (e tudo tem a ver com tudo), elas nem sempre podem ser regidas ou detectadas pela causalidade lógica ou historicamente linear. O fim do cartesianismo e do *Enlightment*, mal substituídos pelo materialismo dialético (o "ópio do povo" continua em ação, dopando inclusive as contestações éticas e políticas), foi a impotência de instauração de instrumento único e adequado para o homem alargar a sua atividade de procura, além e dentro de si mesmo. Pois, parece que alguns deuses "que foram astronautas" não descobriram a pólvora. Pois parece que *2001* evidencia que a crise do materialismo, ou de sua razão de ser, é a própria noção de falta de medida da matéria, a assolar o homem [*Correio da Manhã*, 14.8.1970].

Loucura Cronológica

A velha cronologia linear como método de aferição das alterações da realidade perdeu inteiramente a sua ascendência, com aquilo que Cassirer, em seu estudo a respeito da lei da relatividade, conceituou como passagem do universo mecânico para o eletrodinâmico; ou seja, de Newton a Einstein.

Hoje, o ato de conhecer está condicionado a esse envolvimento dos meios eletrodinâmicos. A criança ouve e vê – *ouvê* – consoante uma descontinuidade de efeitos, na era da "aldeia global", em que as mensagens ligam os pontos mais remotos da Terra, com incrível rapidez. Desde cedo, pela tevê, apreende Chacrinha e a guerra do Vietnã, João Saldanha e as novelas, desenhos animados e música popular, há sempre o acompanhamento do ruído de algum rádio de pilha, sem falar nos recursos encantatórios da publicidade.

Mas, quando está no colégio, parece que penetrou num mundo diferente. Em muitos casos, em vez de permanecer no fluxo daquilo que Jean Ladrière, em sua *Filosofia da Cibernética*, denominava como "apreensão horizontal do real", recebe o impacto da verticalidade de valores, subproduto das velhas aulas-modelo-conferência e da apresentação cronológica dos fatos. Em lugar do estímulo, o choque, desinteresse, a gerar, inclusive a indisciplina. Se o conhecimento é tudo o que se aprende através dos sentidos e da intelecção propiciada pelo restante do mundo verbal, ensino é a orientação do conhecimento. Quando o ensino é desorientado, o conhecimento fica deturpado.

Muitos estabelecimentos, no âmbito do curso primário, vêm realizando um esforço louvável de adaptação e renovação. Mas a chegada ao ginásio torna-se amiúde catastrófica, principalmente no tocante ao aprendizado da língua e literatura. Em lugar da indução através dos sentidos, passível de criar aquele estar dentro da fala, é a velha história de que "a caneta é de João" ou o "mata-borrão é de Maria" (e, hoje, na era da esferográfica, nem mais se usa o mata-borrão), de fazer uma penosa tradução de textos da Idade Média, do latim obrigatório, ou quiçá, aquela antiga e inacreditável análise lógica de *Os Lusíadas*. No estudo da literatura, por exemplo, em lugar de se estimular o estudante com textos de autores atuais, que se referem a uma realidade que ele experimenta, é o método histórico-cronológico de se começar tudo pelas "priscas eras", matando, no nascedouro, muito interesse, talento ou vocação. Com isso, só o autodidata permanece capaz de ser atualizado em literatura. Uma bateria de regras, em aulas convencionais. Muitos estabelecimentos federais de ensino médio, em lugar, por exemplo, de porfiar pela instalação plena e completa dos métodos audiovisuais para o ensino de línguas, usam-no, quando muito, como um apêndice aos cursos tradicionais. É trocar o acessório pelo principal, transformar a essência do processo em treino de intervalo, quando a prática já demonstrou que o aluno aprende muito mais depressa a falar qualquer língua pelo audiovisual do que com o blá-blá-blá do decoreba ou da parafernália de normas gramaticais. Tal deturpação de currículo leva a contradições típicas: o aluno craque em colocação dos pronomes *en* e *y*, incapaz de, sozinho, despachar suas malas ao chegar em Orly; ou aquele que já completou 15 anos, está saturado de Virgílio ou Ovídio, mas não dispõe de uma máquina do tempo a fim de voltar a Roma antiga...

Dizem alguns que, pelos seus exageros McLuhan é louco. Mas há outros que, até pela excessiva falta de exagero, já estão loucos há muito mais tempo [*Correio da Manhã*, 27.8.1970].

A Fome e a Forma

Muita gente ainda, nessa era de computadores, examina o fenômeno cinematográfico, o estético em geral, com suas baterias de regras fincadas na surrada dicotomia forma x conteúdo. Verdade que os exegetas de tal corrente envidam coroar o seu *parti-pris* já aprioristicamente adotado, ou seja, como no velho Oeste, a forma é o bandido e o conteúdo, o mocinho, enfim, o mal e o bem. Os resultados são os mais curiosos.

O especialista, por exemplo, vai ao cinema e assiste a determinado filme. Depois vem a público dizer que descobriu que o diretor (pobre diretor), a partir de uma situação aparentemente sem importância, vamos dizer, de superestrutura, pretendeu retratar as misérias e contradições de um sistema, de uma sociedade. Mas, pobre diretor, em lugar de se restringir às sutilezas conteudísticas, decidiu enfeitar tudo com as acrobacias da forma e, então, se perdeu. Ou melhor, "alienou-se".

O leitor, dotado de bom senso, poderia parar e perguntar: e onde fica o cinema, quando se exige tanta contenção à criatividade? Se o conteúdo, o recado no bolso do colete, traduz a lei magna, por que o crítico não faz um comício, uma reportagem, quiçá uma denúncia à autoridade competente, conforme o regime, porque ninguém é de ferro? Por que homens como Griffith, Eisenstein, Welles, Rossellini, Godard perderam tanto tempo, se o negócio é o conteúdo? Se for mais longe em suas especulações, vai descobrir, então, que o crítico não está, na verdade, interessado propriamente em cinema ou qualquer manifestação criativa e, sim, em algo além, à margem disso.

Trata-se da confusão acadêmica entre conteúdo e intenção, enfeitar essa última com o nome daquele outro. Mais do que nunca, no terreno da criação, o inferno está lotado de boas intenções que não digam respeito ao objeto da mesma criação. Até no terreno psicológico é difícil explicar e apontar as tais "boas intenções" – quem vive de dogmas vai para o reino dos céus. Tome-se, por exemplo, um jogo de pingue-pongue. Ambos os contendores são craques e estavam com boas intenções em relação à funcionalidade da atuação, ou seja, ganhar. Mas um ganha e outro perde. Será que esse tinha piores intenções?

RESPOSTA: não, porque há um "algo mais" além da vontade, a capacidade. Chegamos então ao problema da forma. Para encará-lo é preciso dizer, logo de saída, e sem tremores éticos, que a arte possui afinidades e um processo análogo ao do jogo. Também pára aí a comparação. Se a finalidade da arte, vinculada, ou não, a obra em projeto a uma realidade contingente, é a eficácia da expressão, ou a inovação dos meios de expressão em função da melhor eficácia, impossível exigir Pelé pintando e Picasso numa pelada. Muitas vezes o crítico burocrata e pseudomoralista diz ao artista que, por hipótese, não está interessado em *2001*, de Kubrick, e, sim, no problema da fome. O artista lhe responderá que está interessado na fome de criação. Cada macaco em seu galho.

CRIAÇÃO – essa a moral da arte ou da programação industrial. Por isso é a chamada forma que condiciona a manifestação do assim chamado conteúdo, por isso disse Maiakóvski que "não há arte revolucionária sem forma revolucionária". Por isso o teórico da *gestalt*, Max Wertheimer, levantou a lebre do isomorfismo: identificação fundo-forma. Caso contrário, qualquer obra musical seria produto de alienação, porque a ontologia da mesma música repousa na não-iconicidade de seus signos. Mas, nem o estalinismo chegou a tanto...

Senão, enfim, para que o pincel, a câmara, o instrumento? A criação estética tem fome de forma, embora não seja a forma da fome um dos seus temas obrigatoriamente prediletos [*Correio da Manhã*, 13.5.1971].

Som e Signo

A palavra é essencialmente ambígua? A primeira passagem do sinal (que é linguagem denotativa) para o símbolo ou signo (que é linguagem conotativa) encerraria o pecado original da comunicação entre os seres humanos? McLuhan, em seu *Counterblast*, ao falar na atual ascendência do espaço acústico, diz que, de novo, o nome se localiza onde a coisa a que se refere também está – ou seja, um retorno ao universo de puros sinais. O envolvimento, então, seria total, maciço, pois, sabe-se, é impossível a ambigüidade ao sinal: uma seta aponta irrecorrivelmente para determinado ponto, ela é a direção; ao céu azul ou estrelado implica inapelavelmente a convenção do bom tempo, ele é bom tempo.

Mas a hegemonia da sinalização acaba com coisas como a poesia, aquilo que, por exemplo, disse Heidegger ser a fundação do ser pela palavra, ou disse Mallarmé ser feita com palavras, e não com idéias. Em suma: o jogo com palavras desapareceria, por falta de campo, de território conotativo.

A palavra é o uso do artifício – quanto maior a sua história, maior a sua carga referencial, as camadas de significado possíveis de ampliar a ambigüidade: eu não sou o que não sou. O som precede o alfabeto ou qualquer outro sistema, gráfico ou pictográfico, de sistematização de notações. Quando o homem descobriu o artifício da escrita como meio de comunicação, não só o desenvolvimento das capacidades para metáfora ou metonímia já ficava prescrito, como também a presença física da palavra já abria as portas ao mundo da fantasia. O resto era acionar, para o jogo, o brinquedo mais requintado até hoje existente, o cérebro humano. Não só em favor do mundo especulativo das artes (luta por novas conotações), como em prol do disparo da ciência, que cria uma espécie de supersinal (ou sinal híbrido), isso é, símbolos cuja reiteração incessante de terminadas conotações passam a obter a simplicidade da seta; e aí chegam as grandes fórmulas. E, mesmo assim, note-se, a imprecisão semântica das palavras acarretada pela utilização significante, isso é, no papel de signo, símbolo: um texto de li que, ao contrário do poético, tem de ser o mais preciso possível em matéria de significado, comporta, amiúde, as mais variadas exegeses.

A aldeia global, o universo tribal, o espaço acústico de McLuhan envidam demonstrar o fim da égide do alfabeto, da palavra em si, do literário, embora, até por paradoxo ou contradição, hajam sido elementos como esse que permitiram a evolução científica e material que gerou a parafernália da comunicação de massas que azeita as idéias do próprio McLuhan. De qualquer modo, o som artificial impôs-se com tal ímpeto que o envolvimento tornou-se irresistível. A própria força física da imagem artificial (cinema, televisão, publicidade etc.) é tão intensa como sinal, ao contrário da palavra impressa, que o efeito simbólico de conotação não pode deixar de levar em conta a materialidade da qual emana, ao contrário da poesia, em que é possível construir um símile a partir de um outro, já convencional.

Talvez, então, a própria essência da linguagem entre em crise [*Correio da Manhã*, 14.1.1971].

A Era Eletrodinâmica

Em seu *approach* epistemológico à teoria da relatividade, Ernst Cassirer já fazia notar a passagem do mundo, da perspectiva mecânica para a eletrodinâmica. Num debate realizado durante o ano passado, girando em torno do desenho industrial no Brasil, ensino e mercado de trabalho – agora publicado em livro, sob os auspícios do Movimento Universitário de Desenvolvimento Econômico e Social e do Instituto Latino-Americano de Relações Internacionais – o poeta (e professor da Escola Superior de Desenho Industrial) Décio Pignatari distinguiu, de modo agudo, a forma de especialização da idade mecânica para a da idade eletrônica. Dizia Pignatari:

A especialização da idade eletrônica é de outro tipo, não tem nada mais que ver com a especialização da idade mecânica, de partes em separado. O profissional de novo tipo é aquele que será tanto melhor no seu campo, quanto mais ele conhecer de outros campos que não são os de sua especialidade. Isso é, hoje, o novo profissional. Ele só é profissional na medida em que atua em um setor, tendo consciência do sistema geral.

Essa a conseqüência básica e inicial, sobre a linguagem, do mundo eletrodinâmico: destrói a apropriação do linear e da continuidade lógica e impõe a ascensão do relacionamento probabilístico e da "descontinuidade" ideográfica. É toda uma cultura, então, que muda, partindo-se do princípio de que, mudando-se a linguagem, muda a cultura. Com todos os exageros, McLuhan viu isso. O próprio Cassirer, com todo o positivismo; Wiener, o pai da cibernética, também viu. E viram longe, nessa batida, poetas como Ezra Pound e Oswald de Andrade, cineastas como Eisenstein e Godard.

Mas não viram os intelectuais do século XIX, aqueles que oferecem uma visão dos problemas na base de uma cultura meramente livresca (não que se deva ser contra o livro, mas, apenas, dar-lhe o papel válido dentro do processo), não viram os investidores na importação de um *know-how* defasado, superado, não vêem, enfim, aqueles que dão ao ensino aqui no país uma estrutura de cerca de um século de atraso. Aquela estrutura que, em lugar de partir do particular para o geral, atola o estudante de generalidades heterogêneas para depois afunilá-lo no túnel da especialização – na hora em que ele, exatamente, necessitava especializar os seus prismas de conhecimento em função da própria perspectiva de criação (em vários planos, estético, social, profissional etc.).

O germe da contracultura que, no momento, vai abrindo fendas no edifício do humanismo ocidental, não propugna, evidentemente, apenas um marginalismo modelo *underground*, de pobreza de meios, sem querer tomar em conta a evolução da máquina e da tecnologia. O caso do cinema é gritante: não se pode desprezar a técnica se a ontologia do filme é o condicionamento tecnológico. Ficar drogadamente a um canto, sem desejar tomar conhecimento do que estão fazendo os computadores, representa a auto-sonegação da informação. Necessário, sim, repensar a máquina e *desespecializar* o homem [*Correio da Manhã*, 5.2.1971].

Forma e Fonte

Na Segunda Revolução Industrial, o avanço galopante das descobertas científicas, impulsionando conseqüentemente a ampliação e o aprimoramento da técnica, parecia decretar o fim das formas de conhecimento não-racionais. Mesmo porque, discernindo-se em tudo um problema de linguagem, essa última encaminhava-se para a abstração em diversos setores – até a arte.

Começou a se verificar, no entanto, um fenômeno oposto: o apelo místico e mítico impele o comportamento não só em certas práticas isoladas, mas de grupo ou coletividades inteiras. Várias raízes poderiam ser atribuídas ao fato. De um lado, as contradições da própria parafernália. O universo científico, tão poderoso que é, forja aquilo passível de ser denominado como *perplexidade do instrumento* ou o método do Criador diante da criatura que se avantaja inesperadamente diante Dele. Exemplo disso é, logo, a ameaça contingente das bombas que descerrariam o fim da humanidade, caso acionadas. De outro lado surgem as próprias perspectivas paradoxais do *conhecimento do desconhecido*, ou seja, a abertura para campos inexplorados e que só emergiram com o próprio progresso da física, da química, da astronáutica etc.

Mas tudo isso seria inócuo se observado um critério de meditação filosófica sobre os limites do racionalismo. Por isso, também, um pensador como Cassirer, em *An Essay on Man*, ao definir o homem, não como um animal racional, mas como um animal simbólico, quis dizer muito mais da capacidade humana além dos limites prescritos na primeira definição. O racionalismo não será jamais a meta final do que se compreende como conhecimento, é apenas meio, instrumento. No momento em que eu sei que as áreas do conhecimento material não se cingem ao globo terrestre, sequer ao sistema solar, ser-me-á impossível aceitar qualquer quadro definitivo que controle a probabilidade dos fenômenos. Posso até controlar o acaso numa área restringida pelo conhecimento já estratificado. Mas aí está o caráter artificial do racionalismo, sob o ponto de vista filosófico. Leva ao dogma. Tanto os dogmas ultra-sabidos da religião, como aqueles do materialismo ortodoxo, que, assim, fica sendo ele próprio, estruturalmente, uma religião. Uma obra cinematográfica tão monumental como *2001: Uma Odisséia no Espaço*, de Stanley Kubrick, evidencia tudo isso pelo encadeamento epistemológico que chega ao choque cultural. O choque cultural pode ser definido assim: um salto tão súbito de conhecimento que desalicerça a razão básica e vital, inclusive os meios utilizados pelo homem para estar em seu ambiente.

Então, pode-se procurar localizar, no nível lingüístico, em termos de teoria de informação, o papel do racionalismo. É o mínimo necessário de redundância que, em qualquer contexto de mensagem, facilita o acesso à originalidade nela inscrita. Qualquer informação nova, sem o aparato da redundância envolvendo sua transmissão, importa, com maior ou menor peso, em choque cultural.

Mais ainda no plano da própria atividade científica. Impressionado com a avalancha de fenômenos, o homem, na Segunda Revolução Industrial, passou a utilizar um instrumental indutivo (e não mais dedutivo) como recurso empático imediato para a apropriação deles em determinados terrenos. Então a parapsicologia, por exemplo. A preocupação da parte de homem de ciência com o conhecimento paranormal, não mais como exorcismo místico, porém, como forma intencional de conhecimento. É essa conciliação entre métodos racionais e intencionalmente não-racionalistas que marca a última etapa epistemológica do século [*Correio da Manhã*, 20.5.1971].

O Grau Zero de Barthes

Acaba de ser lançada a tradução para o português de *Le degré zéro de l'ecriture* (*O Grau Zero da Escrita*), de Roland Barthes. Trata-se de uma iniciativa de grande interesse, porque, embora seja o primeiro livro de Barthes, publicado em 1953, talvez ainda seja a sua maior obra, a mais criativa como ensaio e pensamento.

Roland Barthes, no prefácio feito à edição da obra da coleção Médiations (em que apareceu juntamente com *Elementos de Semiologia*, obra de 1963, também lançada, em tradução, pela Cultrix), disse que o *Grau Zero* se consistia numa "reflexão sobre a condição histórica da linguagem literária". E, com isso, introduziu o conceito de escrita, uma "função" situada entre língua e estilo, que "é a relação entre a criação e a sociedade, é a linguagem literária transformada por sua destinação social, é a forma apreendida na sua intenção humana e ligada, assim, às grandes crises da história". Talvez, em paralelo, em decorrência de sua mediação a respeito do impasse de escrever, a fazê-lo concluir o livro com a idéia de se tornar a literatura a utopia da linguagem, foi que, num livro logo posterior, *Mythologies*, entre coisas "sérias", abordou assuntos tão "antiliterários", como o sabão ou a luta de *catch*.

Aborda o sentido de escrita sob vários ângulos, ou seja, da política, do romance, da poesia, da burguesia, da revolução, da fala. Ao mesmo tempo, teoriza a respeito de diferenças entre língua e linguagem, poesia e prosa. Um dos pontos mais fascinantes, cintilantes como expressão de pensamento, nessa obra, é quando ele discorre sobre o escrever em conjuntura político-social, as misérias do pretenso engajamento. Então, o problema do estalinismo. Depois de chamar a atenção para o "conteúdo eternamente repressivo da palavra *ordem*", procura mostrar a escrita estalinista como uma tautologia, porque, havendo a separação entre o bem e o mal, todas as palavras têm valor. Diz RB:

> O que é certo é que a ideologia estalinista impõe o terror de qualquer problemática, mesmo, e sobretudo, revolucionária: a escrita burguesa é julgada, afinal de contas, menos perigosa que o seu próprio processo. Assim, escritores comunistas são os únicos a manter, imperturbavelmente, uma escrita burguesa que os próprios escritores burgueses condenaram há muito tempo, no momento exato em que a sentiram comprometida com as imposturas de sua própria ideologia, ou seja, no momento exato em que o marxismo se viu justificado.

A argumentação é precisa e inquietante: de um lado, vislumbra-se a intolerância do obscurantismo e de faccionismo, que geraram o mostrengo do realismo socialista; de outro, a crise da literatura (ou das artes tradicionais em geral), salpicadas da *mauvaise conscience* do escritor burguês. Mesmo porque não adianta fechar os olhos ou adotar a postura do avestruz, para dizer que a arte só é arte quando fabricada na torre de marfim.

Necessário, sim, meditar na forma. Assim como Maiakóvski, imolado pelo *Proletkult*, dizia que não há arte revolucionária sem forma revolucionária. Barthes encerra magistralmente o capítulo sobre a escrita e a fala, ao estatuir que: "É porque não há pensamento sem linguagem que a forma é a primeira e última instância da responsabilidade literária, e é porque a sociedade não se reconcilia que a linguagem, necessária e necessariamente dirigida, institui para o escritor uma condição dilacerada".

Talvez, desde *O que é a Literatura?* de Sartre, seja *O Grau Zero* a melhor coisa no tema [*Correio da Manhã*, 23.12.1971].

Cultura e Progresso

O conceito de cultura, pelas próprias distorções do racionalismo imediatista e pelo ritual da especialização, oscila entre o formal e o geral de um modo que se perde como balizamento do fenômeno humano, independente de fatores, tais quais raça, geografia, instrumentalização, sistemas econômicos, políticos, sociais etc.

Um dos agentes principais da distorção que perturba a visão do verdadeiro processo e deságua na ineficácia do binômio ensino-aprendizado constitui a falsa idéia de progresso, acionada em grande parte pela cronologia da evolução científica, dominando em especial a civilização ocidental.

Lévy-Strauss, desde a época em que escreveu a sua monografia *Raça e Cultura*, já havia denunciado essa concepção simplista, que, a partir dos períodos sobre os quais mantemos maiores dados a respeito do ser humano, se funda na passagem e dicotomia do período paleolítico (pedra lascada) ao neolítico (pedra polida).

Esse conceito de progresso, em lugar de atender a um critério de "apreensão horizontal do real", de que fala Jean Ladrière em sua *Filosofia da Cibernética*, ou consoante os diagnósticos, alguns merecidamente polêmicos de McLuhan, em seu descortínio da aldeia global, funda-se meramente numa ênfase de valores decalcados de uma verticalidade sobre o domínio e controle da matéria. Já se viu o que essa verticalidade não esconde, sem evitar a escalada inversa da pirâmide do progresso no sentido das contradições: armamentos nucleares, a fabricação crescente dos instrumentos dedicados a matar o próximo, fome, epidemias, moléstias, intensa desigualdade social. Se, por exemplo, o conceito de progresso, como simples evolução no domínio das propriedades da matéria, fosse lógico e lúcido, refletindo, até por utopia, a consciência de captar racionalmente os efeitos do imprevisível, não teríamos a política de controle das informações verdadeiras a respeito dos discos voadores (ou objetos aéreos não-identificados) praticada pelos órgãos de segurança. Em suma, se tal progresso traduz bem-estar da humanidade, continuamos na estaca zero.

A idéia de cultura cinge-se em teor espontâneo e especulativo, típico do comportamento do homem ("animal simbólico", vide Cassirer), e é a concretização das atividades de conhecimento humano, consoante um relacionamento dicotômico sujeito-objeto, atuando o primeiro sobre o segundo. Inexiste atuação privilegiada, na base do isso é mais importante do que aquilo, mesmo porque, os efeitos dessa ou daquela atuação transformam-se imediatamente em novo objeto de conhecimento. Vincula-se, evidentemente, a cultura ao processo da necessidade e, aí então, só existe uma forma de atuação que pode classificar de acultural ou não-cultural: o extermínio. Ora, se não há coisa mais necessária do que o homem em si, qualquer institucionalização que diga respeito ao seu extermínio (guerra, pena de morte etc.) denuncia esse simples progressismo, material e cientificamente entendido, marcando contra a cultura.

Se a meta é o homem, o tema não pode ser apenas um nome (ou sistema) – humanismo – e, sim a sua apropriação pelos meios concretos. A estaca zero do progressismo já configura, então, um símbolo dos fabricantes de sistemas abstratos, formalistas, girando ali, sobre eles mesmos [*Correio da Manhã*, 25.3.1971].

Brincando pelos Campos da Filosofia

No Tempo do Niilismo e outros Ensaios
Autor: Benedito Nunes.

No Tempo do Niilismo e outros Ensaios reflete o pensador Benedito Nunes com lances de facetas de seus melhores momentos em torno de estética, filosofia, literatura e arte. Residindo em Belém do Pará, começou a publicar seus artigos aqui no Rio de Janeiro, em 1956, por iniciativa de Mário Faustino. Agora nesse livro, em que o título corresponde a um importante ensaio de abertura, temos vários assuntos, como Heidegger, Sartre, Merleau-Ponty, Habermas, niilismo, fenomenologia, barroco ou Machado de Assis. E sempre na escala do bom senso – não o "bom senso" no mau sentido ou diminutivo de quem apenas põe algodão entre os cristais, mas aquele fundado em três coisas básicas: conhecimento de causa, isenção de sectarismos e capacidade de formulação.

Em recente entrevista, Benedito Nunes disse que "um dos pólos do livro é aproximar literatura e filosofia na diferença". E, a propósito de Heidegger, é imperativo: "Não se pode pensar sem ele filosoficamente. Ele retomou a tradição filosófica em seus fundamentos a partir dos gregos". Mais adiante: "Daí a idéia, levada ao extremo, de uma consumação da filosofia, na medida em que a ontologia entre em crise". Heidegger, no término de seu ensaio "A Questão da Técnica", estipula que o ato de interrogar é "a devoção do pensamento". E ele foi um pensador que chegou na época da crise e a detectou.

Em *No Tempo do Niilismo e outros Ensaios*, o autor envereda pelas teses de Heidegger e tópicos relativos ao questionamento da metafísica ou da morte da arte. E, quanto a isso, joga em cena um dos maiores ensaios de Walter Benjamin, "A

Obra de Arte no Tempo de suas Técnicas de Reprodução", quando é posta em situação a "aura" do objeto único. De fato, o estudo de Benjamin foi de extrema importância, valendo apenas notar que essa era da reprodutibilidade permite materializar a aura da performance, ou seja, muitas interpretações (música, dança, canto, teatro) que, antes, teriam a sua aura apenas preservada pela precariedade da memória individual.

No seu segundo texto, "Variações sobre um Tema: O Nazismo de Heidegger", Benedito Nunes desmonta com elegância o propósito do livro de Victor Farias, *Heidegger e o Nazismo*. Se considera "uma presunção exorbitante" o julgamento simples do homem, tenta comprometer, como instrumento da ideologia nazista, o valor filosófico de sua obra, o que configura uma aberração ainda mais grave. Em meu entender, o livro de Victor Farias tinha um objetivo pouco filosófico: causar agitação e, por tabela, animar o amadorismo de um certo maniqueísmo esquerdóide. Afinal, qualquer iniciante na matéria sabe que não se pode por o carro diante dos bois, que a ideologia não possui ascendência, nem nada tem a ver com a ontologia.

"A palavra 'crise' ronda o pensamento deste século" – essa frase de Benedito Nunes abre o estudo "Introdução à Crise da Cultura". Aqui, várias idéias podem advir à margem dos autores e elementos citados e acionados. A idéia de evolução superada por aquela de transformação, ou aquela de progresso, pela de processo. Quanto a esse último termo, vale sempre repisar a definição de Alfred North Whitehead: "O processo é a permanência do infinito nas coisas finitas". Flusser, indo fundo em um escrito a propósito do filme *2001: Uma Odisséia no Espaço*, de Kubrick, procura evidenciar a crise da própria ciência, que, se não for superada, impedirá que seja o substituto da fé a nossa "autoridade". Ou seja, apesar de se desenvolver em rapidez "geometricamente acelerada" pelos labirintos da natureza, os caminhos que conduzem a seu centro chegam ao nada "ou a um espelho que reflete o próprio cientista".

"O Mito Jean-Paul Sartre" é um breve texto sobre aquele que, como "poucos homens de nossa época, terá vivido de maneira tão intensa e tão dramática o papel de escritor". Benedito faz um rápido apanhado sobre a trajetória literária, teatral e filosófica de Sartre e razão de ser do existencialismo e a frase de Dostoiévski e seu personagem: "Se Deus não existe, tudo é permitido". Mas, com Sartre (Heidegger antes e acima) e outros "existencialistas", sempre ficou em questão o problema da liberdade. O assunto já se torna complexo em decorrência de vertentes lingüísticas e etimológicas. Herbert Read, em seu importante livro, *Anarchy and Order*, faz a diferença entre liberdade essencial e eventual. A primeira é aquela do ser espiritualmente livre, em aberto (não teria a moléstia dos preconceitos, facciosismos, sectarismos etc); ele pode ser livre, por exemplo, num cárcere. A segunda, diz respeito tão-somente à superficialidade do estar, à liberdade do ir e vir e adjacências. Mas, observa ele, enquanto o idioma inglês comporta duas palavras adequadas – *freedom* e *liberty* – o francês só tem *liberté* e o alemão, *Freihert*. (Em português, só há *liberdade*.) E, por isso, menciona as dificuldades de Sartre para transpor o "Sein und Zeit" para "L'être et le néant".

Enfim, "Machado de Assis e Filosofia" é um ensaio antológico, pela análise do humor e precisa seleção de exemplos. Essa frase inicial – "Ousaria afirmar que a razão céptica, modalizada ludicamente dentro da compreensão humorística do mundo" – traduz uma formulação eficaz, nítida, do "pensamento funcional". O Bruxo do Cosme Velho gostava exatamente de brincar com a filosofia – o que não deixa de ser uma espécie de autoglosa para este livro marcante de Benedito Nunes [*O Globo*, 19.9.1993].

6. PELA LENTE DO HUMOR

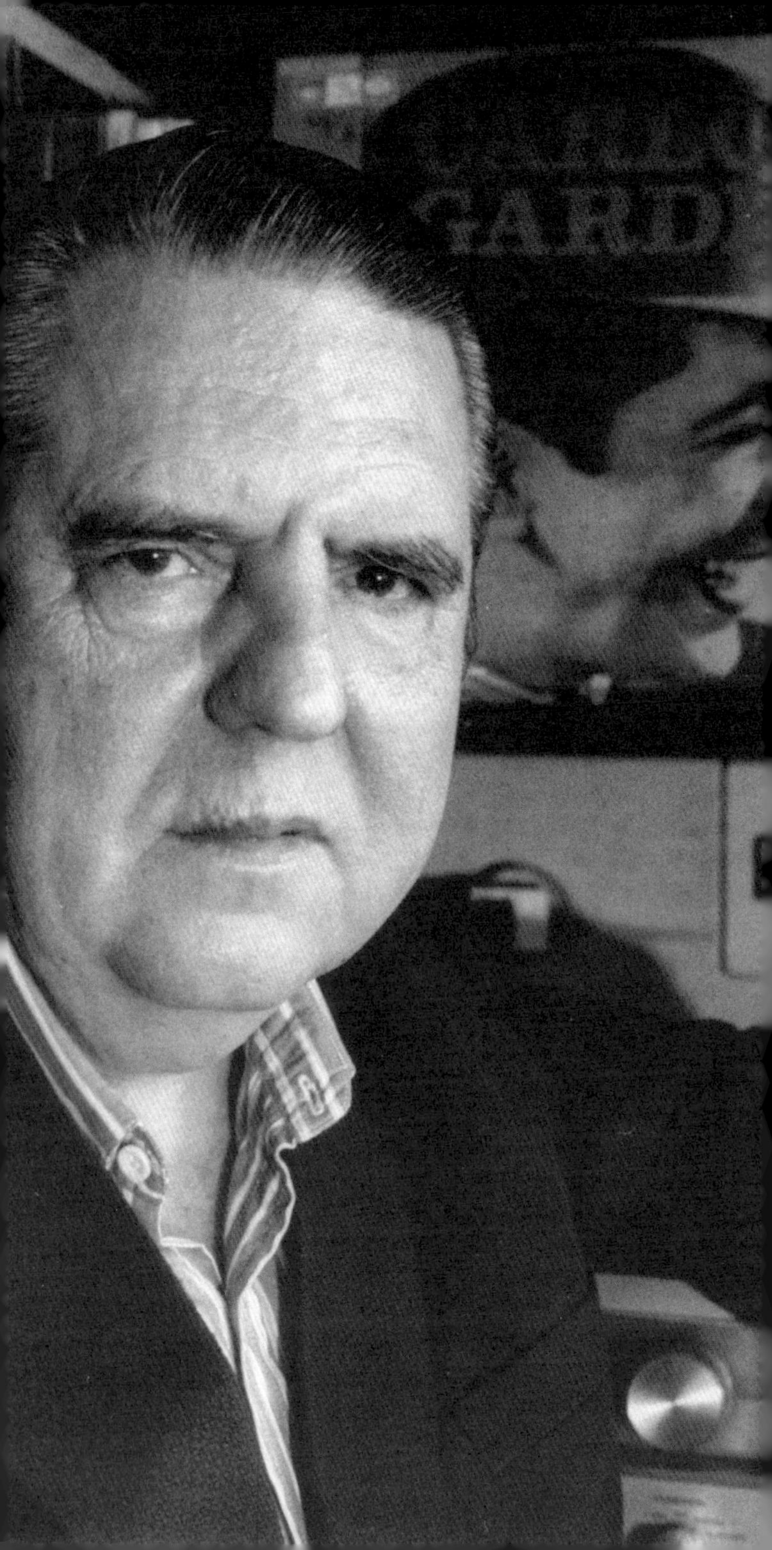
GARD

Pela Lente do Humor

> PLEBISCITO E OUTROS CONTOS DE HUMOR
>
> Autor: Arthur Azevedo.
> Assunto: Narrativas de teor tragicômico e de sátira aos costumes, passadas entre o fim do Império e o início da República no Brasil.

Decorrido o período de cerca de um século, o retorno ao proscênio desses contos de Arthur Azevedo (1855-1908) deixa-o em fugaz berlinda. Jamais seria a cobaia apropriada para as lentes de estruturalistas, pós-modernistas, neo-iluministas etc. etc. Em matéria de prosa, se houvesse uma comparação com alguns contemporâneos como Raul Pompéia, Machado de Assis (de quem foi subchefe de seção no Ministério da Agricultura) ou mesmo o mano Aluízio (*O Mulato*, *O Cortiço*), ficaria num segundo plano altamente embaçado.

Poder-se-ia argumentar em seu favor pessoal que o teatro teria sido o seu forte – a sua peça, *A Capital Federal,* chegou também a ser filmada por Luís de Barros, em 1923 (calcule-se!), e musicalmente reencenada por Flávio Rangel, anos atrás.

E que também foi rigoroso sonetista e, provavelmente, o autor da primeira crônica cinematográfica entre nós. Amém.

Tudo bem. Aqui estão os contos. Pauta permanente: humor. Ótimo – o humor pode até ser sinônimo do vocábulo mais significativo do humanismo, *amor*, de acordo com aquele poema de uma só palavra de Oswald de Andrade. Mas pode ser também a vertente mais sensível na literatura diante da corrosão do tempo. Exemplo? Ele mesmo, Arthur Azevedo.

Vários desses contos são despretensiosas anedotas, como no caso de "X e W" ou "Sabina"; não há, hoje em dia, surpresa – qualquer leitor com ligeira experiência ou ouvinte de anedotas prevê o desfecho. Se nesses inexiste o fator estético da surpresa, nada resta de um estilo (?) reto, direto, simples, honesto etc. e tal, mais endereçado, no entanto, aos aprendizes de leitura do que de literatura.

Através de outro enfoque, constata-se que o retratar da vida carioca é desprovido de maiores sabores, sutilezas, temperos, atmosfera. Só pela nomeação de lugares ou, às vezes, de eventos ou figuras históricas, sabemos que estamos no Rio de Janeiro ou mesmo no Brasil. Não fosse a ressalva, poderia ser a Markóvia da *Viúva Alegre*...

Sabor existe no tilintar de palavras em desuso, como o verbo *piabar* (experimentar), *regougar* (gritar), o substantivo *filáucia* (vaidade) ou a pitoresca expressão *tocar leques por bandurra,* dentro de um dos melhores contos do livro, "A Polêmica". Nesse, embora o seu desenvolvimento seja presumível, surge a figura do *ghost writer* e, junto com ela, parte do que é a história do jornalismo profissional do Brasil.

Outros *flashes*: o conto em versos, "Banhos de Mar", um dos melhores, mostrando a habilidade do autor em rimas e métricas, dando força ao texto. Em "O Galã", com "expectorou algumas palavras com mais entusiasmo que sintaxe", aflora um algo mais no estilo do escritor. Enfim, o famoso "Plebiscito", também de final previsível, ficou atualíssimo porque poderia ser aplicado não só aos eleitores, mas ainda aos nossos poderes legislativos [*IstoÉ*, 19.5.1993].

Sob as Ordens de Ubu, o Rei de Jarry

Um lançamento de interesse é *Ubu Rei*, de Alfred Jarry, na tradução de Ferreira Gullar. O *Ubu Rei* tem mais de 75 anos de presença, mas ainda é atualíssimo, mormente se fizermos a sua adaptação a muitas conjunturas do momento – a começar pelo princípio da autoridade...

A primeira representação da peça deu-se em 10 de dezembro de 1896, no Nouveau Théâtre, com os cinco atos precedidos de uma conferência do próprio autor. No papel do protagonista, estava o ator Firmin Gérmier e, além do mesmo Jarry, participaram da confecção do *décor* e máscaras nomes hoje famosos das artes plásticas como Bonnard, Vuillard e Toulouse-Lautrec.

Em sua edição sobre Jarry[1], soube Jacques Henry Levesque colocar a epígrafe extraída de Blaise Cendrars, a cair como uma luva: "o humor poético que é a arte de explodir o riso em pleno patético". Isso bem define Jarry, precursor do dadaísmo, para quem vida e arte eram mutuamente alimentadas. Boa fonte de esclarecimentos também para o espírito do poeta é o prefácio de Otto Maria Carpeaux para essa edição brasileira.

Alfred Henri Jarry nasceu na cidade de Laval, às cinco horas da manhã do dia 8 de setembro de 1873, filho de um homem de negócios. Realizou, em 1888, aos quinze anos, o primeiro esboço de *Ubu Rei*, inspirado na figura grotesca de P. Hébert, um professor de física do Liceu de Rennes, que, naquele ano, começara a freqüentar. Em 1894, tem editado, pela Mercure de France, o seu primeiro volume, *Les minutes de sable mémorial* – poesias.

Colaborou em diversas revistas, havendo mesmo fundado duas delas, *L'ymagier* (esta juntamente com Rémy de Gourmont) e *Perhiderion*. A sua obra foi bem ampla e variada, embora houvesse morrido aos 34 anos. Além do ciclo

---

1. Para a série dos "Poètes D'Aujourd'hui", publicada por Pierre Seghers em 1954.

Ubu (*Ubu enchaîné*; *Ubu sur la butte*; *Ubu cocu*; *Almanachs du Père Ubu*, com *alphabet du Père Ubu*) e dos poemas em verso, é o homem da patafísica e dos romances, dos teatros, das óperas, auto-ilustrador de verve e imaginação, embora sua obra houvesse contado com a colaboração de grandes artistas, entre eles Picasso.

Jarry morreu na rue Jacob, às quatro horas da tarde do dia primeiro de novembro de 1907. Entre outros, acompanhando seu enterro, figurava Paul Valéry, cujo mestre, Mallarmé, foi dos primeiros a reconhecer os méritos de poeta, em Jarry, na ocasião da estréia histórica do *Ubu Rei*. E Jarry, por seu turno, admirador do mestre do simbolismo (escrevera *L'île de ptyx*, dedicado a este) e coerente consigo mesmo, havia, antes, acompanhado, de bicicleta, o enterro de Mallarmé.

Jarry, o homem-revólver – não apenas por ter gostado de se divertir com tiros, mas pela conduta de choque adotada frente a inúmeros acontecimentos, importantes ou prosaicos. Assim como Lautréamont, surrealista *avant-la-lettre*, foi dadaísta desde o fim do século XIX.

Delírio e patafísica

O escândalo, como arma *versus* a hipocrisia institucionalizada. Um dia, a vizinha bateu-lhe à porta a fim de reclamar dos tiros que ele dava à esmo, com a pistola em punho, no jardim, porque podia até matar um dos seus filhos. Respondeu: "não faz mal, minha senhora, se os matar, farei outros".

Um dia, num café, achou de mau gosto o cachimbo de determinado freqüentador e, incontinente, sacou do revólver e atirou, visando partir do objeto. Errou e a bala varou o espelho lá no fundo. No meio do pânico e da confusão, voltou-se para uma mulher sentada em mesa ali perto e deu uma de Groucho Marx: "agora que o espelho se partiu, vamos conversar".

O seu assim chamado "romance moderno", *Le surmâle* (*O Supermacho*), publicado em 1902, é considerado como uma de suas melhores obras. Narra os eventos por antecipação, isso é, a ação se desenrolando em 1920. Previa já a tremenda influência da máquina para aquela época. Delírio erótico, pré-dadá, pré-surrealista. O herói do romance, André Mareveil, bate o recorde de Teófrasto, repetindo o ato sexual 82 vezes seguidas. Dirigindo a bicicleta, numa prova de dez mil milhas, derrota um trem e um quinteto de campeões de ciclismo. Faz com que se torne apaixonada por ele a "máquina de inspirar amor", que havia sido construída com o objetivo precípuo de enfrentar a resistência priápica do protagonista. Isso já era antecipação do que se passou a ler, posteriormente, nas histórias em quadrinhos, em matéria de super; e, por extensão de produtos e propaganda, da civilização industrial. *O Supermacho* vem entremeado com versos de rima-surpresa, invocações mitológicas, em suma, também o lirismo de um poeta notável.

Estilo

A técnica da logopéia ("a dança do intelecto entre palavras") que fez a glória de Laforgue, vinha também inscrita em sua poesia: "sua assinatura / segue o caminho / sobre a natura / do pergaminho" – exemplo extraído de "Tatane", um dos seus poemas mais famosos, "canção para enrubescer os negros e glorificar o Pai Ubu". *Expert* em assonâncias e aliterações passeando pelos alexandrinos em *La regularité de la chasse*: "chasse claire où s'endort mon amour chaste e cher" ("claro relicário onde dorme meu amor casto e caro"); "voler vers le ciel vain les voix vagues des vierges" ("voar para o céu vão as vagas vozes das virgens").

Hoje, a obra de Jarry tem o devido reconhecimento. O futuro acaba de ser ferido com os tiros do passado [*Correio da Manhã*, 21.5.1972].

O Homem-revólver

A apresentação de *Ubu Rei* fez invocar, aqui, o nome tão esquecido de Alfred Jarry, um dos autores mais *bouleversants* do fim do século XIX. Um dos mestres da patafísica, quase invencível no humor anárquico.

Jarry, no entanto, mais ainda do que teatrólogo, foi notável poeta – e poeta não só da anarquia, porém lírico. Escritor do peso da palavra, inovador em assonâncias e aliterações, recursos constantes em seus versos. Mário Faustino, quando fazia a sua página, Poesia Experiência, teve ocasião, por volta de 1957, de fazer uma rápida e instigante tomada de sua obra. Nasceu em 1873; morreu em 1907. Foram trinta e quatro anos porém intensos e agitados, tanto criativa, como vivencialmente. Já foi chamado o homem-revólver, não só por gostar de brincar com armas de fogo, mas pela conduta de choque adotada diante de vários acontecimentos, importantes ou triviais. Pode-se dizer que era uma espécie de precursor de Oswald de Andrade. E, assim como Lautréamont foi surrealista *avant la lettre*, Jarry foi *dada* antes do dadaísmo.

Dada no escândalo. Vários episódios denotam isso. Foi, por exemplo, de bicicleta ao enterro de Mallarmé. Outro fato que virou anedota: a vizinha bateu-lhe à porta a fim de reclamar dos tiros que dava a esmo, com a pistola em punho, no jardim, porque podia matar algum dos seus filhos. Respondeu ele: "não faz mal minha senhora, se os matar, farei outros." Um dia, num café, achou de mau gosto o cachimbo de um freqüentador e, incontinente, sacou do revólver e atirou. Errou o tiro e a bala varou o espelho ao fundo. No meio do pânico e da confusão, voltou-se para uma jovem, sentada em mesa perto dele e disse: "agora que o espelho se partiu, vamos conversar". (Isso é puro Groucho Marx.)

O seu livro, *Le Surmâle* (*O Supermacho*), é considerado por Jacques Henry Levesque como a sua grande obra. Publicado em 1902, com o subtítulo de "romance moderno", narrava os eventos por antecipação, isso é, em 1920. Previa já o domínio da máquina nos anos de 1920. É um delírio erótico, pré-dadá, pré-surrealista. O herói do romance, André Mareuil, bate o recorde amoroso do hindu de Teófrasto repetindo o ato sexual 82 vezes seguidas; dirigindo a bicicleta, derrota um trem e um quinteto de campeões de ciclismo numa prova de dez mil milhas; enfim, faz com que se torne apaixonada por ele "a máquina de inspirar amor", que havia sido exatamente construída com vistas a enfrentar a sua resistência sexual. Isso já é antecipação do que se lê nas histórias em quadrinhos, em matéria de *super* (e, por extensão, de produtos da civilização americana), de vários prosadores, no Brasil, entre eles, além de Oswald, de novos mais radicais como Ronaldo Azeredo. *O Supermacho* vem entremeado com versos de rima-surpresa, invocações mitológicas, em suma, também o lirismo imanente de um notável poeta.

A sua poesia estava inscrita, por outro lado, na técnica de logopéia, e que fez a glória de Laforgue (exemplos, em versão rápida: "sua assinatura / segue o caminho / sobre a natura / do pergaminho" "Tatane", um dos seus poemas mais famosos, "canção para enrubescer os negros e glorificar o Pai Ubu"). Exemplos de assonâncias em *La regularité de la chasse*: "chasse claire ou s'endort mon amour chaste et cher" ("caça clara onde dorme meu amor casto e caro") – esse verso é um dos melhores alexandrinos dentro da concepção simbolista. E os vês de "voler vers le ciel vain les voix vagues des vierges"? Jarry, tiro contra o escuro, para o futuro [*Correio da Manhã*, 4.10.1969].

Exército sem Armadura

> O CAVALEIRO INEXISTENTE
> Autor: Italo Calvino.
> Assunto: Paródia das aventuras fantásticas de cavaleiros medievais na época de Carlos Magno, ficando reservada uma surpresa para o desfecho.

Italo Calvino, hoje em dia, anda na onda; pelo menos entre nós. Diversos livros de sua autoria vêm sendo traduzidos seguidamente aqui no Brasil. Um dos últimos é *O Cavaleiro Inexistente,* que, assim como *O Barão nas Árvores*, acaba de ser editado nesse ano pela Companhia das Letras. Ambos, juntamente com *O Visconde Partido ao Meio,* formam a série Os Nossos Antepassados. Estamos diante de um escritor que, depois de se iniciar dentro de uma perspectiva neo-realista, ingressou naquilo que se denomina de universo mágico ou fantástico. Esse *Cavaleiro* começa por aí – não existe, sua armadura movimenta-se oca, sem o recheio carnal, palpável, da personagem que se intitula Agilulfo Emo Bertrandino dos Guildiverni e dos Altri de Corbentraz e Sura, cavaleiro de Selimpia Citeriore E Fez. Um nome quase tão longo quanto a leve e insólita história que o envolve.

Logo abaixo de Agilulfo, bamboleiam sobre a difusa linha de ficção outros seres deliberadamente inverossímeis como o seu escudeiro Gurdulu (e sua bárbara gula), a guerreira Bradamante, Tambaldo, o aspirante e cavaleiro de Carlos Magno, e Torrismundo, o paladino bastardo do Graal. Todos a se deslocar por entre as estrias de uma salada intencional de temas e conversas, narrada por uma freira, irmã Teodora, supostamente *de* ou *de dentro de* um convento – aqueles conventos medievais onde tudo podia acontecer. Com a graça de Deus; ou do demo. Nessa altura, quando no final do entrecho personagem e contador da história se confundem, volta à baila a dúvida, válida ou não, de que o escritor de ficção é só e/ou sempre um narrador. Esse *Cavaleiro Inexistente,* trazendo na superfície do texto uma aparente despreocupação estrutural, num pisca-pisca de gratuidades, pode também encerrar mais um desafio à meditação em torno do ofício ou arte de relatar o inventar histórias.

Novo ponto de acionamento das teorias mais sensatas ou mais tresloucadas. Afinal, numa escrita clara e direta, com uma sintaxe nítida, sem marombas, mas com um dispositivo de referências que navega em várias águas, seja a da sátira (ao ideal romântico), da paródia (do heroísmo), da alegoria (tudo é figuração) ou do surrealismo, pode-se perguntar quais as intenções de Calvino. Seria melhor não responder rápido. Talvez a explicação, em parte, esteja na página 59, quando a interposta narradora diz que "a arte de escrever histórias consiste em saber extrair daquele nada que se entendeu da vida todo o resto; mas, concluída a página, retorna-se a vida, e nos damos conta de que aquilo que sabíamos é realmente nada" [*IstoÉ*, 28.4.1993].

TV/Crítica: *O Humor Autêntico*

Os trapalhões deixaram de ser os próprios. Termina uma etapa. Jô Soares e Chico Anísio, muito sofisticados, perderam o vôo. O programa do sr. Ferreira Neto saiu do ar (como dizia Pascal, na voz de Orlando Silva, na letra de Marino Pinto: "o coração têm razões que a própria razão desconhece"). Afinal de contas, muitos políticos e estadistas são cômicos – engraçadíssimos – sem saberem do próprio talento.

Bastaria lembrar o sr. Jânio Quadros (para não ficar em outras figuras, na atualidade, mais elevadamente impolutas dentro da República). JQ, pelo menos, tinha suas razões: num país povoado de funcionários públicos, renunciou ao maior e melhor emprego pátrio. Veio para a tevê e distrai o mísero telespectador.

A verdade é que os supostos programas cômicos sofrem de uma defasagem, no mínimo em relação ao senso de humor do carioca. Não se pode responder ao que ocorre entre o Chuí e o Oiapoque. Só são risíveis aqueles que se julgam sérios. Antigamente, era mais divertido. Lembramo-nos, certa vez, do sr. Tenório Cavalcante ("o povo gosta da minha capinha") indo à tevê para dizer que um dos seus adversários políticos – o ex-prefeito Mendes de Morais – tinha duas grandes obras na sua carreira de administrador: o Maracanã e a surra que mandara aplicar no sr. Carlos Lacerda, à saída da Rádio Mayrink Veiga. Todo mundo, riu (e alguns até votaram por causa disso). O sr. Amaral Neto, por seu turno, representava uma espécie de Jim das Selvas do asfalto. Surgia sempre com o ar de ofegante, com uma hipotética denúncia debaixo do braço. Bem, o sr. Lacerda era o senhor Lacerda.

Hoje, apesar da abertura, a carnivália política ainda não encontrou o espaço para brincar. E o humor na televisão ficou vazio. É obrigatório reparar-se que os amadores são muito mais divertidos do que os profissionais. O Brasil é um país rigorosamente dionisíaco. É preciso que os políticos retornem com mais freqüência à tevê e nos livrem dos Trapalhões, Jô, Chico etc. Quem se leva a sério sempre é mais deleitosamente ridículo. É preciso recordar Sterne, o grande romancista irlandês: "seriedade: uma indefinível postura do corpo a fim de ocultar os defeitos da mente" [*Última Hora*, 27.9.1983].

Ninguém Ri por Último nas Fábulas do Povo

Dois portugueses – obviamente Manuel e Joaquim – o primeiro sabe nadar, o segundo não – vão passear de bote, esse vira – Manuel vai nadando à toda para a margem do lago, enquanto o amigo pede-lhe socorro – Manuel chega ofegante à margem e exclama: "upa! Agora que já estou salvo, vou salvaire, vou salvaire ó Joaquim" – e, incontinente, cai n'água novamente.

Um homem, uma mulher e um papagaio são os únicos sobreviventes de naufrágio, chegados à ilhota deserta – nada a fazer – o homem tira do bolso o que lhe restou, um baralho, e convida a mulher para jogar, valendo um beijo – ela aceita, o homem ganha a aposta – jogam a segunda, valendo então um abraço bem apertado e ganha o homem de novo – para a terceira, combinam então a aposta mais radical possível – é quando, então, o papagaio fala: "carta pra três!".

Eis a anedota, com a surpresa do desfecho, como nesses dois exemplos clássicos. Além do português e do papagaio, as personagens mais comuns são o menino Juquinha, os políticos em evidência ou acontecimentos que assolam a chamada "opinião pública". A anedota pode ser ingênua (o engraçado familiar), fina, apimentada e obscena. É raro saber a origem delas, porque, na medida em que vai sendo difundida, os seus contadores vão aperfeiçoando-a. No Brasil, mormente no Rio de Janeiro, onde impera aquilo que Nelson Rodrigues chama de "molecagem" do carioca, contar anedotas é um prazer diário. Há nisso tudo um misto de descompromisso e de uma espécie de furor anárquico da autocrítica.

Mas além da *vox populi*, sua principal fonte, pode-se encontrar o fabrico da anedota no rádio, televisão, teatro de revista ou no trabalho dos humoristas profissionais. Millôr Fernandes, por exemplo, há cerca de vinte anos, naquele seu Pif-Paf de *O Cruzeiro*, inventou uma das piadas antológicas de salão: um sujeito encontra velho amigo o qual não via há anos – para comemorar o evento, faz-lhe os mais variados convites, sempre negados com a ressalva, "já fui uma vez e não gostei" – até que ele reclama do amigo de não gostar de fazer nada, ao que o outro responde: "é, mas tenho um filho que faz tudo isso para que você me convidou" – pergunta então o amigo: "filho único, não?".

Em muitos casos, determinada anedota circula com tal intensidade que, amiúde, retorna à boca de quem a inaugurou completamente alterada, na forma e no fundo. De qualquer modo, ela, em si, quando se reporta a fatos ou pessoas, representa uma espécie de julgamento do povo a respeito deles. Veja-se no caso de todos os presidentes da República que tivemos: são sempre personagens de anedotas e a sua atuação dentro delas, corresponde a um estereótipo de comportamento, emerge daquilo que humanamente mais os caracteriza no consenso geral. Verdade que tal caracterização, por força do convencionalismo, recebe um exagero, uma caricatura funcional às necessidades do relato: o realismo não tem graça, nem a imparcialidade.

Mas o que é, estruturalmente, uma anedota? De início, pode ser situada dentro da faixa do que se chama humorismo – é uma variante dele. Mas encerra dois elementos essenciais, já que o terceiro – a surpresa – é apanágio do riso e de qualquer obra de arte. Ninguém rirá sem ser surpreendido. Na anedota, com tal objetivo, entram duas contingências básicas: ao contrário do humor visual ou puramente formal, ela exige, geralmente, um elemento de fabulação, isso é, narra-se uma pequena estória e, em paralela, o meio de transmissão é sempre oral. Transmitir uma anedota por escrito não é "contar uma anedota", com toda a carga implícita no termo. Pois, além da pequena estória propriamente dita, existem as inflexões, a catarse, em suma, a participação, necessariamente histriônica, de quem vai contá-la. E quanto maior o grupo de ouvintes, melhor. O riso é uma bola de neve de boca em boca: quanto maior a audiência, tudo fica mais engraçado – é um fato que pode ser testado em cinema, teatro, circo etc.

Falar de fabulação obriga a notar que, em várias ocasiões, a anedota se assemelha às fábulas propriamente ditas, de alcance moral. Alguém foi fazer algo de errado e tomou uma lição. Isso acontece até nas piadas obscenas. Outras vezes, contudo, o caráter de fabulação está ausente. São muito comuns as anedotas curtas, que comparam duas coisas ou duas situações, dotadas de tendência epigramática, ou aquelas extremamente sintéticas, nas quais se explica, por exemplo, qual o motivo que determinada pessoa passou a ter determinado nome, geralmente pitoresco. Dentro disso, a *vox populi* é muito crítica e satírica, no sentido de nomear ou batizar insolitamente atos do Governo ou das autoridades. E, no Brasil, o germe da gozação é tão grande que, mesmo nas tragédias de comoção nacional, entre o luto e o sofrimento, surge a anedota usando esses fatos como *leitmotiv*. Porque o riso também é psicologicamente encarado como expressão corpórea de libertação e o desejo coletivo de superação do princípio da autoridade e das convenções é muito forte.

"Ri melhor quem ri por último": trata-se de um provérbio inútil dentro do nosso fluxo ininterrupto de anedotas. Pois está sempre um motivo de riso se sobrepondo a outro. Quem ri por último? Ninguém ou então todo mundo. E há o prazer incontido de fazer rir. No tocante à anedota, o privilégio não é só de quem escuta e tem o prazer da surpresa que gera o riso (quando não se trata das piadas infames, logo relegadas ao ostracismo público). Há o enorme gosto de contar, com todo o rigor dos detalhes. Quando alguém, invariavelmente, ouve uma nova anedota, faz questão de difundi-la imediatamente e de aperfeiçoá-la, se achar que é o caso. Mesmo porque, não fosse assim, inexistiria a difusão larga e instantânea que percorre e cobre uma cidade inteira em dois ou três dias. A seguir, a anedota viaja para outras cidades, de carro, ônibus, navio, trem ou avião. Está consagrada.

A anedota não deixa de ser uma espécie de forma simbólica, usando a terminologia de Cassirer, a denotar o espírito de um povo, pois, conforme o país, a região e até o município, existem variações de recorrências temáticas e expressivas. Serve, por exemplo, para evidenciar a modalidade anárquica do temperamento brasileiro, que executa uma autêntica demolição, pelo riso ou pelo deboche, dos "valores estabelecidos", ou a sofisticação e excentricidade do inglês, levadas de tal forma às últimas conseqüências, que desembocam no absurdo. O absurdo, por sua vez, manifesta-se na forma de um jogo sonorista, como nesta anedota antológica do sujeito que foi ao psiquiatra curar-se de um cacoete:

DOENTE – "Doutor, grr, grr, eu vim aqui, grr-grr, para ver se o senhor, grr-grr, consegue me curar, grr, grr, deste cacoete, grr-grr, que é aliás, grr-grr, um defeito de infância, grr-grr."

DOUTOR – "O senhor fez bem em me consultar pois essa é a minha especialidade e, hoje em dia, não queira saber o avanço da psicologia para a cura de males como o seu."

DOENTE – "O senhor, grr-grr, me alivia, grr-grr."

DOUTOR – "O seu caso, por exemplo, me parece simples e, a fim de tratá-lo, vou usar o método direto, análogo ao das vacinas, ou seja, a eliminação do óbice por substituição através de um óbice artificial. Para iniciar o seu tratamento comigo, o senhor, a partir de hoje, faça o seguinte exercício: na hora de emitir esse ruído desagradável e compulsivo, não tente evitá-lo – pelo contrário, controle-se e substitua-o por outro intencional. Assobie, por exemplo, faça fiu-fiu. Com o tempo, o senhor estará habituado ao assobio, mas poderá eliminá-lo, quando quiser, de sua fala e, assim fazendo, acabará por eliminar também o ruído de seu cacoete."

DOENTE – "A sua simplicidade, grr-grr, é fascinante, grr-grr."

DOUTOR – "Então, estamos combinados, o senhor comece o tratamento a partir de hoje mesmo e, daqui a uma semana, volte ao consultório a fim de ser examinado. Passe bem."

DOENTE – "Daqui a uma semana, grr-grr, estarei aqui, grr-grr. Passe bem, grr-grr."

Decorrida uma semana, retornou o doente muito entusiasmado, assobiando eufórico.

DOENTE – "Senhor doutor, fiu-fiu, como está vendo, fiu-fiu, graças ao seu, fiu-fiu, maravilhoso tratamento, fiu-fiu, já estou bem melhor, fiu-fiu, do meu cacoete, fiu-fiu. Há no entanto, fiu-fiu, um problema, fiu-fiu: não sou rico, fiu-fiu, sou assalariado, fiu-fiu, e desejaria saber, fiu-fiu, quanto o senhor, fiu-fiu, vai me cobrar, fiu-fiu, pelo tratamento, fiu-fiu."

DOUTOR – "Mas certo, é natural, e compreendo perfeitamente o seu caso, que, aliás, é o de muitos outros nos dias de hoje – vou lhe fazer um preço bem camarada."

DOENTE – "Obrigado, fiu-fiu."

DOUTOR (*depois de pegar na caneta e rabiscar ligeiramente um bloco*) – "Levando em conta o seu pedido, cobrarei apenas 20 mil cruzeiros novos pelo tratamento."

Doente – "Puxa! fiu-fiu – bem, senhor doutor, fiu-fiu, daqui a uma semana, fiu-fiu, volto para lhe dar uma resposta, fiu-fiu, se continuo, fiu-fiu ou não, fiu-fiu, com o tratamento, fiu-fiu – passe bem, fiu-fiu."

Uma semana depois, retorna o doente ao consultório do doutor.

Doutor – "Como é, o senhor já se decidiu?"

Doente – "Senhor doutor, fiu-fiu, eu vim aqui, fiu-fiu, para lhe dizer, fiu-fiu, que o senhor, fiu-fiu, fique com o seu fiu-fiu, que eu fico com o meu grr-grr." [*Revista do Diner's*, abril de 1968].

7. DEPOIS DELES, A LINGUAGEM É OUTRA

*Teoria Geral da Informação – Flashes – Fundamentos
de uma Dogmática*

1) Os indivíduos orientam-se por meio das mensagens de sua audiência, as mensagens são formas complexas.

2) Essas mensagens possuem uma estrutura elementar definida, no tocante às reações ulteriores do indivíduo, mediante as propriedades psicofisiológicas do receptor.

3) Ao lado das mensagens imediatas – as únicas reconhecidas por uma psicologia elementar – devemos distinguir as mensagens afastadas no tempo e no espaço e que são restituídas à audiência por meio de canais espaciais (transmissão, por exemplo) ou temporais (gravação, por exemplo).

4) Pode-se estabelecer uma correspondência entre mensagem espacial e mensagem temporal pelo processo de *exploração*, que extrai sucessivamente os pontos diferentes de uma estrutura espacial, dispostos numa dada ordenação.

5) Essas mensagens são *medidas* por uma *quantidade de informação* que constitui a originalidade, quer dizer, o que trazem de imprevisível.

6) Em originalidade, essa informação exprime-se pelo logaritmo do mínimo de mensagens possíveis que têm a mesma estrutura aparente e, dentre as quais, o transmissor foi obrigado *a escolher*.

7) No caso de uma mensagem de *n* elementos, inseridos num repertório de *n* símbolos com a probabilidade de incidência p_1, a informação H é, em "bits": $H = -n\Sigma p_1 \log_2 p_1$

8) Para um dado número de símbolos, a informação apresenta seu rendimento máximo Hm se a estrutura da "linguagem", definida por esse repertório de símbolos, se utilizada pelo canal transmissor eventualmente o indivíduo – é tal que cada símbolo possui uma idêntica probabilidade de ocorrência (símbolos equiprováveis).

9) A informação é, daí, uma *quantidade* essencialmente diferente da *significação* e independente dessa: uma mensagem com um máximo de informação pode aparecer desprovida de sentido se o indivíduo não é capaz de decodificá-la a fim de conduzi-la a uma forma inteligível. De modo geral, a inteligibilidade varia no sentido inverso da informação.

10) A informação é, de fato, uma medida da complexidade dos *patterns* propostos pela percepção. Complexidade e informação de uma estrutura, de uma forma ou de uma mensagem, são sinônimos.

11) Chama-se redundância à quantidade $I - H_1/H_m$, exprimindo (percentualmente) o que está dito em excesso na mensagem, o desperdício de símbolos acarretado por uma codificação defeituosa (a partir do estrito ponto de vista do rendimento da transmissão pelo mesmo na medida em que ele nos interessa). Essa redundância fornece uma garantia contra os erros da transmissão, porque ela permite reconstituir a mensagem a partir do conhecimento que o receptor possui *a priori* sobre a estrutura da linguagem na qual ela é transmitida, mesmo se os elementos são defeituosos.

12) Redundância e informação, propiciadas por um determinado tipo de mensagem, são, por definição, independentes da extração particular da mensagem escolhida, mas dependem do conjunto de conhecimentos comuns ao receptor e ao transmissor, introduzindo, assim, na idéia de uma *informação diferencial* – pelo menos no caso dos receptores humanos.

13) É sempre possível definir um receptor médio, de acordo com o mesmo método que emprega a psicologia para definir as características normais do indivíduo, mas com uma validez maior e isso consumido de maneira ainda melhor porque a teoria toma em consideração as aptidões (conhecimento básico de uma linguagem, de um sistema de pensamento etc.) mais elementares.

Microanálise da estrutura da mensagem

1) A psicologia apresenta dois grupos de teorias da percepção: a) as teorias integrais, derivadas da noção de forma; b) as teorias da exploração, que se apóiam firmemente na psicofisiologia experimental.

2) A Teoria da Informação, considerando o indivíduo como um tipo particular de receptor, propõe uma síntese de ambas as teorias da percepção: admite que, na presença do presente, o receptor humano não é capaz de apreender de modo integral, como forma, senão um número máximo de elementos de informação. Se a mensagem comporta um numero superior, ou o receptor despreza esse excedente ou então processa uma exploração do campo: os dois se produzem durante a leitura, quando o olho apenas fixa alguns pontos em cada linha.

3) Deve-se considerar como uma das características fundamentais do receptor humano a existência de um *limite* máximo do *débit* total da informação perceptível. Quando esse total máximo é ultrapassado, com a análise de critérios resultantes de uma experiência anterior, o indivíduo, na mensagem que lhe é proposta, seleciona *formas* que são abstrações, etapas elementares da inteligibilidade. Se esses critérios lhe falham, o indivíduo fica submerso, suplantado pela originalidade da mensagem, e se desinteressa.

4) A mensagem mais difícil de transmitir é aquela que não comporta nenhuma redundância (informação máxima), isso é, nenhuma *forma apriorística*. Trata-se daquela mensagem da qual, ao mesmo tempo, torna-se mais fácil dar uma imagem aproximada e mais difícil para daí extrair uma imagem exata: é a mais frágil de todas as mensagens. É interes-

sante observar que é a mensagem mais desprovida de valor estético – ao mesmo tempo que de significação *a priori*.

5) As estruturas são equivalentes às formas mentais. Quanto mais uma mensagem é estruturada, mais ela é inteligível, mais ela é redundante e mais decresce a sua originalidade.

6) A noção de formas concebidas aprioristicamente envolve aquela de *símbolos*. Os símbolos consistem em agrupamentos de elementos já conhecidos. O estudo das estruturas do espírito permanece então vinculado a uma simbologia experimental.

7) Toda *forma* constitui a expressão de uma previsibilidade aleatória, medida por uma grande coerência, ou, mais precisamente, por uma autocorrelação da seqüência de elementos com ela própria; para ser percebida, requer, funcionalmente, a existência de uma *memória* no organismo receptor.

8) Uma das formas temporais das mais elementares é a *periodicidade*, que deve ser encarada, não como uma propriedade abstrata e absoluta, mas como uma propriedade métrica e contigente. Deve ser abordada de acordo com a fenomenologia da percepção.

9) No domínio sonoro, a periodicidade é apenas numa cadeia superior à espessura do presente e inferior ao limite de saturação da percepção de durações. A periodicidade física do som não importa para a percepção, que a considera como um material contínuo (Klangstoff) e somente é sensível às suas variações.

10) A percepção de periodicidade é, na realidade, uma previsão inconsciente e imediata do organismo receptor – de que ele saberá o que vai acontecer em seguida, a partir do que aconteceu no passado, previsão a repousar sobre uma esperança matemática que é, precisamente, o grau de periodicidade ou de coerência de um fenômeno.

11) De fato, essa previsão do futuro, fundada no passado, é consumada pelo espírito humano na base de um mostruário bem mais frágil que aquele que a lógica matemática consentiria em admitir. Na realidade – quer dizer, aparentemente – existe a percepção de um grau de periodicidade, por frágil que seja, desde que exista a *espera* de um acontecimento ulterior análogo a esses que já se produziram.

12) A continuidade que exprime uma forma consiste apenas num aspecto da periodicidade: ela é também previsão do seguinte a partir do antecedente e é possível fazer aplicações nos domínios sonoros e visuais.

Condições arbitrariamente simplificadas, extraídos os conceitos de perturbação (mensagens percebidas em condições ideais, quando a atenção do receptor é supostamente perfeita e a percepção integral) e oposição entre forma e fundo.

Termos colocados em circulação pela nova estética – a Teoria da Informação:

Mensagem – forma – estrutura – elemento – receptor – transmissor – canal – quantidade – informação – originalidade – codificação – repertório – símbolo – rendimento – percepção – redundância

Função do prazo $\Gamma = f_o$ valor médio a produto da função ft (t = elemento da mensagem no tempo t) e sua dimensão xf(t+Γ) representando o elemento no tempo futuro e dΓ

Z = espaço Z = prazo do espaço

Whitehead: filosofia é a crítica de abstrações que governam determinados modos de pensamento.

Memória

1) As funções agrupadas sob a denominação genérica de "memória" comportam, e acordo com a sua extensão temporal: a) uma duração instantânea da percepção (0,1s) da matéria temporal; b) uma memória imediata dentro da extensão da duração (1 a 10s), necessária à percepção das estruturas temporais; c) uma memória de longo transcorrer, aleatória, voluntária, fisiologicamente não datada.

2) A criação de símbolos é efetuada pela memória, mediante a associação do conjunto de percepções elementares, provenientes de um conjunto de sensações elementares, a um só ou a um número reduzido dessas sensações que tomam o valor de um símbolo: trata-se de uma redução de um mínimo de elementos – resultantes da repetição freqüente de um microgrupo de sensações elementares.

3) A memória é um fenômeno aleatório, resultando de uma destruição estatística dos elementos da percepção. As estruturas mentais que ela constrói possuem, daí, também, um caráter aleatório [Texto inédito].

Wiener ou Cibernética

Crise cardíaca em Estocolmo, aos 69 anos de idade – faleceu Norbert Wiener. Wiener: a Segunda Revolução Industrial (era da automação): os computadores, o radar, os cérebros eletrônicos: a máquina já auto-suficiente, sob controle apenas remoto ou mesmo independente; as tartarugas eletrônicas que se alimentam de luz, a fábrica norte-americana de peças que funciona apenas com um engenheiro e um varredor, as máquinas que jogam xadrez, os computadores que traduzem textos de uma língua para várias, ou mesmo, produzem textos, orientados por um programador: a dialética entre o comportamento do homem e o comportamento da máquina (que é também um organismo), física x biologia, eletrônica x neurologia – Wiener, *Cybernetics and Society – The Human Use of Human Beings*. Wiener: a moderna teoria da informação, o processo da comunicação, linguagem e matemática, ciência e experiência. Wiener – cibernética – a estrutura de uma nova civilização, em que qualquer nova tentativa de apreensão do que se denomina como realidade, qualquer exame fenomênico ou racional do que se denomina como processo, não pode prescindir das relações fundamentais entre o homem e a máquina. Em lugar de procurarmos entender o universo mediante uma hierarquia vertical de valores, levando-nos até o absoluto, diz Jean Ladrière, em sua *Filosofia da Cibernética*, temos agora, diante de nós, "a apreensão horizontal do real". O espírito do funcional, tomado sempre em apropriação relativa, em termos estruturais. A cibernética orienta um critério de complementação filosófica para tentar aferir as valências de um mundo que já escapou da concepção mecanicista de Newton e penetra nos meandros de Einstein ou da Lei da Relatividade.

Wiener, já aos 19 anos, doutor em filosofia por Harvard; depois, estudos em Cornell, Columbia, Cambridge, Gottingen e Copenhague. Desde 1919, já fazia parte do staff do Massachusetts Institute of Technology, onde, agora, terminou sua carreira como professor de matemática. Sua colaboração na II Guerra Mundial foi inestimável: aperfeiçoou métodos de utilização do radar e projéteis navais, bem como descobriu uma fórmula de solucionar problemas vinculados a controle de ignição. Obras publicadas: *The Fourier Integral and Certain of its Applications* (1933); *Cybernetics* (1948); *Extrapolation and Interpolation and Smoothing of Stationary Time Series with Engineering Applications* (1949); a autobiografia, *Ex-Prodigy: My Childhood and Youth* (1953). O famoso *The Human Use of Human Beings (Cybernetics and Society)* constitui uma refusão de *Cybernetics,* carreado de implicações filosóficas. Foi editado, pela primeira vez, em 1950. Livro básico para estudos sobre a teoria da informação.

Wiener – *flashes* de um pensamento em ação:

[...] a sociedade só pode ser compreendida, através de um estudo das mensagens e dos meios de comunicação a ela atinentes; e, no futuro, o desenvolvimento dessas mensagens e meios de comunicação – mensagens entre homem e máquina, entre máquina e homem e entre máquina e máquina – está destinado a um papel cada vez mais importante; [...] assim como a entropia é uma medida de desorganização, a informação, conduzida por um sistema de mensagens, constitui uma medida de organização. É possível interpretar a informação conduzida por uma mensagem como, essencialmente, a negação de sua entropia e o logaritmo negativo de sua globalidade. Quer dizer: quanto mais provável a mensagem, menos informação ela propicia. Os clichês, por exemplo, iluminam menos do que os grandes poemas.

E quantos já, junto ou após, desenvolveram a teoria da cibernética? Ross Ashby, Ruyer, Sluchkin, Guilbaud, Ladrière, Colin Cherry etc.

Wiener: "viver efetivamente é viver com a informação adequada" [*Correio da Manhã*, 12.4.1964].

Bréton: Arte e Liberdade

"O olho existe em estado selvagem." Essa frase, emitida em 1928 a propósito de pintura, define Bréton – seu estar, seu pensamento, sua revolução: a revolução surrealista. O surrealismo foi toda uma época (e ainda é em parte) que deixou raízes fundas para a atitude criativa. E André Bréton era a encarnação do surrealismo. A liberdade total, sem estar comprimida pelas fronteiras do realismo lógico.

Mas o surrealismo não foi apenas um movimento literário ou artístico. Traduziu uma recolocação de termos para a atitude vital, e ao pretender soltar o indivíduo em transe libertário, sem compromissos, também recolocou os termos em que se fundaria uma civilização nova, mais autêntica. O *Rei Ubu*, de Alfred Jarry, baixou sua sombra sobre a terra e, diante dos padrões cristãos, voltou a pronunciar sua interjeição radical. E Bréton desdobrou-se no possível, como um dos grandes poetas verdadeiramente participantes: literatura e artes plásticas, política, filosofia, psicanálise, magia. Incorporou a sua visão de Freud à obra de arte e procurou levá-la às últimas conseqüências criando a escrita automática – o automatismo psíquico. Na sua luta contra as velhas estruturas do pensamento, como disse Jean-Louis Bedouin, "graças a ele, sabemos doravante que o natural e o sobrenatural são termos errôneos, na medida em que implicam numa solução de continuidade na trama da realidade". E indo de encontro a uma das constatações insertas por Merleau-Ponty em sua *Fenomenologia da Percepção*, o mesmo Bédouin também assinala que "o pensamento de Bréton e a atitude surrealista em geral encerram a ultrapassagem, pelo menos teórica, do universo das categorias, prefigurando um mundo humano, baseado numa concepção harmoniosa de sujeito e objeto". Já é a ruptura integral com qualquer resquício cartesiano, que entendia a percepção como um mosaico de sensações.

Libertar-se das pirâmides racionalistas. Se, como o diz Cassirer em *An Essay on Man*, que o homem, antes de ser racional, é um animal simbólico, o mergulho introspectivo do surrealismo, expressado pelo automatismo psíquico, rompeu com quaisquer dimensões convencionais da arte como "forma simbólica", na definição também de Cassirer. Assim, para o crítico Wallace Fowlie, a frase de abertura de *Nadja* – uma das principais obras de André Bréton – "Qui suis-je?", constitui a indagação-chave da era precedente: "o que deveria eu fazer?".

Como todo movimento literário, nascido de uma profunda compenetração da conduta criativa como uma espécie de *démarrage* drástica do romantismo e impregnando sua formas com uma expansividade análoga à de um renascimento barroco, o surrealismo ergueu a sua gênese e exaltou personagens do passado: o marquês de Sade, Novalis, Lautréamont, Jarry, Baudelaire, enquanto um pintor, como Bosch, encontrava, séculos depois, a resposta do tempo. O surrealismo, outrossim, desdobrou-se de um movimento imediatamente anterior a ele, dentro da cronologia – o dadaísmo – que, tirante as incursões da conquista do mundo do subconsciente para arte, pode até ser considerado mais radical, em termos objetivos, diante da civilização. Dadá não deixou, assim, de ser para Bréton um trampolim para o seu vôo na vanguarda do surrealismo.

Em função de linguagem poética, o surrealismo pretende (e Bréton talvez evidencie isso melhor do que qualquer dos seus companheiros) a violentação, em todas as instâncias, de normas logísticas, de cânones metafóricos, dos símiles convencionais. Trata-se não só de libertar a metáfora, mas de alçar as imagens, sem a presença física ou implícita da palavra *como*, que sempre importa numa ilação à realidade (que realidade?), quaisquer sejam as instâncias. A metáfora, assim entendida, por mais arrojada e extravagante, implica em si próprio, no jogo com a lógica da linguagem que remete à realidade. O *como*, no surrealismo, surge ligando frases ou palavras brotadas daquele absolutismo da liberdade de enunciar. O primeiro manifesto do surrealismo inicia-se com a afirmação de que "a linguagem foi dada ao homem para que, dela, faça um uso surrealista". "O revólver de cabelos brancos é o revólver de cabelos brancos" – um título de volume que não se refere a nada além da própria frase.

Mas aquilo que Yves Duplises qualificou como "ginástica mental que conduz à folia criadora" não traduz a carência de lucidez. A lucidez, inclusive, na vontade destruição, isso é, aqueles objetivos traçados no segundo manifesto do surrealismo: *tous les moyens doivent être bons à employer pour ruiner les idées de famille, de patrie, de religion*. Herbert Read, ao falar na inspiração intelectual e na integridade de Bréton, compara a sua inteligência analítica à de Leonardo Da Vinci.

Espírito aberto, *avant-garde* – revolução: tudo no sentido básico de projetar o indivíduo por aquilo que o funda essencialmente, a liberdade. Bréton: "a liberdade é a própria condicionante da objetividade na arte, sem a qual não pode a mesma arte comportar esta necessidade primordial que é sua: ser totalmente humana".

André Bréton nasceu em Trinchebray, Orne, em 18 de fevereiro de 1896. Em 1900, sua família muda para Pantin. No período entre 1906 e 1912, em que cursou o colégio Chaptal, em Paris, começam as suas leituras de literatura e filosofia. Tem três poemas seus publicados em *La Phalange*. Convocado pela guerra, serviu, em 1914, na artilharia, em Pontivy e depois no serviço de saúde em Nantes. Foi no hospital dessa cidade que, no ano seguinte (ano da explosão do dadaísmo em Zurich), encontra Jacques Vaché, ali internado. Em 1917, conhece Eluard, Soupault e Aragon – todos os três colaboram na revista de Pierre Reverdy, *Nord-Sud*. Publica em 1919 a sua primeira coletânea de poemas, *Mont de piété*. Esse foi um ano de acontecimentos: chegada de Tristan Tzara em Paris, trazendo *dada* na bagagem; funda com Aragon e Soupault a revista *Littérature* e na qual publicam-se os poemas de Lautréamont, copiados por Bréton de um único exemplar conhecido e pertencente à Biblioteca Nacional, e as *Lettres de guerre*, de Jacques Vaché. Enfim, o mais importante ainda: juntamente com Soupault, publica *Les champs magnétiques*, que constitui a primeira obra surrealista. Em 1920, Benjamin Péret alia-se ao grupo de *Littérature*, que, por seu turno, publica 23 manifestos do dadaísmo. Bréton publica na *Nouvelle Revue Française* o seu texto denominado "Pour dada". Em 1921, visita em Viena Sigmund Freud, cuja obra já lhe auxilia a teorizar o surrealismo na mesma época. Mas em 1922 lança *Lachez tout*, a traduzir seu rompimento com o dadaísmo, enquanto, em seu *atelier*, junto com Desnos, Crevel e Péret, consuma as sessões experimentais de escrita sob sono hipnótico. Em 1923, publica outro volume de poemas: *Clair de terre*. Em 1924, Bréton publica o primeiro manifesto do surrealismo, seguido de *Poisson soluble*, poemas em prosa lavrados em escrita automática, bem como o livro de ensaios, *Les pas perdus*. Nesse ano, juntamente com Aragon, Eluard, Soupault, entre outros, a propósito da morte de Anatole France, publicam o folhetim, "Un Cadavre", texto de extrema violência contra o falecido, a provocar escândalo e reações. E é também nesse ano que pede uma nova declaração de direitos do homem, com a fundação da Revolução Surrealista, da qual tomou a direção em 1925. Nesse ano iniciam-se as discussões internas do grupo em torno da revolução soviética e da opção política do artista. Em 1927, Bréton adere ao Partido Comunista após hesitar bastante, mas logo depois se desliga, revoltando-se contra seus "regulamentos". Em 1928, publica *Nadja* e *Le surrealisme et la peinture*.

Em 1930, sai o segundo manifesto surrealista e funda-se uma nova revista, *Le surrealisme au service de la revolution*. 1931 é o ano de *L'union libre*, enquanto em 1932 saem *Les vases communicants* e *misère de la poésie*, destinado a despertar a solidariedade dos intelectuais a Aragon, ameaçado pelas autoridades por causa de seu poema, "Front rouge". Mas depois rompe com o mesmo Aragon, por causa do alinhamento desse na posição do PC e, ainda esse ano, publica *Le revolver à cheveux blancs*, livro de poemas. Em 1933, a fundação da revista *Minotaure*, da qual tornou-se o principal animador. Escreve outro ensaio: "Le message automatique". Em 1934, organiza um protesto dos intelectuais contra a tentativa do *putsch* fascista, ao mesmo tempo em que lança outro volume de poemas, *L'air de L'Eua* e *L'immaculée conception*, em colaboração com Eluard. Em 1935 esbofeteia Ilya Ehrenbourg, que havia difamado os surrealistas e, por isso, tiram-lhe a palavra no Congresso dos Escritores em Defesa da Cultura. René Crevel suicida-se porque não permitiram a fala de Bréton, que, nesse mesmo ano, executa os seus primeiros poemas-objetos. Em 1936 é a exposição internacional do surrealismo em Londres. Em 1937 publica *L'amour fou*. Viagem ao México em 1938, ficando hóspede do pintor Diogo Rivera, na casa do qual encontra-se amiúde com Trótski. Daí sairá o seu manifesto "Pour un art révolutionaire indépendant". De volta dessa viagem, ocorre o rompimento com Eluard, que publicou poemas na revista estalinista *Commune*, que havia caluniado Bréton. 1939: guerra – mobilizado em Nogent, médico na escola de aviação de Poitiers. 1940: desmobilizado e é acolhido em Marselha pelo Comitê de Socorro Americano aos Intelectuais. Em 1941 chega à Martinica e – após – aos Estados Unidos, onde além de encontrar antigos companheiros intelectuais, será, durante três anos, locutor enquanto faz conferências e lança novas teorias surrealistas. Em 1944, no Canadá, tem notícia da libertação de Paris. Em 1945, escreve a *Ode a Charles Fourier*. Viaja ao Haiti. Várias exposições surrealistas se sucedem. Em 1948, lança *La lampe dans l'horloge*. Começam a aparecer vários ensaios sobre a obra de Bréton. Participação política. Publica em 1953 *Le clé des champs*, escreve na revista *Médium*. Em 1955 dirige a revista *Le Surrealisme Même*. Em 1957, *L'Art Magique*, juntamente com Gérard Legrand. Em 1958 investe contra a guerra da Argélia. Em 1959: *Constellations*, poemas acompanhados de ilustrações de Miro. 1960: nova exposição internacional do surrealismo em Nova York. Continuou sempre radical. Na última quarta-feira, síncope cardíaca: morreu aos setenta anos [*Correio da Manhã*, 2.10.1966].

Estruturalismo ou Nominalismo

O estruturalismo está na ordem do dia. Moda? Preferimos ver, nele, um nominalismo – nada mais do que isso em sua essência. Quanto ao fato em si, corresponde à aglutinação do momento das tendências dominantes de – diante de fenômenos ou criações do homem – examinar mais a sua razão funcional, o seu processo de existência e operação, do que especular subjetiva e emocionalmente a respeito dos efeitos daqueles mesmos fenômenos e criações. Isso também é decorrência do avanço enorme, verificado nesses últimos tempos, das ciências da linguagem e da informação. E essa efervescência estruturalista que invadiu os críticos, ensaístas e teóricos franceses encontra, no caso, o seu ponto de partida na antropologia de Lévi-Strauss.

Não há base filosófica para se falar em nascimento de uma ciência, método ou técnica estrutural. Desde a Grécia antiga, a palavra estética já pressupõe estrutura; apenas o conceito do belo varia de época em época. Ou as estruturas são mais abertas ou fechadas, de acordo com a carga probabilística do seu significado, do signo da coisa. Se formos nos fixar no terreno da crítica literária, torna-se fácil comprovar que – pelo menos em caráter intensivo – desde a época dos formalistas russos, existia um critério estrutural de enfocar o texto, mais preocupado com o processo das obras do que com as sugestões *a posteriori* descerradas por elas. Depois, temos o famoso *close-reading*, seja dos grupos de Chicago, Baton Rouge etc., os princípios de Richards, as técnicas de Ogden, Burke ou Empson. Enfim, embora sob o crivo do pragmatismo, não deixam de ser mais do que importantes os métodos de Ezra Pound, quem, aliás, introduziu pela primeira vez, sob o aspecto sistemático, a concepção do artista inventor, isso é, aquele que vislumbra novos processos. Ora, a busca de processos (inventados ou repisados) resume a atividade estruturalista. Roland Barthes deixa isso bem claro, embora com outras palavras, no seu famoso artigo publicado na revista *Esprit*, "L'activité structuraliste".

Estruturalista também é a estética de Susanne Langer – *Filosofia em uma Nova Chave* (*Feeling and Form* ou *Problems of Art*) – que compreende a obra de arte como um objeto virtual e define claramente o conceito de estrutura como elementos em relação, em sua *Introdução à Lógica Simbólica*. E, antes dela e também a influenciando, Ernst Cassirer ("toda obra de arte possui uma estrutura teleológica definida, porque sempre existe o propósito na criação artística") foi lapidarmente estruturalista em sua *Filosofia das Formas Simbólicas* obra básica a analisar o processo das citadas formas simbólicas, quatro a saber segundo EC: linguagem, mito, arte e religião. Cassirer, que escreveu outras obras importantíssimas como *An Essay On Man*, *Linguagem e Mito*, *As Ciências da Cultura*, *Substância e Função* e *O Mito do Estado*, não se limitou, tal qual se depreende, às questões de arte e linguagem: foi ao âmago da *ratio* estrutural do mito, da magia, das formas primitivas de religião. Pois estrutura nem sempre é racionalismo, tomada como um privativismo de coisas que tem o seu processo geométrica ou matematicamente dedutível. A mesma verda, com menos profundidade, trilhou R. G. Collingwood, em seus *Principles of Art*.

Também é estruturalista a psicologia da *gestalt*, de Koffka, Koehler ou Max Wertheimer, o criador do termo isomorfismo, na área da psicologia da forma. Assim como o é Merleau-Ponty, que soube criticar a *gestalt*, perfazendo a sua fenomenologia da percepção em termos estruturais, criticando filósofos tão respeitáveis, como Marx ou Descartes, segundo esse critério. Enfim, talvez o primeiro exemplo completo de estruturalismo moderno esteja na curta, porém, luminosa, obra ensaística de Edgar Allan Poe, cujos "princípios de composição", mormente aquele extenso, explicando o método de criação de seu mais conhecido poema – "O Corvo" – são demonstrações da extrema consciência do artista, com relação ao seu processo.

Toda coisa finita, seja na medida predominante do tempo ou do espaço, invoca estrutura. Nem precisa haver a intenção do homem. A natureza, só ela, dá o exemplo do espontaneísmo estruturalista, a partir do próprio homem e seguido de insetos e vegetais – inúmeros desses últimos conferindo demonstrações externas, numa geometria complexa, mas de altíssima precisão, do racionalismo imediato.

Qual seria então o sintoma da febre estruturalista? Isso nos parece provir de um maior entrosamento social no terreno dos meios de comunicação, por causa da máquina. Há o encurtamento das distâncias, há o cinema, cuja riqueza de materiais, transformando-o na mais poderosa forma de especulação estética, permite inclusive uma retomada da catarse, da grande catarse quase perdida.

Poucos também perceberam com tão rara lucidez a necessidade crescente de informar estruturas como o canadense Marshall McLuhan. Até o seu *little bit* de sensacionalismo se explica, pela própria participação básica da linguagem publicitária no mecanismo criação-comunicação do mundo atual. Após haver publicado *The Guttenberg Galaxy* e *Understanding Media*, McLuhan lançou o seu livro-suma, *The Medium is the Massage*, em que – de maneira isomórfica – no entremeado do texto escrito com o texto visual – ele nos dá uma microestrutura prático-teórica do processo geral que pressupõe inclusive uma nova cultura. *The Medium is the Massage* configura uma reincorporação do "Un coup de dés", de Mallarmé, mais de meio século depois, no universo da Segunda Revolução Industrial. Só que, agora, não se trata de tentar abolir o acaso e, sim, de incorporá-lo. Hoje há uma espécie de vale-tudo no terreno daquilo a que se denomina de arte, exatamente porque a rapidez e o encurtamento incessante dos meios de comunicação denunciam a perenidade da coisa, do fato estético tal como um objeto único de culto ou de fruição permanente. Walter Benjamin demonstra isso magistralmente, no seu ensaio antológico, "A Obra de Arte no Tempo de suas Técnicas de Reprodução".

Marshall McLuhan serve, assim como outros, para denunciar a alienação de mecanismos tradicionais de comunicação. Um deles, muito propriamente também, com vistas ao que ocorre no Brasil, se refere à crise do sistema de ensino. No seu *a priori*, não se trata de uma crise basicamente disciplinar, política, social ou psicológica – tudo isso é decorrência da crise de estrutura. O estudante, desde a fase pré-escolar, já na primeiríssima infância, é instigado no conhecimento por meios como a televisão, a publicidade, os anúncios luminosos, o rádio, cinema etc. Quando chega ao colégio, mormente na fase intermediária dos cursos, sente a alienação dos critérios de relação professor-aluno, com referência aos métodos pelos quais, sem qualquer formalismo de conferência (cuja principal variante é a ida ao quadro negro) recebia a informação. A inadequação da mensagem abafa o estímulo. Isso é também estruturalismo.

Não é o caso de criticar a febre "estruturalista". Denota, ao contrário, a sadia preocupação em dissecar as coisas. Ajuda, por outro lado, a compreender a verdadeira infra-estrutura do mundo e atuar sobre ela – o que é mais importante certamente do que o mero atirar de pedras em vidraças, não se sabendo o que paira por detrás delas [*Correio da Manhã*, 24.9.1967].

Herbert Read

Os ecos da morte de Herbert Read não chegaram logo ao Brasil – parece que somos uma província cultural. E, no entanto, era um dos maiores ensaísta literários e de filosofia política, um dos grandes teóricos de arte desse século. Além disso, em plano menor, poeta e autor de um livro de ficção. Nasceu em 1893, perto de Kirbymoorside, em Yorkshire. Serviu como oficial de infantaria na Primeira Guerra Mundial, na França e na Bélgica. Foi professor em várias universidades e conservador de museus.

"O propósito da arte não é o de externar sentimentos ou excitá-los e, sim, o de dar-lhes forma, encontrar o seu correlato objetivo" (*Icon and Idea*).

A etapa futura do artista não é doméstica, nem sequer monumental, mas, sim, ambiental, o artista do futuro não será pintor, escultor ou arquiteto, isoladamente, será um novo modelador de formas plásticas, que é pintor, escultor e arquiteto ao mesmo tempo, não uma mistura adulterada de todas essas faculdades, mas um novo tipo de talento a resumir e superar a todas (*Icon and Idea*).

E, em seu *English Prose Style*, tentando distinguir, dentro do possível, a prosa, da poesia, e estabelecendo, como unidade da primeira, a frase, e, da segunda, a palavra, procurou entender a prosa como um fluxo de construção e, a poesia, como de criação. Eis aí alguns *hits* do pensamento de Read.

São inúmeros os livros deixados por ele, a evidenciar também os vários ângulos de seu interesse estético e político: *The True Voice of Feeling, The Grass Roots of Art, The Meaning of Art, The Philosophy of Modern Art, Form in Modern Poetry, A Coat of Many Colouri, Education Through Art, Icon and Idea; Art and Industry, The English Prose Style, Arnarchy and Order, Education for Peace Phases of English Poetry, Annals of Innocence and Experience, Art and Society, The Politics of the Unpolitical, Histoire de la peinture moderne*, além da apresentação para Paul Klee que escreveu num dos seus cadernos de arte de Faber and Faber, Herbert Read tentou também uma espécie de romance poético, *The Gree Child*, o qual consideramos uma tentativa fracassada. Seus poemas, todavia, já ganham maior nível de interesse, embora jamais o tenham guindado ao primeiro plano de grande poesia língua inglesa desse século.

Mas, em seus ensaios pululam os *punti luminosi*. É só ler as suas teorias ou explicações sobre a natureza da arte, entre as quais, em nível até didático, destaca-se o livro *Meaning of Art*, em que, no mesmo terreno, paira talvez o seu maior livro, *Icon and Idea*. O longo ensaio sobre "O Surrealismo e o

Princípio Romântico", pertencente ao volume *The Philosophy of Modern Art*, constitui um dos exames mais lúcidos e instigantes dentro do tema. De modo idêntico, ainda no livro mencionado, pontifica a abordamento da obra do construtivista russo, Naun Gabo. *The English Prose Style*, entremeado de *exhibits* de inúmeros autores, é excelente apanhado panorâmico da prosa em língua inglesa da mesma forma que em outros livros e ensaios seus sobre autores como Pound, Eliot, Shelley Wordsworth e Coleridge são do maior interesse. Em paralelo, *Anarchy and Order*, como em poucas ocasiões, aborda com lucidez a atitude ética do anarquismo. E, não esquecer que Read também escrevia sobre cinema, especialmente em *Cinema Quarterly*[1]. [*Correio da Manhã*, 30.6.1968].

O "Livro" de McLuhan

Counterblast é mais um livro de Marshall McLuhan que emerge como reiteração de sua minifilosofia a respeito da aldeia global. Em poucos anos, ele se tornou uma das personalidades mais controversas dos últimos tempos; e, é válido ressaltar, não só os prós, mas alguns contras podem ter o devido fundamento. Mas o cômputo geral de sua atuação traduz-se como altamente positivo, pois agitou o mofo, acionou idéias, melhor dizendo, foi um dos grandes sistematizadores daquilo que já vinha como conseqüências de coisas como Mallarmé, cibernética, James Joyce, automação, publicidade, poesia concreta, cinema, televisão, teoria da estrutura etc.

Ao contrário de outras duas obras, importantes e recentes, como *The Medium is the Massage* e *War and Peace in the Global Village*, o seu *Counterblast* não apresenta fotografias – funda-se basicamente nos recursos tipográficos, suporte para

---

1. O artigo concluía com uma conferência pronunciada por Herbert Read em 1946, Realismo Socialista – uma crítica aguda contra os cânones estéticos pseudomarxistas – publicada depois no volume *A Coat of Many Colours*. A seleção de JLG, de certa forma, englobava a essência de sua própria atitude ante as relações entre a arte e a política, as responsabilidades do indivíduo e o meio ambiente.

a "massagem" que executa nos meios tradicionais de acelerar a percepção. É a luta em prol do homem pós-literário, do garoto que se rebela, na sala ou no auditório, com o expressar acadêmico das aulas modelo conferência, quando, em casa, já aprendeu muito mais vendo televisão. Porém, frisando, não exponencialmente a tevê, como mero conteúdo (ou falta de) de uma dada cultura, e, sim, a tevê como forma de linguagem.

O título da obra é uma espécie de *hommage* e contra-ambientação do *Blast*, de 1911, do escritor Wyndham Lewis, que, para McLuhan, foi uma revolução para as artes e a mentalidade do homem. Lewis enxergou a mudança de séculos de tradição por causa de mudanças rápidas na sociedade e do dinamismo da máquina. Agora, o canadense McLuhan, por analogia, envida retomar o mesmo sentido, proclamando uma nova situação revolucionária.

De uma certa maneira, *Counterblast* não deixa de corroborar novamente a concepção de *Le livre*, de Mallarmé. Um livro que açambarcasse a totalidade das constelações de movimentos que explica o significado universal. Uma espécie de procura do absoluto da hora, não aquele divinizado em essências imutáveis, mas em contingências inarredáveis. Daí, também, a coerência em apelar para os próprios recursos tipográficos a fim de denunciar uma literatura que se fundava, não no espaço acústico de nossa era, mas no logicismo do alfabeto.

Um dos trechos do livro é bem elucidativo no tocante ao que pensa McLuhan: "Num mundo pré-literário, as palavras não são signos". E, continuando:

> Elas evocam coisas diretamente naquilo que os psicólogos denominam espaço acústico. Pelo simples fato de ser nomeada, a coisa está simplesmente lá mesmo. O espaço acústico é um campo dinâmico ou harmônico. Existe enquanto persiste a música ou o som. E o ouvinte é um dos seus componentes, assim como na música. O espaço acústico é o espaço universal do homem primitivo. Até a sua experiência visual permanece bastante subordinada ao seu auditório e domínio mágico, onde não há nem centro, margem ou ponto de vista.

McLuhan, com todos os exageros, é um dos que melhor capta o processo, aquilo que Whitehead chamou de permanência do infinito nas coisas finitas [*Correio da Manhã*, 8.1.1971].

O Último Anedótico

Apesar de todas as transformações, revoluções e erupções, parece que aquilo que se depreende como pintura moderna permanece, em seu eixo de grandeza, ainda preso ao tripé Picasso-Klee-Mondrian. Talvez até esse período de transição, impasse ou perplexidade, que não é privativo das plásticas, mas de todas as chamadas artes (com a exceção óbvia do filme), contribua para tanto. Picasso, no sentido monumental, na explosão de todos os temas e formas em função do espetáculo do quadro, desenvolveu o impressionismo e o expressionismo, foi "azul" e "rosa", estourou com *Les demoiselles d'Avignon*, uma das telas do século, namorou o surrealismo e o abstracionismo, foi cubista sintético e analítico, foi participante com *Guernica*, enfim, e especialmente, consumou a glória do tema *mulher* em todas as idades da forma. Mondrian, ao contrário, depois de um período figurativo, quando estava presente a influência de Van Gogh, tornou-se intimista em sua busca da essência lógica e racional da visualidade, ou melhor, a pintura sobre a pintura, usando só as cores básicas e aquilo que considerava o maior tema e "significava a vida": o encontro entre a linha horizontal e a vertical. Daí, a abertura que legou para a pesquisa do espaço virtualmente tridimensional da parte dos concretos (Albers etc.), enquanto esses mesmos procuravam retomar o mínimo múltiplo comum dos efeitos luz-cor dos impressionistas – vide a linha Monet → Max Bill.

Talvez, no entanto, ninguém, de Klee, tenha levado a palma da originalidade, não a originalidade apenas de escolas e movimentos da maior importância, que buscaram os condicionamentos de estruturas novas, mas aquela, latente, que nasce com o gesto e a vivência, que encerra a inocência não perdida da não-comprometida imaginação da criança; ou quiçá do primitivo, do alienado, do marginal. E o seu ambiente intelectual da Bauhaus não contaminou esse processo pessoal, pelo contrário, estimulou-o no sentido da síntese.

Poderia ser chamado como o último grande romântico da pintura. Mas, além e mais do que isso: um dos últimos fabulistas, o autor do quadro anedótico, quando o virtuosismo da linha sinuosa, aliado à cor-surpresa e aos motivos inesperados, fazem com que o espectador "veja" uma história, um complexo de situações líricas, oníricas. Isso desde o seu desenho, simples, preciso, inventivo. É assim que a fábula visual, amiúde modesta em dimensões materiais, ganha o seu corpo plurivalente, graças aos diversos planos de significado, a partir dos títulos das obras, que, ao invés de serem mera etiqueta, como ocorre, tornam-se elementos literários, funcionalmente incorporados à área significante – não é sinal, já é parte atuante de um feixe de símbolos. À própria era da reprodução dada a natureza não monumental de Klee, soube incorporar-se o produto de seu artesanato, para o maior consumo em livros e álbuns – uma criação tão violentamente pessoal, que como, por exemplo, a de um Chaplin, arrebenta com os seguidores [*Correio da Manhã*, 20.1.1971].

Ensaios de Susanne Langer

A publicação entre nós, pela Editora Cultrix, dos *Ensaios Filosóficos*, de Susanne K. Langer, assinala uma contribuição do maior interesse. Seguidora do espírito de Ernst Cassirer, ela representa um dos pensamentos mais atuais e atuantes do terreno das especulações em torno do fenômeno estético.

Acompanhar várias de suas obras anteriores confere a medida de sua formulação. Em *An Introduction to Symbolic Logic* (*Uma Introdução à Lógica Simbólica*), colocou em questão a noção de estrutura e trouxe à baila, para a discussão da obra de arte, como "objeto virtual" – definição de Cassirer, em *An Essay on Man* e noutras obras – a diferenciação entre material e elemento, a fim de demonstrar o salto do real para o expressivo (da tinta na lata para a cor na tela, por exemplo).

Em *Philosophy in a New Key* (*Filosofia em Nova Chave**), procurou simplificar os conceitos da semiótica de Peirce

---

* Trad. bras., São Paulo, Perspectiva, 1971.

(ícone, índice e símbolo), para operar com a simples divisão entre sinal e símbolo, a partir das concepções, respectivas, de linguagem denotativa (sinal) e linguagem conotativa (símbolo). O sinal, sempre fundado em sua própria materialidade, natural ou artificial; o símbolo, na virtualidade que representa o relacionar com outros elementos além da própria evidência física do objeto.

Feeling and Form (*Sentimento e Forma**) constitui a sua obra mais ambiciosa, aquela que procurou consolidar as bases de sua estética e a mudança de sua definição da obra de arte, de forma expressiva para forma significante. Em que também, com admirável lucidez, escrevia um apêndice sobre o cinema.

Problems of Art (*Problemas da Arte*) é uma coletânea de ensaios, em que, a par do transe em repensar a própria estética, proposta no livro anterior, realiza observações muito agudas a respeito da dialética entre a idéia de poesia e a noção de discurso poético: "a poesia, de modo algum, traduz alguma espécie de discurso". Ou seja, a constatação de que a linguagem discursiva não é condição *sine qua non* para a existência da poesia, dando-se, aqui à concepção do "poético", a compreensão específica do inaugurar mediante o mundo verbal, sem vínculo com a generalização proveniente do fazer (*poiesis*) pervisto no mundo grego.

Os seus *Philosophical Sketches* (*Ensaios Filosóficos*), agora traduzidos no Brasil, correspondem a uma seqüência de textos curtos, transcritos de conferências e palestras realizadas, em suma, o que a autora considera esboço ou notas para uma obra de maior fôlego, sucedânea, quem sabe?, da *Filosofia das Formas Simbólicas*, de Cassirer. Lembrar, inclusive, que Susanne Langer foi a tradutora, para o inglês, do importante *Linguagem e Mito***, daquele último.

Nesses ensaios, encontramo-la abordando inúmeros temas, inclusive uma nova especulação a respeito da natureza do símbolo. As suas formulações, lógicas, claras, criativas, instigantes, já permanecem como um dado precioso a ilumi-

---

* Trad. bras., São Paulo, Perspectiva, 1980.
** Trad. bras., São Paulo, Perspectiva, 1972.

nar todo um processo de indagações filosóficas [*Correio da Manhã*, 13.6.1971].

Contracomunicação: O Ensaio é Poesia

Contracomunicação reúne vários escritos de Décio Pignatari, alguns inéditos, outros já publicados nos jornais. Os inúmeros assuntos abordados, aparentemente heterogêneos, encerram uma visão geral e dinâmica de cultura: poesia e futebol, lingüística e fotonovela, cinema e televisão, ensino e comunicação. E lá estão, presentes, os marcos obsessivos da criatividade, segundo DP: Mallarmé e Oswald de Andrade.

Não está o leitor diante de um livro de ensaios, comum, "normal", em que o "lúcido" ou o "erudito" ensaísta já pagou a hóstia do conhecimento e aguarda as loas ou endechas da crítica. Nem se trata de um livro polêmico, no sentido acadêmico, a discutir as vírgulas das gramáticas de todos os gêneros. Aqui, o ensaio é poesia; não o perfume poetizante, mas no sentido essencial do *fazer* grego.

Aqui, também, metamontagem de corte ou *flashes*, estamos na acronologia, na descontinuidade, na inauguração permanente do saber perceber e logo dizer. DP não está mais preocupado em mostrar o 2 + 2 = 4 do assunto (pergunte-se a Ezra Pound se alguma vez esteve), em provar, explicar tim-tim por tim-tim porque isso ou aquilo. Quem estiver só nessa, remeta-se aos verbetes das boas enciclopédias. Poesia não é só verso. O veículo não é só o *logos*, nem o logaritmo alquímico de alguma nova teoria estruturalista sobre o sobre. Quando, por exemplo, fala de cinema, é preciso mover nas águas de um *Myra Breckenridge* e ao largo dos cidadãos acima de qualquer suspeita, dos quais, aliás, estamos fartos.

E, no momento em que o Governo se manifesta preocupado com o índice cultural das emissoras de televisão, o seu artigo a respeito da TV Cultura de São Paulo é mais do que um aparte; é um alerta. É preciso que autoridades e professores se convençam de vez que a cultura mora na linguagem e, não, nos "conteúdos". Que, na era do ensino audiovisual, da tecnologia galopante, pôr um figurão, paletó e gravata (óculos também seria o ideal), sentado, estático, verborrágico, equivale a permanecer brigando com o "meio", com o veículo, em decorrência, com o público diante do vídeo. Tiro pela culatra – pano rápido – comercial, por favor.

No entanto, o centro de convergência dos assuntos desse livro é a tese do novo, aquela que diz que sem o incomunicável (o novo), não há comunicação. Surpreendente, insólita, escandalosa? Oportuna. O esforço de pensar exigido pelos problemas de informação, código, mensagem, signo, repertório, entropia, diante da ascensão dos veículos de massa no mundo que saiu da mecânica para a eletrodinâmica (Cassirer), foi passado pra trás pelo imediato enxame de comunicadores, comunicólogos, comuniquistas, comunicalistas, comunicalóides, comunicadeiros, em suma, vasos comunicantes do apelo na bolsa de editores, programadores etc. Poucos seguiram as pegadas de Colin Cherry. Comunicação tornou-se um paraíso de facilidades conferenciais, oscilando entre o comércio e a empatia. Ora, era preciso dizer o óbvio não superficial, expulsar os amadores do templo.

Muitos poderão dizer (e até mesmo pensar) que *Contracomunicação* não tem seriedade. Sim, a tal "seriedade", aquela mesma que, em série, matou as ninfas em troca de um comprimido de Melhoral ou que criou as academias. E basta [*Correio da Manhã*, 10.12.1971].

O Panaroma *de Joyce*

"*Panaroma* de todas as flores da fala." As traduções pioneiras de Joyce para o português (por Augusto e Haroldo de Campos) começaram a ser publicadas em 1957, no Suplemento Literário do *Jornal do Brasil*. Os fragmentos de *Finnegans Wake* não são, genérica ou convencionalmente falando, um produto de poesia, mas de prosa (romance). Porém, tal como, com menos intensidade, no caso do nosso Guimarães Rosa, trata-se daquela prosa, organização de fábula ou relato, consumada pela inauguração poética, ou seja, mais intensamente da palavra do que da frase, uma prosa "impura", por não estar afeta apenas ao máximo de transparência do nível semântico do texto. Joyce, por excelência, é o escritor das palavras-valise, dos "baluastros", "ocidantescos", "dogmalucos" ou "pensaventos". Então, exige isso um exercício recriador, fundado no *rigorvigor* do domínio das palavras em relação.

Finnegans Wake projetou-se como o romance para encerrar ou acabar todos os romances, em estrutura circular, podendo começar a ser lido a partir de qualquer linha ou página – tanto que principia com a parte final de uma frase, cuja inicial é a última linha do livro. Aliás, os fragmentos contendo os trechos inicial e final estão lá traduzidos. O romance também pode ser atacado a partir de vários trechos, em operação descontínua: tomadas de um cosmo verbal que, até hoje, raríssimos leitores consumiram como um todo, mormente na ordem das páginas. Mas esse constitui outro dos aspectos radicais do livro [*Correio da Manhã*, 28.12.1971].

Linguagem e Mito

Um dos melhores lançamentos desse ano é sem dúvida a tradução para o português de *Linguagem e Mito* (*Sprache und Mythos*), de Ernst Cassirer, publicado no correr da década de 1920, quando o autor, em paralelo, escrevia o primeiro volume de sua *Filosofia das Formas Simbólicas* (*Die Philosophie der Symbolyschen Formen*) – a sua obra mais importante.

Ernst Cassirer, nascido em 1874, em Breslau, na Silésia, depois de uma intensa formação em várias universidades alemãs (Leipzig, Berlim, Heidelberg, Marburg), tornou-se um dos principais esteios do neokantismo. Em 1919, foi professor de Filosofia da Universidade de Hamburgo, da qual passou a reitor em 1930. Logo depois, no entanto, abandonou esse cargo quando Hitler assumiu o poder. Foi lecionar em Oxford, Gotemburgo e, finalmente, na Universidade de Yale, nos Estados Unidos, país onde permaneceu, de 1941 até a sua morte, em abril de 1945, em Nova York. Morreu exatamente quando terminava de rever os manuscritos de seu último livro, *O Mito do Estado*, um dos melhores trabalhos existentes a respeito do "horror" mitológico na política (principalmente com a motivação da presença de Hitler). Foi, então, Charles W. Hendel quem organizou a terceira parte do livro.

O primeiro livro de Cassirer foi abordando o pensamento de Leibniz: *Leibniz System in Seinen Wissenschaftlichen Grundlagen*, publicado em 1902. A seguir, vieram inúmeras obras, tratando, em especial, dos problemas do conhecimento à luz da História da Filosofia, sem falar na grande iluminação do autor que constituiu realmente o descerrar dos mecanismos geradores das manifestações míticas e de linguagem, aliás, segundo ele, indissoluvelmente ligadas.

Nos Estados Unidos, outros grandes nomes se encarregaram de traduzir as suas obras: a transposição para o inglês de *Linguagem e Mito* coube, nada mais, nada menos, a Susanne K. Langer (cuja obra também vem sendo, aos poucos, traduzida aqui no Brasil). Aliás, em seu prefácio à referida tradução inglesa, Susanne Langer assim termina o preito a EC:

> Ofereço a tradução desse pequeno estudo (com algumas ligeiras modificações e cortes feitos pelo autor, pouco antes de sua morte), tanto como exposição de uma nova visão filosófica ou revelação do trabalho do filósofo: seu material, sua técnica e a solução do problema, através de um lampejo final de gênio interpretativo.

Linguagem e Mito – mais um volume da coleção Debates, da Editora Perspectiva – constitui-se na análise de processos de pensamento não-racionais, que formam a cultura. Cassirer mostra que, em paralelo à linguagem e mito, está uma "gramática" inconsciente da experiência e cujos cânones jamais serão aqueles do pensamento lógico. Por isso, nomear não é só dar nome; a palavra, "como um deus ou um demônio", está, diante do homem, existindo e significando por si própria, como uma realidade subjetiva. Por isso também, as formas simbólicas especiais não são imitações, porém "órgãos" da realidade, já que é somente pelo seu agenciamento que algo de real se torna um objeto passível de apreensão intelectual e, como tal, fica perceptível a nós.

Talvez ainda o capítulo mais lapidar desse livro, seja o último, intitulado "O Poder da Metáfora", em que no desfecho o autor ilumina, no esforço de explicação do processo poético:

O que a poesia expressa não é nem a mítica palavra-imagem de deuses e demônios, nem a verdade lógica de causalidades e relações abstratas. O mundo da poesia permanece distante de ambos, como um universo de ilusão e fantasia – mas é exatamente esse processo de ilusão que o estado do sentimento puro pode encontrar o meio de se exprimir e pode, em decorrência, atingir a sua atualização plena e concreta. A palavra e a imagem mítica, que, outrora, surgiram à mente humana, como poderes sólidos e realísticos, descartaram-se, agora, de toda realidade e efetividade; tornaram-se uma luz, volatilidade luminosa, na qual o espírito pode-se mover, sem obstáculo ou restrição. Essa liberação é obtida não porque a mente abandone as formas sensuais da palavra e da imagem, mas pelo fato de usá-las como órgãos autônomos e, assim, divisa-as como o que realmente são: formas de sua própria auto-revelação

[*Correio da Manhã*, 2.4.1972].

Uma Pedra de Toque da Inteligência Formulativa

ANTROPOLOGIA FILOSÓFICA
Autor: Ernst Cassirer.

Um dos grandes livros de nossa época, que a Editora Mestre Jou lançou, na tradução de Vicente Félix de Queirós. *Antropologia Filosófica* (*An Essay on Man*) trata-se, ao mesmo tempo, de resumo e desenvolvimento das linhas gerais de idéias que Ernst Cassirer havia estabelecido em 1923, com a sua *Filosofia das Formas Simbólicas*.

Ernst Cassirer – nascido em 28 de julho de 1874, em Breslau, morto em Nova York, em 13 de abril de 1945 – não é apenas o grande nome da escola neokantista de Marburgo, é um dos grandes filósofos do século. Na Alemanha, foi professor das Universidades de Berlim e de Hamburgo, até que, em 1932, rumo a Oxford, afastou-se para sempre de seu país, por causa da sombra nazista. Em 1941, mudou-se para os Estados Unidos – Universidade de Yale – e, no último ano de vida, foi professor visitante da Universidade Columbia. Quando morreu, estava terminando seus manuscritos do notável *O Mito do Estado*, um (talvez o maior) dos maiores estudos já feitos a respeito da irracionalidade e formação dos mitos políticos.

A grande problemática desenvolvida por Cassirer, em sua obra, reside na questão do conhecimento, que se realiza por meio das "formas simbólicas": linguagem, mito, arte e religião. Por isso mesmo, EC, logo ao final do capítulo II desse livro, em lugar de animal racional, firma a sua famosa definição do homem, como *animal simbólico*.

Nessa *Antropologia Filosófica*, que também é mencionada como "introdução a uma filosofia da cultura", além da abertura de horizontes para novas idéias, ao leitor, possui quase que uma impressionante sucessão de iluminações conceituais, pedras de toque da inteligência *formulativa*.

Ele explica, por exemplo, que a filosofia das formas simbólicas parte do pressuposto de que a essência do homem deve ser entendida como uma definição funcional e, não, substancial (tema, aliás, dessa confrontação, de seu livro homônimo, *Substanz-u-Funktionsbegriff*, publicado em 1910). Isso porque o homem se distingue mediante sua obra.

Da mesma maneira, *avant-la-lettre* anunciou um estruturalismo que estaria tomando o lugar do positivismo, dada a contribuição de uma espécie de física campal, de outra visão biológica, que ultrapassou a ortodoxia do darwinismo, sem falar na imensa contribuição da psicologia da *gestalt*. Aliás, logo adiante, nesse sentido, são antológicos os capítulos sobre a linguagem e a arte. Em suma: *Antropologia Filosófica* é um lançamento do maior interesse. Quem não conhece Cassirer, terá, aí, uma admirável amostragem [*O Globo*, 17.12.1972].

A Influência da Linguagem sobre o Pensamento e sobre a Ciência do Simbolismo

O Significado do Significado
Autores: C. K. Ogden e I. A. Richards.
Lingüística.

Um dos livros mais importantes dentro do assunto, *O Significado do Significado* (*Um Estudo sobre a Influência da Linguagem sobre o Pensamento e sobre a Ciência do Simbolismo*) (*The Meaning of Meaning – A Study of the Influence of Language upon Thought and of the Science of Symbolism*), de co-autoria de C. K. Ogden e I. A. Richards, agora lançado no Brasil por Zahar Editores, tradução de Álvaro Cabral.

A primeira edição de *The Meaning of Meaning* data de 1923; sempre com prefácio duplamente assinado pelos autores, seguiram-se as de 1926, 1930, 1936 e 1946. Ambos, tanto Ogden como Richards (esse último mais divulgado aqui no Brasil), são críticos e teóricos bastante conhecidos e respeitados. Ogden, entre outras obras, é o autor de *Basic English* e *Opposition* e Richards do *Principles of Literary Criticism* e *Practical Criticism*.

Nesse volume, entre os vários apêndices, os autores ainda fizeram uma análise e transposição resumida do pensamento de teóricos, tais como Husserl, Bertrand Russel, Frege, Gromperz, Baldwin e, especialmente, Charles Sanders Peirce, praticamente o pai da semiótica, e de quem, como divulgadores de suas idéias, também praticamente Richards e Ogden foram os pioneiros mais formalizados. E incluídos também foram, no livro, à guisa de suplementos, dois ensaios do maior interesse: o primeiro deles, "O Problema do Significado em Linguagens Primitivas", é de autoria do grande antropólogo Bronislau Malinowski; o segundo, "A Importância de uma Teoria dos Sinais e uma Crítica da Linguagem no Estudo da Medicina", foi escrito por F. F. Crookshank, membro do Real Colégio de médicos.

Ogden e Richards propuseram-se, nessa obra, a enfrentar o que consideravam as dificuldades suscitadas pela influência da linguagem sobre o pensamento. Exaltavam a importância prática de uma assim chamada por eles ciência do simbolismo. Daí, as várias veredas de *O Significado do Significado*: pensamentos e palavras, o poder das palavras, as situações significantes, os sinais na percepção, os cânones do simbolismo, a teoria de definição, o significado de beleza, o significado dos filósofos, gramática, situações simbólicas, em suma, o próprio significado de significado. Era o momento, então, na época desse livro, em que se formavam as condições para aquela tão propalada *armed vision*, que, até os fins da década de 1950, assegurou a hegemonia da crítica literária em língua inglesa.

Mas *O Significado do Significado* não é apenas um livro de referência. Embora outras idéias, teorias, experiências tenham, no correr do tempo, ido, aqui ou ali, mais fundo ou mais adiante, permanece, como um foco vivo de debate: o grande debate do conhecimento [*O Globo*, 14.1.1973].

Depois Dele, a Linguagem é Outra

> SEMIÓTICA E FILOSOFIA
> Autor: Charles S. Peirce.
> Tradução: Octanny S. Mota e Leônidas Hegenberg.

Trata-se de uma coletânea de textos escolhidos de Charles Sanders Peirce, um dos grandes pensadores modernos e, praticamente, o pai da semiótica, ou seja, a teoria dos signos.

Nascido em Cambridge (Massachusetts), em 10 de setembro de 1830, e, morto em Milford (Pennsylvania), a 10 de abril de 1914, Peirce deixou grande parte de sua obra sem publicação enquanto vivia. Típico fenômeno em torno do precursor, de quem exprime idéias extremamente originais. Pode-se afirmar com tranqüilidade que havia um mundo da linguagem em geral antes e um outro posterior a ele. Daí então o interesse do lançamento, em língua portuguesa, pois sua contribuição, no Brasil, permanecia reservada a uma minoria com acesso à informação em outros idiomas, além da divulgação feita por um ou outro peirciano, especialmente Décio Pignatari, em artigos e conferências.

Como ressalta Thomas S. Knight[2], Peirce faria justiça a um magistério em quaisquer desses assuntos como psicologia, filosofia, matemática, química ou física. "Mas, durante cinqüenta anos de estudo e pesquisa produtiva, jamais lhe foi oferecida uma posição acadêmica." Homem requintado (dava-se ao luxo de cultivar a elegância dos trajes e de se habilitar como *connoisseur* de vinhos tintos), era filho de um brilhante matemático de Harvard e casou-se com uma mulher da alta sociedade de Boston, tendo viajado inúmeras vezes à Europa, inclusive, numa das ocasiões, como o primeiro delegado nor-

2. Em seu ensaio publicado sobre Peirce (série Great American Thinkers da Washington Square Press Books).

te-americano à Conferência Geodésica Internacional, quando desenvolveu uma tese mundialmente aclamada. Tornou-se o fundador do pragmatismo, reconhecido por William James. O fim de sua vida foi triste, atacado pelo câncer e usando morfina para suportar o sofrimento, mas sempre escrevendo incessantemente.

Hoje, suas teorias, principalmente as demonstrações da função triádica dos signos, já ameaçam o lugar comum dos teóricos. Aliás esse capítulo de sua obra – "Classificação dos Signos" – figura evidentemente em *Semiótica e Filosofia*, tal como "O Ícone", "O Indicador" e "O Símbolo". E, talvez, dos primeiros a dar importância ao seu pensamento tenham sido Ogden e Richards, que no bem conhecido *The Meaning of Meaning* (*O Significado de Significado*) já apresentavam, no apêndice, um texto de Peirce.

Semiótica e Filosofia é um livro necessário para o debate e entendimento a respeito da fundação dos signos [*O Globo*, 22.4.1973].

Semiótica e Literatura

Semiótica e Literatura é o terceiro livro de Décio Pignatari publicado na coleção Debates, após *Informação, Linguagem e Comunicação* (já um *best-seller* no gênero) e *Contracomunicação*.

O critério é o do ideograma, da montagem, das lâminas do biologista propugnadas por Ezra Pound. O método de Valéry, a semiótica de Peirce, a Revolução Industrial, as decifrações de Edgar Allan Poe, Machado de Assis e de Mallarmé – é nesse entrechoque de dados básicos, aparentemente estranhos e heterogêneos entre si, que se funda o pensamento de Pignatari. Na parte final do livro, alguns apêndices vários ou "outros códigos" complementam a exemplificação das preocupações do autor: o cinema; Volpi; Oswald de Andrade; a leitura dos objetos na era do consumo.

Semiótica e Literatura, já em si, torna-se um livro polêmico – sem precisar de um referencial incessante a quem ocupa as trincheiras adversárias. É polêmico pela estrutura, pela criatividade, por uma espécie de poética do ensaio, desprendida de regras de princípio-meio-fim, de "explicações", "provas", "demonstrações" do óbvio.

Saisir au vol la diversité – um pensar, uma inteligência que percebe relações e, não, o tatibitate enumerativo de qualidades rotuladas *a priori*. Por isso, na hora de mostrar, o autor, em vez das teorizações apocalípticas, recorre ao método das pranchas.

O livro também funciona como uma lufada de renovação – na forma e no fundo – dentro do amestrado ambiente universitário, onde, quando a informação nova vira moda, desfecha reações pavlovianas permanentes, em coro e em cadeia. Quando a lingüística e a semiótica entraram na universidade, o que seria uma abertura inicial fechou-se logo num formalismo de missa. Hoje, quem manda na maioria das teses é a praga dos diluidores, dos Greimas e congêneres, de qualquer êmulo das Éditions du Seuil, da revista *Tel Quel*. É claro que essas publicações lançam autores e trabalhos de interesse, mas o importante é tentar discernir e evitar o auto-amestramento a qualquer pequena moda. Hoje, principalmente nas cadeiras de literatura, quem faz tese sem dar o seu "enfoque" lingüístico-semiótico, passa a ser desprezado. Inquisição intelectual ao contrário, fugindo do objeto, que são as próprias obras criativas. A continuar assim, é melhor voltar correndo aos livros de biografia...

Opções drásticas, básicas para a visão contemporânea do problema da linguagem, informação, comunicação: Poe, Valéry, Mallarmé, Pound, Saussure, Peirce, Jakobson e os formalistas russos, Max Bense, Colin Cherry, Merleau-Ponty, Lévy-Strauss, Chomsky e um ou outro mais – o resto é a plêiade de diluidores, na redundância que gera o ruído. Se fôssemos, por exemplo, seguir a teorias das isotopias, há pouco lançada, a leitura de Proust causaria os mesmos efeitos num intelectual de cinqüenta anos e num outro de dezoito anos.

Composto como tese de doutorado, em 1973, para o Departamento de Lingüística da Universidade de São Paulo, esse livro também é um chute em cheio no daspianismo de intróitos, súmulas, sumários, itens, subitens, citações ao pé de página – camisa de força a que obrigam os indefesos professores. Esses mesmos professores, cujo calvário (salários baixíssimos, péssimas condições de trabalho etc.) foi, recentemente, descrito com precisão por uma das vozes mais autorizadas, Afrânio Coutinho, no *Boletim de Ariel*. Um livro para ser pensado e discutido, pois o que se entenderá dentro dele, como erros objetivos, também traduzirá os acertos objetivos na trilha da dialética do conhecimento [*O Estado de S. Paulo*, 15.5.1974].

Do Relato ao Registro

Em 1822, o francês Joseph Nicéphore Nièpce, mediante uma folha de papel quimicamente sensibilizada, introduzida numa câmara, registra a imagem da mesa posta para refeição no jardim de sua casa.

Pela mesma época, outro francês, Louis Jacques Mandé Daguerre (1787-1851), com a câmera escura e o metal polido, realiza idênticas modalidades de registros da realidade, criando seu assim chamado daguerreótipo.

Era a invenção da fotografia, Mais do que isso – o filme: uma grande revolução, tão importante como aquela que, cerca de quase três séculos antes, em Mainz, havia sido desfechada por Gutenberg, com a descoberta da imprensa. Com essa descoberta, o alfabeto, mais do que nunca – graças à crescente variedade de editar livros e diversas outras espécies de publicações – iria ser a principal fonte de iluminação, Literatura, ciência e filosofia ganham asas, as idéias circulam mais rápido, seja no espaço, seja no pensamento. E as letras, em decorrência da diversidade tipográfica, vão ganhando vida própria. Conseqüências disso entre outras coisas: Mallarmé, a propaganda e a poesia da vanguarda do século XX.

A ascendência do alfabeto, da linguagem escrita, como forma de informação, somente começou a ser minada a partir da Revolução Industrial e, principalmente, a Segunda Revolução Industrial, ou seja, em física, a queda da hegemonia do mundo mecânico para o eletrodinâmico. É aí que voltamos àquele brinquedo, aparentemente um inocente *divertissement* acionado por Nièpce. Ninguém adivinharia que ali, se apertava o botão de um processo que, já nos dias que correm, fazem do meio primordial de informação não mais uma seqüência de relatos, mas uma montagem de registros.

A grande invenção, no entanto, não foi concretizar a fotografia em si e proporcionar o desenvolvimento de suas técnicas. Não foi só isso. Foi criar o material que viria a propiciar todo um elenco de criação e tecnologia: o filme. Dele nascem, além da fotografia o cinema e a televisão com o registro de movimento e som. E as possibilidades que abriu, no sentido da reprodução em propaganda, documentação etc.

Talvez ninguém tenha mais bem concebido, em sua época, os efeitos da descoberta do grande meio de reprodução em massa do que Walter Benjamim, em seu notável ensaio "A Obra de Arte na Época de suas Técnicas de Reprodução". Benjamin percebeu que aquilo entendido como "aura" do objeto único, até então a individualidade concreta de cada obra de arte, perdia a sua razão de ser. Os próprios meios de reprodução maciça resultariam em novas concepções de arte e por isso mesmo foi um dos primeiros a dizer que o cinema passara a ser a principal forma de arte. Isso porque o filme, em si, veio a ser o grande material. Usamos aqui o termo material dentro daquela dicotomia – "material" e "elemento" – lançada por Susanne K. Langer, a fim de diferenciar o objeto comum, utilitário, do objeto estético, a obra de arte. Segundo Susanne Langer, material é tudo que se afirma na realidade, enquanto elemento constitui o uso do material para projetar virtualidades, tais como idéias, ilusões etc. Ela fornece um exemplo clássico para essa diferença, em seu livro *Uma Introdução à Lógica Simbólica*: a tinta na lata é material; a cor na tela é elemento. E ela própria dava, ao cinema, indiscutível importância, falando inclusive na sua "impressão de onivoridade, apto que está para assimilar os mais diversos materiais e transformá-los em seus elementos próprios", em "Uma Nota sobre o Cinema" ("A Note on Film"), apêndice de seu livro *Feeling and Form*, publicado em 1953.

Mas o filme é material mais complexo do que, até então, se entendia como tal. Quem observou isso muito bem foi Roman Jakobson. Em seu artigo, "Decadência do Cinema?", entre objeto (*res*) e signo (*signum*), ele sustenta o processo de inversão relativo aos objetos que podem funcionar como signos e, em decorrência, estipula que "o objetivo (ótico e acústico) transformado em signo é, na verdade, o material específico do cinema". A seguir, dá um exemplo, que transcrevemos:

A terminologia da roteirização, com seus planos médios, primeiros planos e primeiríssimos planos, é nesse sentido bastante instrutiva. O cinema trabalha com fragmentos de temas e com fragmentos de espaço e de tempo de diferentes grandezas, muda-lhes as proporções e entrelaça-os segundo a contigüidade ou segundo a si a similaridade e o contraste, isso é, segue o caminho da metonímia ou da metáfora (os dois tipos fundamentais da estrutura cinematográfica).

Hoje em dia, a potencialidade de expressão estética, com o emprego do filme, não é mais colocada em dúvida por ninguém. Sem ele, (o filme), não teria existido Chaplin – um dos maiores artistas do século nem haveriam de ser um Griffith ou um Eisenstein os inventores da montagem, da tesoura como buril de seqüências.

E a tevê está aí mesmo, dentro de casa, como a grande forma de cultura: montagem, movimentos de câmera, variedade de planos, ficção e realidade (documentários, telejornais etc.).

E o que restará da "prosa, da ficção"? O velho cavalgar de um texto, ajaezado por figuras gramaticais? Nada de novo. Só ficam os velhos escritores já mitificados, como, por exemplo, na pintura, uma Madona de [Giovanni] Bellini. Há escritores de hoje, numa inútil e torturada dança do ventre verbal, tentando fingir que o relato é registro. Existem ainda os fazedores de versos, naquele mútuo troca-troca de elogios. Mas, o poema está noutra: no registro de estruturas de linguagem, no fazer.

Essa é a verdadeira luta contra a alienação [*O Estado de S. Paulo*, 20.4.1979].

Aristocracia do Tédio

> **LIVRO DO DESASSOSSEGO – VOLUME 1**
> Autor: Fernando Pessoa.
> Idéia: Coletânea de textos completos ou fragmentários do grande poeta, na qual ele aborda questões autobiográficas, estéticas e filosóficas.

Livro do Desassossego evidencia que Fernando Pessoa continua sendo um autor de elevado interesse. Se ainda não está esgotado, basta que se prossiga abrindo o baú que, segundo consta, guarda ou guardava 27.543 papéis seus. Diante desse primeiro volume do *Livro do Desassossego* (o segundo será editado em maio), pode-se fazer duas subdivisões. Mediante a primeira, temos textos completos, inacabados ou meros fragmentos. Pela segunda, podemos classificar esses textos como poemas em prosa, máximas, divagações estéticas, confessionais, filosóficas (leitor de Nietzsche) e políticas – essas últimas de um radicalismo aristocrático ou mesmo, do que se entende como relacionarismo, capaz de fazer corar o finado Oliveira Salazar. Basta ler a breve apologia do tirano. Ao mesmo tempo, destila uma fortíssima misoginia. Mulheres e operários, uni-vos!

Impessoalidade do ser (deus?), não-vida, niilismo, torre de marfim, pessimismo, esteticismo, amoralismo. E sobrepaira o saudável paganismo. Cintilante caleidoscópio de frases e imagens perfazendo uma detestável receita para os escritores "engajados". Lendo-se esse Pessoa, é valido também invocar uma mescla de Omar Khayyam (via Fitzgerald), Rilke, Lautréamont, Oscar Wilde, Heine, Nietzsche e evidentemente, *last but not least,* Shakespeare. Tudo tem possível confluência num texto bem específico, como o do criador dos heterônimos, no qual o jogo com os pronomes oferece larga ascendência dentro do eixo semântico, o trazer a permuta de palavras de significados contrários ou antônimos.

"Na Floresta do Alheamento", por exemplo, é uma pequena obra-prima no gênero. Merece também destaque a "Estética do Desalento", desenvolvendo a filosofia do não-se e a aristocracia do tédio. O autor sabe como não apresentar como gastas as palavras abstratas e, em paralelo, usar imagens ou nomeações concretas a fim de gerar idéias abstratas – isso, naquela fabulosa tradição, que pode vir de um John Donne e, no século XX, desembocar num Lorca ou num João Cabral de Melo Neto. Exemplos de pedras de toque (*touchstones*) nesse sentido: "Na alcova mórbida e morna a antemanhã de lá fora é apenas um hálito de penumbra", "castidade geométrica"; "Fui o pajem de alamedas insuficientes às horas aves do meu sossego azul"; "Surge dos lados do oriente a luz loura do luar de ouro. O rastro que faz no rio largo abre serpentes no mar"; e forja o verbo "cadavernar"; "jazo a minha vida, consciente espectro de um paraíso em que nunca estive, cadavernado das minhas esperanças por haver". Valem, entre outras coisas, a definição de paganismo (p. 287) ou que diz sobre o escrever e o método (pp. 302-303). Esse livro pode não representar o máximo de Fernando Pessoa, mas, como ele mesmo dizia, "tudo vale a pena se a alma não é pequena!" [*IstoÉ*, 13.4.1994].

CRÍTICA NA PERSPECTIVA

Texto/Contexto I
  Anatol Rosenfeld (D007)
Kafka: Pró e Contra
  Günter Anders (D012)
A Arte no Horizonte do Provável
  Haroldo de Campos (D016)
O Dorso do Tigre
  Benedito Nunes (D017)
Crítica e Verdade
  Roland Barthes (D024)
Signos em Rotação
  Octavio Paz (D048)
As Formas do Falso
  Walnice N. Galvão (D051)
Figuras
  Gérard Genette (D057)

Formalismo e Futurismo
  Krystyna Pomorska (D060)
O Caminho Crítico
  Nothrop Frye (D079)
Falência da Crítica
  Leyla Perrone Moisés (D081)
Os Signos e a Crítica
  Cesare Segre (D083)
Fórmula e Fábula
  Willi Bolle (D086)
As Palavras sob as Palavras
  J. Starobinski (D097)
Metáfora e Montagem
  Modesto Carone Netto (D102)
Repertório
  Michel Butor (D103)

Valise de Cronópio
  Julio Cortázar (D104)
A Metáfora Crítica
  João Alexandre Barbosa (D105)
Ensaios Críticos e Filosóficos
  Ramón Xirau (D107)
Escrito sobre um Corpo
  Severo Sarduy (D122)
O Discurso Engenhoso
  Antonio José Saraiva (D124)
Conjunções e Disjunções
  Octavio Paz (D130)
A Operação do Texto
  Haroldo de Campos (D134)
Poesia-Experiência
  Mario Faustino (D136)
Borges: Uma Poética da Leitura
  Emir Rodriguez Monegal (D140)
As Estruturas e o Tempo
  Cesare Segre (D150)
Cobra de Vidro
Sergio Buarque de Holanda (D156)
O Realismo Maravilhoso
  Irlemar Chiampi (D160)
Tentativas de Mitologia
  Sergio Buarque de Holanda
(D161)
Dos Murais de Portinari aos Espaços de Brasília
  Mário Pedrosa (D170)
O Lírico e o Trágico em Leopardi
  Helena Parente Cunha (D171)
Arte como Medida
  Sheila Leirner (D177)
Poesia com Coisas
  Marta Peixoto (D181)
A Narrativa de Hugo de Carvalho Ramos
  Albertina Vicentini (D196)
As Ilusões da Modernidade
  João Alexandre Barbosa (D198)
Uma Consciência Feminista: Rosário Castellanos
  Beth Miller (D201)
O Heterotexto Pessoano
  José Augusto Seabra (D204)
O Menino na Literatura Brasileira
  Vânia Maria Resende (D207)
Analogia do Dissimilar
  Irene A. Machado (D226)
O Bom Fim do Shtetl: Moacyr Scliar
  Gilda Salem Szklo (D231)
O Bildungsroman Feminino: Quatro Exemplos Brasileiros
  Cristina Ferreira Pinto (D233)

Arte e seu Tempo
  Sheila Leirner (D237)
O Super-Homem de Massa
  Umberto Eco (D238)
Borges e a Cabala
  Saúl Sosnowski (D240)
Metalinguagem & Outras Metas
  Haroldo de Campos (D247)
Ironia e o Irônico
  D. C. Muecke (D250)
Texto/Contexto II
  Anatol Rosenfeld (D254)
Thomas Mann
  Anatol Rosenfeld (D259)
O Golem, Benjamin, Buber e Outro Justos: Judaica I
  Gershom Scholem (D265)
O Nome de Deus, a Teoria da Linguagem e Outros Estudos de Cabala e Mística: Judaica II
  Gershom Scholem (D266)
O Guardador de Signos
  Rinaldo Gama (D269)
O Mito
  K. K. Rutheven (D270)
O Grau Zero do Escreviver
  José Lino Grünewald (D285)
Literatura e Música
  Solange Ribeiro de Oliveira (D28
Mimesis
  Erich Auerbach (E002)
Morfologia do Macunaíma
  Haroldo de Campos (E019)
Fernando Pessoa ou o Poetodrama
  José Augusto Seabra (E024)
Uma Poética para Antonio Macha
  Ricardo Gullón (E049)
Poética em Ação
  Roman Jakobson (E092)
Acoplagem no Espaço
  Oswaldino Marques (E110)
Sérgio Milliet, Crítico de Arte
  Lisbeth Rebollo Gonçalves (E13
Em Espelho Crítico
  Robert Alter (E139)
A Política e o Romance
  Irving Howe (E143)
O Prazer do Texto
  Roland Barthes (EL02)
Ruptura dos Gêneros na Literatura Latino-americana
  Haroldo de Campos (EL06)
Projeções: Rússia/Brasil/Itália
  Boris Schnaiderman (EL12)

O Texto Estranho
Lucrécia D'Aléssio Ferrara (EL18)
Duas Leituras Semióticas
 Eduardo Peñuela Cañizal (EL21)
Oswald Canibal
 Benedito Nunes (EL26)
Mário de Andrade/Borges
 Emir R. Monegal (EL27)

A Prosa Vanguardista na Literatura Brasileira: Oswald de Andrade
 Kenneth D. Jackson (EL29)
Estruturalismo: Russos x Franceses
 N. I. Balachov (EL30)
Sombras de Identidade
 Gershon Shaked (LSC)

LITERATURA NA PERSPECTIVA

A Poética de Maiakóvski
  Boris Schnaiderman (D039)

Etc... Etc... (Um Livro 100% Brasileiro)
  Blaise Cendrars (D110)

A Poética do Silêncio
  Modesto Carone (D151)

Uma Literatura nos Trópicos
  Silviano Santiago (D155)

Poesia e Música
  Antônio Manuel e outros (D195)

A Voragem do Olhar
  Regina Lúcia Pontieri (D214)

Guimarães Rosa: As Paragens Mágicas
  Irene Gilberto Simões (D216)

Borges & Guimarães
  Vera Mascarenhas de Campos (D218)

A Linguagem Liberada
  Kathrin Holzermayr Rosenfield (D221)

Tutaméia: Engenho e Arte
  Vera Novis (D223)

O Poético: Magia e Iluminação
  Álvaro Cardoso Gomes (D228)

História da Literatura e do Teatro Alemães
  Anatol Rosenfeld (D255)

Letras Germânicas
  Anatol Rosenfeld (D257)

Letras e Leituras
  Anatol Rosenfeld (D260)

O Grau Zero do Escrever
  José Lino Grünewald (D285)

Literatura e Música
  Solange Ribeiro de Oliveira (D286)

América Latina em sua Literatura
  Unesco (E052)

Vanguarda e Cosmopolitismo
  Jorge Schwartz (E082)

Poética em Ação
  Roman Jakobson (E092)

Que é Literatura Comparada
  Brunel, Pichois, Rousseau (E115)

Imigrantes Judeus / Escritores Brasileiros
  Regina Igel (E156)

Relações Literárias e Culturais entre Rússia e Brasil
  Leonid Shur (EL32)

O Romance Experimental e o Naturalismo no Teatro
  Émile Zola (EL35)

Leão Tolstói
  Máximo Górki (EL39)

Textos Críticos
  Augusto Meyer e João Alexandre Barbosa (org.) (T004)

Panorama do Movimento Simbolista Brasileiro
  Andrade Muricy – 2 vols. (T006)

Ensaios
  Thomas Mann (T007)

Caminhos do Decadentismo Francês
  Fulvia M. L. Moretto (org.) (T009)

Aventuras de uma Língua Errante
  J. Guinsburg (PERS)

Termos de Comparação
  Zulmira Ribeiro Tavares (LSC)

Impressão e Acabamento
Bartira
Gráfica
(011) 4123-0255